Proyecto Nocilla

Proyecto Nocilla
Nocilla dream
Nocilla experience
Nocilla lab

Agustín Fernández Mallo

Nota final de Julio Ortega

ALFAGUARA

Nocilla Dream: 2006; Nocilla Experience: 2008; Nocilla Lab; 2009,
Agustín Fernández Mallo
©De esta edición:
2013, Santillana Ediciones Generales, S. L.
Avenida de los Artesanos, 6. 28760 Tres Cantos, Madrid
Teléfono 91 744 90 60
Telefax 91 744 92 24
www.alfaguara.com

ISBN: 978-84-204-1499-7
Depósito legal: M-22.600-2013

Impreso en Madrid (España)
en el mes de agosto de 2013

© Diseño:
   Proyecto de Enric Satué

© Imagen de cubierta:
   Mobile Home (Split-Level), Peter Garfield, Autorizado por VAGA, Nueva York

© Retrovisor (nota final):
   Julio Ortega

Índice

Nocilla dream   11
Nocilla experience   195
Nocilla lab   393

Retrovisor (nota final), por Julio Ortega   565
Aclaraciones y créditos   569

Existe una enorme cantidad de datos observacionales a los que todavía hay que dar sentido. Y esto sería así incluso si no se hicieran más experimentos.

El camino a la realidad, ROGER PENROSE, 2006

Nocilla dream

Nocilla dream

—¿Has vuelto a leer algún libro de Raymond Carver?
—¿Leer? No, no leo, no (se pone a reír inesperadamente). Veo muchos DVDs.

Entrevista a Daniel Johnston,
Rockdelux, n.º 231

Escribir es intentar saber qué escribiríamos si escribiéramos.

MARGUERITE DURAS

1

Podemos definir los ordenadores como máquinas de triturar números. Podemos pedirles que nos den la posición exacta dentro de 100 años de un satélite, o que pronostiquen las subidas y bajadas de la bolsa por un período de un mes. Nos darán la información en pocos segundos. Pero tareas que no revisten complejidad para los seres humanos, como reconocer rostros o leer textos escritos a mano, resultan muy difíciles de programar y de hecho aún no están satisfactoriamente resueltas. Parece ser que nuestra red de neuronas cerebrales sí contiene los mecanismos necesarios para realizar esas operaciones. De ahí el interés en crear computadoras inspiradas en el cerebro humano.

B. Jack Copeland & Diane Proudfoot

En efecto, técnicamente su nombre es US50. Está en el estado de Nevada, y es la carretera más solitaria de Norteamérica. Une las localidades de Carson City y Ely atravesando un desierto semimontañoso. Una carretera en la que, hay que insistir, no hay nada. Exactamente nada. 418 km con 2 burdeles en cada extremo. Conceptualmente hablando, en todo el trayecto sólo una cosa recuerda vagamente a la presencia humana: los cientos de pares de zapatos que cuelgan de las ramas del único álamo que allí crece, el único que encontró agua. Falconetti, un exboxeador que venía de San Francisco, se propuso hacerla a pie. Había llenado la mochila verde del ejército con mucha agua y un mantel para extenderlo en las cunetas a la hora de comer. Entró en una tienda de comestibles de Carson City, un supermercado con 5 estanterías, cortas, ridículas, Un muñón si esas 5 estanterías fuesen 5 dedos, pensó. Compró pan, una gran cantidad de sobres de buey liofilizado y galletas de mantequilla. Comenzó a caminar hasta dejar atrás el arrabal de la ciudad y entrever al fondo el recorte del altiplano. El asfalto, carnoso, se hundía bajo los 37 °C del mediodía. Pasó de largo ante el Honey Route, último burdel antes de dar comienzo el desierto, y Samantha, una morena teñida que se hacía las uñas de los pies a la sombra del porche, lo saludó de la misma manera que había saludado siempre a coches, peatones y camiones, sin otro propósito que desear la buena suerte, pero esta vez además añadió, ¡Si ves a un tipo en un Ford Scorpio rojo que viaja solo hacia Nueva York, dile que vuelva! Falconetti apretó play en el walkman e hizo como que no la oía.

Instintivamente aceleró el paso y hundió aún más el pie en los 37 °C de asfalto. Hacía casi un mes que había salido de San Francisco, rebotado del ejército. Allí, en el ejército, había leído la historia de Cristóbal Colón, y habiendo quedado fascinado por la osadía de éste se propuso hacer lo mismo pero en sentido contrario: ir de Oeste a Este. Nunca antes había salido de San Francisco.

Desde la primera vez que lo vio se convenció de que por fuerza no podía ser algo bueno, pero tampoco malo. Extraño. Era un zapato, un zapato tirado en mitad del asfalto. No 2, ni 4, ni 8 ni ninguna otra cifra par, sino la cifra impar por antonomasia: 1. Billy the Kid hacía con su padre, escalador profesional, el trayecto Sacramento-Boulder City, y estaba acostumbrado a ir amarrado en la parte de atrás de la furgoneta entre cuerdas de 11 mm, arneses Petzl y abundantes mosquetones. El padre, Billy a secas, improvisaba un arnés para el crío y con dos mosquetones a ambos lados de la cintura lo sujetaba a fin de que no se diera trompazos en las curvas. Billy the Kid iba feliz. Aquel día habían salido temprano para llegar a tiempo a la 3.ª Competición de Escalada Deportiva de Boulder City, en la que el padre participaba. Desayunaron en la primera estación de servicio que encontraron. Tomaron el clásico café con tostadas de cacahuete fritas a la cerveza y mermelada, y Billy the Kid, mientras revolvía el descafeinado que aún quedaba en el fondo de la taza, se acordó de su madre, pocas horas antes, cuando en la entrada de la urbanización, y tomada por una belleza que al crío le pareció definitiva, le apretó la cabeza contra su pecho antes de darle un beso. Como cada domingo, Conduce con cuidado, le había dicho al padre después de también besarlo. Dormitaba en la parte trasera de la furgoneta cuando se despertó y, a lo lejos, quieto en el asfalto como un conejo sin camada, paralizado por una incertidumbre que es imán para la soledad, lo vio, un zapato de tacón, marrón quizá por la tierra del desierto, o quizá porque de verdad fuese marrón. Ni 2, ni 4, ni 6, ni 8, ni ninguna otra cifra par.

Pensó que el amor, como los árboles, necesita cuidados. No entendía entonces por qué cuanto más fuerte y robusto crecía el álamo que tenía en sus 70,5 acres, más se venía abajo su matrimonio.

5

Es lógico, en un burdel hay chicas de todas las clases, y especialmente aquí, en el desierto de Nevada, cuya monotonía, la más árida del Medio Oeste americano, hay que paliar con determinados exotismos. A Sherry la están maquillando en el backstage improvisado en la parte de atrás, junto al antiguo pozo ahora seco. No se fía del gran espejo enmarcado en bombillas que le han puesto y, como cuando llega algún cliente por sorpresa, echa mano del retrovisor de un Mustang ya casi hecho chatarra. El sol y la nieve lo han ido comiendo desde que allí lo dejó un hombre al que jamás volvió a ver. Se llamaba Pat, Pat Garret. Llegó una tarde de noviembre, con la última temperatura moderada, pidió una chica, la más joven, y Sherry se presentó. Pat tenía una afición: coleccionar fotografías encontradas; toda valía con tal de que salieran figuras humanas y fuera encontrada; viajaba con una maleta llena. Tumbados en la cama, mientras miraba un punto fijo de la pared, le contó que después de haber trabajado en un banco en L. A., había heredado inesperadamente, así que dejó el trabajo. Su afición por las fotografías le venía del banco, por culpa de ver tanta gente; siempre imaginaba cómo serían sus caras, sus cuerpos, en otro contexto, más allá de la ventanilla, que también era como el marco de una fotografía. Pero tras haber cobrado la herencia, su otra afición, el juego, lo había llevado a perderla casi en su totalidad. Ahora se dirigía al Este, a Nueva York, en busca de más fotografías, Aquí, en el Oeste, siempre andamos a vueltas con los paisajes, le dijo, Pero allí todo son retratos. Sherry no supo qué decir. Él abrió la maleta y le fue dando las fotos. Barajada en uno de los tacos encontró el inequívoco rostro de su madre. Sonreía agarrada a un hombre que, entendió, era el padre que nunca había llegado a conocer. Cayó sobre el pecho de Pat y lo abrazó fuertemente. A partir de ahí, él se quedó muchos días más, ella ya no le cobraba, le preparaba la comida y no salían de la habitación. La noche en que Pat se fue el Mustang no le arrancó, pero consiguió parar a un camión que iba hacia Kansas. Por la mañana, tras descartar que se hubiera caído al pozo, o que hubiera ido a Ely a por tabaco, ella se puso a esperarlo hasta que anocheció con la vista fija en el último punto divisable de la US50. Cuando ya no pudo más, sentada en el capó del Mustang se echó a llorar. Se repasa los labios en el retrovisor y la maquilladora la avisa, ¡Salimos al aire en 1 minuto! Nevada TV hace el especial *Prostitución en carretera*. Acercan el micro y le preguntan, ¿De qué cosa te sientes más orgullosa, Sherry? El amor es un trabajo difícil, contesta, amar es lo más difícil que he hecho en toda mi vida.

En el momento en que sopla el viento del sur, aquel que llega de Arizona y remonta los diferentes desiertos semi-habitados y la docena y media de poblados que con los años se han visto sujetos a un éxodo imparable hasta decaer en poco más que en pueblos-esqueleto, en ese momento, justo en ese momento, los cientos de pares de zapatos que cuelgan del álamo se someten a un movimiento pendular, pero no todos con la misma frecuencia, dado que los cordones por los que están sujetos a las ramas son de una longitud muy diferente en cada uno de ellos. Visto a una cierta distancia es, en efecto, un baile caótico en el cual, pese a todo, se intuyen ciertas reglas. Se dan fuertes golpes los unos contra los otros, y súbitamente cambian de velocidad o trayectoria para al fin regresar a los puntos atractores, al equilibrio. Lo más parecido a un maremoto de zapatos. Este álamo americano que encontró agua se halla a unos 200 km de Carson City y a 218 de Ely; merece la pena llegar hasta él sólo para verlos detenidos y a la espera del movimiento. Zapatos de tacón, italianos, chilenos, deportivas de todas las marcas y colores (incluso unas míticas Adidas Surf), aletas de buceo, botas de esquí, botitas de niño o botines de charol. Cualquier viajero puede coger o dejar los que quiera. El árbol es para los habitantes de las cercanías de la US50 la prueba de que hasta en el lugar más remoto del mundo hay vida más allá, no de la muerte, que ya a nadie importa, sino del cuerpo, y de que los objetos, enajenados, por sí mismos valen para algo más que para lo que fueron creados. Bob, el dueño de un pequeño supermercado de Carson City, se para a unos 50 m. De lo más próximo a lo más lejano, enumera lo que ve: primero la llanura muy roja, después el árbol con su alambicada sombra, más allá otra llanura menos roja, decolorada por el polvo, y al final el recorte de las montañas, que le parecen no tener profundidad, planas, como una de aquellas pinturas lacadas de paisajes chinos que había en el restaurante Peking Duck, ahora cerrado, frente a la Western Union, piensa. Pero sobre todo, al ver esa superposición de franjas de colores, la imagen que le viene a la mente con más nitidez son los estratos de diferentes colores que forman los productos apilados por capas horizontales en las estanterías de su supermercado. A media altura hay un lote de bolsas de patatas fritas al bacon que traen como obsequio, amarradas con celo, unas latas circulares de galletas de mantequilla danesas; en cada tapa aparece el dibujo de un abeto con bolas de navidad colgando; no lo sabe. Ambos árboles están empezando a combarse.

Uno de los problemas más grandes a los que se enfrentan los hoteles es el hurto de pequeños objetos. Se calcula que las grandes cadenas hoteleras pierden al año más de medio millón de toallas, pérdida que ya dan por asumida, al igual que bolígrafos, ceniceros, champú, kits de costura, cepillos de dientes y todo tipo de artículos de baño. Pero también desaparecen vajillas y cuberterías casi al completo, picaportes, toalleros, espejos, juegos de cama, lámparas de diseño, centros de flores reconvertidos en un buen regalo de última hora, plantas con su macetero, alfombras y teléfonos fijos. A cambio, los clientes se olvidan relojes, loros que hablan varios idiomas, urnas con las cenizas de un ser querido, pendientes, collares, lencería de alta calidad, brazos ortopédicos, lentillas, muñecas hinchables, libros de toda clase, juguetería adulta diversa, informes de los servicios secretos de varios países, y hasta cocodrilos vivos dentro de maletas de piel de cocodrilo. La cadena de hoteles Houses of America, tras declarar la amnistía a todo aquel que en sus 62 años de existencia se ha ido con algún objeto en la maleta, ha decidido intentar recuperar sus pertenencias de forma pacífica, y para ello ha creado el primer Museo de Objetos Encontrados, con sede en Los Ángeles y en Chicago, aunque también se encuentra el catálogo en Internet. En ellas se exponen de forma permanente todos esos objetos que los clientes se han ido olvidando, para que quienes tengan en su casa alguna pieza hurtada del hotel elijan la que les guste del catálogo y de esta manera permutar la una por la otra. Pero, *y se fue poniendo el sol en la recepción del hotel. Hasta que la penum-*

bra [sintética repetición de la noche sólo accesible a fenómenos interiores] soldó al vacío del vestíbulo los cuerpos de los que entraban y salían. Al botones lo cogió con la mano extendida. Obtuvo la muerte. De la novela.

Deeck es un internauta danés. Esto carece de importancia porque los internautas no tienen patria. Nació y creció en Copenhague, pero se trasladó a los 18 años a un pueblo industrial, en el cabo más al norte, que abastece de hombres a la mayor fábrica de galletas del país. Trabaja en el turno de tarde y por las noches navega la red o diseña páginas web para él mismo sin otra finalidad que reírse satisfactoriamente de sí mismo. Se lo toma muy en serio. Vive solo. Ahora que han prohibido fumar se ha aficionado a fumar. Comenzó haciendo una web en la que exponía las fotografías de sus peculiares cuadros, hechos éstos únicamente con chicles masticados que iba pegando al lienzo. Desarrolló dos líneas estéticas.

1) Paisajes nórdicos: naturalezas nevadas con, como mucho, el arquetipo de una ciudad o una persona al fondo. Para eso nada mejor, aseguraba, que los chicles tecnológicos, planos, sin puntas, casi conceptuales, sin azúcar, como la Menta de Trident, que masticada parece casi blanca, con una intención crema para la nieve sucia de los altiplanos, y la Menta de Orbit, verde pálido, masticada 3 minutos, para las emersiones de hierba que motean la nieve o los abetos del fondo. O el también Trident Special de clorofila a la hierbabuena, de un verde casi marrón tras 4 días de mascado, al que además se le forma una colección de gránulos muy apropiados para representar figuras que requirieran textura, como las humanas muy alejadas o ciudades también casi esquemáticas.

2) Rubias explosivas: para éstas se valía de chicles gruesos, de kiosco, muy azucarados, infantiles [por eso a los niños les gustan mucho las rubias, pensó un día antes de acostarse]. Entonces, los chicles de banana Bang-Bang muy poco masticados para el pelo rubio, los de fresa ácida Cheiw muy masticados para la carne del pecho, y esos mismos apenas metidos en la boca, tras la inmediata reacción con la saliva, para las piernas más agranatadas, o los de Coca-Cola para los labios, ojos y pezones, están entre la materia prima más usada. En la web donde exponía sus cuadros, mediante un link de Datos Técnicos, se accedía a toda esta información. Pero ésa y todas las restantes webs que ha ido creando las fue abandonando progresivamente por la que constituye desde entonces la única ocupación de su tiempo libre: fotografías encontradas. Gente de todo el mundo le envía por la red cualquier fotografía a condición de que en ella se retraten figuras humanas y haya sido encontrada, especificando el nombre de quien la envía y lugar de aparición. Se levanta de la cama, son las 2 de la tarde. No se ducha para no llegar tarde al turno, que comienza a las 3. Se sienta en la cocina, la formica de la silla está helada; antes ha puesto a calentar café. Se mira las botas. Ni el día que las compró le gustaban. Se descalza y las tira al fuego de la chimenea. Con el tiempo quedarán sólo los hierros destemplados que dan rigidez a las suelas. Coge un piso de galletas de las que fabrican en la cadena y moja en el café; tienen tanta mantequilla que aparece en flotación un archipiélago de espejos. Cierra la lata. En la tapa circular hay dibujado un abeto cargado de bolas de Navidad. Enciende un cigarro.

9

El sistema binario de numeración, 0 y 1, es el medio de computación que utilizan los ordenadores digitales, así como innumerables mecanismos como medio de control. Sus precursores fueron Francis Bacon (1561-1626) y Joseph Marie Jacquard (1752-1834), quien inventó un sistema de control para los telares de su fábrica basado en el código binario. El sistema binario es de un interés fuera de toda duda en operaciones de naturaleza dual: encendido o apagado, verdadero o falso, abierto o cerrado, etc. Un componente de un ordenador o bien se encuentra activo, o bien inactivo. Ésa es la razón por la cual el sistema binario es fundamental en el funcionamiento computacional. Los tejidos comunes de las prendas que vestimos y los circuitos electrónicos tienen semejanzas debido al código binario. En el tejido, el elemento binario es la puntada, que podrá ser con un hilo horizontal sobre otro vertical, o al revés. En el circuito lo que determina el carácter binario es la conductividad eléctrica a su paso por un determinado componente: conduce, o no conduce.

F. G. Heath

Ahora acaba de terminar de hacer las camas, de recoger la mesa tras el desayuno, y mira insistentemente el reloj de la cocina. Se ha pintado los labios de rojo mate a juego con el estampado del vestido. Los zapatos de tacón, marrones y recién comprados, le aprietan. Espera sentada en el vestíbulo. Con media hora de retraso llega Paul en la GMC de la empresa. Pasa de largo y la espera al ralentí dos manzanas más adelante, donde están construyendo la tercera fase de la urbanización. Éste es el mejor sitio para esperarte, hoy los albañiles no trabajan, dice él mientras ya van rodando. Como cada domingo, se van a comer a North River, una ciudad que linda con Nevada, y que pasa por tener las mejores truchas del Oeste. Ante una montaña de peces fritos, que comen con los dedos, cuentan chistes, anécdotas de la semana, y no se lamentan por no poder vivir juntos. Después se besan y la grasa de los labios es un recuerdo que en ella perdurará toda la semana y en él hasta que use la servilleta. Hoy han modificado la ruta y en vez de ir después de comer al hotelito de la calle Washington, deciden hacer kilómetros hacia el sur para ver un espectacular cañón que hay en las cercanías de la ciudad de Ely, hasta que, ¡Mira!, dice Paul, ¡El álamo de los zapatos! Y se detienen. Intentan contarlos pero la cantidad y la maraña lo hacen imposible. Bájame esos zapatos de estrella de cine, dice ella, O mejor esas botas de esquí para cuando vayamos a la nieve. Te bajo si quieres, dice Paul, Esas otras que están más cerca. No, contesta ella, Más botas de escalada no, gracias. Él la mira y pregunta, Qué tal está el pequeño Billy. Muy bien, responde, Cada día es un niño más encantador, ha ido con su padre a la competición de escalada, en Boulder City. Se hace un silencio conocido; le da una palmada en la espalda a la altura del broche del sujetador, y con un, ¡Vamos!, la conduce de la mano hasta el coche y continúan hacia el cañón. A que con las ventanas abiertas y la música de la radio, dice Paul mientras enciende un cigarrillo, la GMC parece la nave de *Star Trek*. Claro, responde ella con gesto malhumorado: los zapatos le han producido ampollas y los lleva desatados. Reclina el asiento y saca la pierna por fuera de la ventanilla. En un golpe de viento el zapato se desprende del pie. Se echan a reír. En mitad del asfalto, como un conejo sin camada, el zapato marrón queda confundido casi al instante con la polvareda del desierto; ni 2, ni 4, ni 6, sino 1, la cifra impar por antonomasia. Mira fijamente a Paul durante unos minutos mientras él tararea una versión de una versión de otra versión de una de Sinatra.

Al sur de Las Vegas Boulevard, sobrepasando en muchos kilómetros la zona de los casinos, exactamente en el momento en que miras hacia atrás y, como en *El rayo verde,* ves por el retrovisor el destello del último casino en el horizonte, te encuentras de frente con un apartotel de dos pisos de altura de la cadena Budget Suites of America. Un cartel anuncia que hay descuentos para quien se quede más de una semana, las mantas van aparte, así que a una inmigrante adolescente puertorriqueña tuvieron que cortarle 3 dedos del pie derecho por congelación el invierno pasado; parece ser que lamentó haberse pintado las uñas el día anterior con una laca muy cara que había comprado en Puerto Rico para ir radiante a las entrevistas de trabajo. Si esa muchacha viviera en Japón, esa reducción de pie significaría una especie de suerte divina a la que sólo las geishas tienen acceso. Si viviera en Nueva York constituiría el signo de inmensa riqueza propio de las señoras de la 5.ª Avenida, quienes se mutilan los meñiques de los pies para poder llevar los afiladísimos zapatos de punta de Manolo Blahnik [después meten los dedos resultantes de la mutilación en formol o similar para tenerlos en casa y enseñar a todo aquel al que se le quiera dejar claro el estatus económico y social]. El aparcamiento del complejo está moteado de furgonetas y casas rodantes. Han llegado a constituir un poblado. Cada día es un reto para la promesa que, de una u otra forma, todos se hicieron cuando llegaron: prosperar en Las Vegas. Todo este tinglado es el equivalente al de los carromatos de los pioneros y soñadores que se colocaban en círculo para hacer noche. En los últimos 5 años, este lugar se ha convertido en la frontera real más allá de la cual se extiende la tierra prometida. Todo está aquí tan saturado de sueños que ha devenido un lugar mágico. Rose cuida en un habitáculo de 30 m² de sus tres hijos. Hace cada día una ronda por las despensas de las iglesias y los bufets baratos de los casinos. Los utensilios con los que comen y la vajilla descasada son de origen contenedor. Uno de los hijos, Denny, trabajó en una copistería de folletos del negocio del sexo, pero lo echaron porque se masturbaba con demasiada frecuencia en horas de trabajo; el resto ni han llegado a conseguir trabajo. La hermana mayor, Jackie, fue tirando mientras estuvo arrimada a un exboxeador llamado Falconetti. Venía de San Francisco, recién licenciado del ejército, haciendo una quimérica ruta a pie que invertía el viaje de Colón. Estuvo un par de meses con Jackie y antes de irse ella le dio como recuerdo las raídas Nike que llevaba puestas el día en que se conocieron, que había sido haciendo autoestop, en sentidos contrarios, uno frente al otro en la carretera: se habían puesto a hablar porque no pasaba nadie. En la ciudad posmoderna por antonomasia, donde, como es obligado en todo lo *post,* hasta el tiempo flota desprendido de la historia, el índice de criminalidad, sexo y drogadicción en adolescentes ha crecido en los últimos 3 años en un 30,75%. Todo un ramal de autovías parte de Las Vegas Boulevard, para desarrollarse por el desierto en busca del horizonte con una estructura arborescente mientras como frutos extraños le van creciendo multitud de lugares mágicos en forma de apartoteles. Están viendo la tele y Denny saca del bolsillo un paquetito hecho con papel de periódico que encontró en un contenedor. Ante la mirada de su madre y hermanos lo abre y muestra bajo el flexo tres dedos de pie derecho de un destellante morado opalescente con las uñas pintadas de rojo.

Realidad Aumentada: mediante la adecuada combinación del mundo físico y virtual, se podrá aportar la información perdida, como sucede cuando se recrea la visión de un aeropuerto que tendría un piloto si no hubiera niebla.

Luis Arroyo

Hace mucho tiempo [tanto que parecen siglos] hubo un escritor muy importante y famoso llamado Italo Calvino que nos invitó a pensar una ciudad muy bella constituida únicamente por sus canalizaciones de agua. Una maraña de tuberías que [según Italo Calvino] partiendo del suelo suben verticales por lo que serían los edificios, para ramificarse horizontalmente en cada planta en la que se hallaría cada piso. Al final de las tuberías pueden verse lavabos blancos, duchas y bañeras donde mujeres disfrutan porque sí del agua. La explicación [según Italo Calvino] es que esas mujeres son ninfas que encontraron en estas tuberías el medio óptimo para desplazarse y así vivir sin obstáculos en su medio acuático natural. A lo que no nos invitó fue a pensar que dentro de cada uno de nosotros existe otra ciudad si cabe aún más compleja; el sistema de venas, vasos y arterias por las que circula el torrente sanguíneo, una ciudad que no posee ni grifos, ni aberturas, ni desagües, sólo un canal sin fin cuya circularidad y constante retorno consolida un «yo» con el que salvarnos de la fatal dispersión de nuestra identidad en el Universo. Un desierto que no avanza, un tiempo mineralizado y detenido llevamos dentro. De ahí que el «yo» consista en una hipótesis inamovible que al nacer se nos asigna y que hasta el final sin éxito intentamos demostrar.

Bajo el sobrenombre de Sokolov se esconde la verdadera identidad, hasta ahora irrevelada, de un músico polaco afincado en Chicago. Llegó a Norteamérica a la edad de 10 años a fin de ser criado por su abuela. Tras la muerte de sus padres en una explosión de gas que derribó gran parte del edificio donde vivían, en Tarnów, cerca de Cracovia, fue ésa la forma más fácil que su tía polaca encontró para deshacerse de él. Se había salvado por estar en ese momento, y como era habitual, en el sótano del edificio grabando en un magnetófono toda clase de ruidos excitantes para su infantil cosmogonía. Dar golpes con una cuchara sobre la mesa al mismo tiempo que respiraba con fuerza, poner a funcionar el taladro y simultáneamente recitar sin entender ni una palabra fragmentos del ejemplar de *El capital* que el padre tenía arrumbado en la caja de herramientas, y cosas así, era lo que le gustaba registrar en una vieja grabadora KVN. Lo habían sacado tras 3 días sin comer ni beber, cuando ya era dado por muerto. En Chicago creció encajando fácilmente, como todo músico, en una civilización como la americana, basada en el predominio del tiempo sobre el espacio. Su misma abuela se había visto sorprendida por semejante ejemplo de adaptación al medio. Tras estudiar varios años electrónica y ejercer de responsable de los sintetizadores en varios grupos de post-rock locales, sus intereses fueron derivando hacia aquello que le había ocupado en su niñez, la música abstracta y el ruidismo, y así, no era difícil verlo por diferentes barrios de Chicago armado con grabadoras y micrófonos de campo descubriendo texturas de todo tipo en inesperados *instrumentos urbanos:* desde el clásico clac-clac al paso de coches sobre una tapa de alcantarilla mal ajustada, hasta la ventosidad que, de principio a fin del dibujo, emite el bote de espray de un grafitero. Después remezclaba y *sampleaba* esos sonidos con otras grabaciones, propias o ajenas, y así fue como comenzó a grabar sus primeros CDs, que después distribuía él mismo por tiendas y mercadillos hasta que una significativa fama de músico de vanguardia lo alcanzó. Milagrosamente, en el momento en que aquella desgracia polaca había acontecido, llevaba una cinta recién grabada en el bolsillo, la cual ha conservado. Con frecuencia la utiliza para extraer e insertar en sus actuales obras sonidos que jamás habrían existido en Norteamérica.

Falconetti llega a las 6 de la tarde al álamo que encontró agua, se detiene bajo su sombra, deja el macuto verde y se tumba apoyando la cabeza sobre él. Mira hacia arriba. El vaivén de tanto zapato lo hipnotiza y se adormila. Cuando se despierta es prácticamente de noche. Ni una luz en todo el radio del horizonte salvo la del infiernillo en el que calienta una sopa liofilizada de buey. Parece ser que el del supermercado se la vendió caducada. La tira. Metido en el saco, se queda dormido mientras mira los destellos titilantes de los ojales de tanto cordón sobre su cabeza. Lo despierta el sol. Extrae unas pequeñas Nike raídas del macuto, anuda la una a la otra y las lanza al árbol. Se quedan prendidas junto a unas botas azules y rojas de esquí. Mientras hace la gimnasia y los estiramientos de todas las mañanas en la parte del árbol donde a esa hora el tronco arroja su sombra, encuentra un preservativo usado.

No tienen mucho que ver las palabras *organización* y *organismo*. Organismo es un ente, sea mineral, animal, vegetal o sociocultural, que vive y se desarrolla por sí mismo, siguiendo únicamente dictados casi siempre espontáneos, complejos e internos; puede considerarse en todos los casos como un ser vivo. Una organización es una entidad burocrática, sea mineral, animal, vegetal o sociocultural, dependiente de otras que le dictan su desarrollo desde el exterior; en ningún caso puede llegar a considerarse como un ser vivo.

De entre todas las manías, sin duda la más habitual es hacer el amor por las mañanas. A esa hora los hombres siempre quieren y terminan sometiendo a las mujeres. Esto no representa problema alguno si se vive al resguardo de una casa. Ahora bien, imaginemos a una pareja sin techo que se hubiera afincado en mitad de un descampado o un desierto; tendría que ir siempre a la parte de un árbol, arbusto o tapia en la que hubiera sombra para acometer el acto. Con el paso del tiempo inevitablemente quedarían en la tierra las marcas de los mecánicos envites, y al final siempre habría alguien para desarrollar una teoría que pusiera en relación directa esas huellas con la visita de una nave extraterrestre. Esto es lo que le ocurrió a Kent Fall, el alcalde de Ely, cuando una mañana de 1982 vio en la parte en sombra de un álamo que encontró agua unas señales muy profundas, gestuales y aritméticas, horadadas en la tierra. Arriba, colgando en una rama, encontró 2 pares de zapatos.

Hubo una ocasión en la que Sherry se quedó como única chica disponible en el Honey Route. Así, la afluencia de clientes habituales se vio mermada y reducida a los de paso que, una vez dentro y con la cerveza en la mano, ya no se echaban atrás. Como cada lunes, llegó un transportista llamado Clark, el habitual de los licores. Hacía tiempo que le decía, En un momento haces la maleta, total no tienes nada, y te vienes en el camión conmigo. Los repartidores hacen la ronda antes del amanecer, así que antes de un amanecer de marzo Sherry metió en el camión su maleta, y Clark ya abrió una cerveza. Él le fue contando que tenía un amigo argentino en las afueras de Las Vegas, en un apartotel y que podría conseguirle trabajo a ella en la ciudad de pornostar, pues este amigo trabajaba en un club, y que a él ya vería de qué. Fue en ese momento la primera vez que él tuvo intención de besarla; pero no. Sherry había estado en vela casi toda la noche y se fue a la parte de atrás del camión a tumbarse, hojeó un libro que encontró entre unas latas de cerveza, y leyó para sí antes de tirarlo de nuevo, *de cuantos libros he entregado a la imprenta ninguno, creo, es tan personal como esta colectiva y desordenada colección de textos. J. L. Borges. Buenos Aires, 31 de octubre, 1960.* El sol ya estaba alto y Clark abrió otra cerveza, que le pasó a Sherry, y después otra y así hasta la octava con la que, buscando descanso, se pararon debajo de un álamo cargado de zapatos. Sherry había oído hablar mucho del árbol, y del supuesto origen extraterrestre de unas marcas que había en el lado en que al amanecer hay sombra, pero jamás había llegado a verlo. Quizá tanto zapato sea una ofrenda a esos extraterrestres, dijo Sherry dando un salto de la cabina al suelo, De aquí a California no hay más que sectas, en el Honey Route una vez pararon unos que follaban sin follar, era muy raro, sólo me miraban, pero ellos aseguraban que lo estaban haciendo, y me tuvieron así horas, no lo entendí pero pagaron. Se han tumbado debajo del árbol, él la abraza enganchándola por el voluminoso pecho que el silencio y la cerveza hacen aún más voluminoso, pero tampoco la besa aún. Después, con visible emoción, le habla de un libro de Jorge Luis Borges que su amigo argentino le regaló. Lo tengo en la parte de atrás del camión, dice, luego te lo enseño, se titula *El hacedor*.

19

Un espía quiere enviar el mensaje «El armamento nuclear está ubicado en...». Para ello lo codifica cambiando las letras de la frase por otras que elige al azar: la *e* por la *h,* la *l* por la *k,* la *a* por la *v,* etc., de manera que el mensaje queda: «hk vjtvthbil bñwkhvj...». En caso de que el enemigo intercepte el mensaje, ¿tiene alguna probabilidad de descifrarlo? Si el mensaje es lo suficientemente largo la respuesta es que sí tiene probabilidades. Porque en cada lengua las letras tienen una frecuencia de aparición en los textos bastante determinada. Sólo hace falta contar el número de veces que se repite cada letra en la versión codificada, y hacerla corresponder con la letra que en el lenguaje normal posee una idéntica frecuencia de aparición.

Jérome Segal

Jorge Rodolfo Fernández es argentino, vive en el apartotel de Budget Suites of America, allí donde el último destello del último casino de Las Vegas Boulevard deja de
verse. Su habitación, situada en la parte delantera, pese a
estar levantada con material de derribo, es de las más decentes; pertenece a la serie que se construyó con ventanas
horizontales y racionalización del espacio estilo Le Corbu-
sier, ese que con el tiempo se dio en llamar Internacional.
A través de la ventana puede ver las caravanas y furgonetas
en el aparcamiento, que dibujan una especie de crucigrama
cromático de magia y miseria, piensa; y es que aunque tra-
baje en un club de alterne recogiendo las copas demediadas
que dejan los clientes, lo que en realidad es, es poeta. Al contrario que sus vecinos, que abarrotan sus habitaciones con
todo tipo de tinglados inútiles y objetos de plástico y colores
que van encontrando en contenedores y en derribos de
parques temáticos u hoteles, su habitación es lo más parecido a una celda monacal que se pueda dar en territorio norteamericano. Pintada de un gris claro que imita al hormigón,
cuenta con un camastro de patas metálicas, una mesilla de
noche en la que también come, un reducido fogón, una
alacena que él mismo construyó con unos restos de contra-
chapado y una silla de madera. Sobre la mesilla de noche
hay una foto enmarcada de Jorge Luis Borges. Los lunes no
trabaja, así que esta mañana se ha levantado y tras preparar
el arroz hervido para toda la semana, que raciona en fiam-
breras, está sentado y leyendo junto a la ventana para apro-
vechar el único haz de sol que su trabajo y horario le permiten disfrutar en toda la semana. Pasan vecinos con cubos

y perros de un cable, que le saludan. Relee la misma pieza de Borges que lee cada mediodía antes de ir al trabajo, feliz por tener la certeza de haber encontrado el lugar perfecto donde vivir, el secreto lugar del que Borges hablaba, porque además de poeta es, como él mismo asegura, «buscador de lugares de ficción borgianos». ... *En aquel Imperio el arte de la cartografía logró tal perfección que el mapa de una sola provincia ocupaba una ciudad, y el mapa de un imperio, toda una provincia. Con el tiempo, esos mapas desmesurados no satisficieron y los Colegios de Cartógrafos levantaron un mapa del Imperio, que tenía el tamaño del Imperio y coincidía puntualmente con él. Menos adictas al estudio de la cartografía, las generaciones siguientes entendieron que el Mapa era inútil y no sin impiedad lo entregaron a las inclemencias del sol y los inviernos. En los desiertos del Oeste perduran despedazadas ruinas del mapa, habitadas por animales y por mendigos; en todo el país no hay otra reliquia de las disciplinas geográficas.* Jorge Rodolfo ve a lo lejos la última luz del último casino del Imperio, cierra los ojos y da gracias al Hacedor por haberle concedido habitar en las ruinas sólo a él reveladas de ese mapa.

La furgoneta se calienta, Es lo malo de estas viejas, dice
Kelly, mientras con un gesto de dedos le pide a Christina,
que conduce, la bolsa que tiene a su derecha para volver a
ver el bikini. Lo compró en una estación de servicio de
Santa Bárbara, y no está muy segura: se lo probó en el lavabo ante un espejo de apenas 30 x 50 cm² comido por los
gases que fermentan al contacto con la salobre humedad
que llega del Pacífico. Las otras dos, también surferas,
duermen. Las cuatro son rubias; dos teñidas. Ninguna lleva zapatos, los surferos no necesitan zapatos. De llanura en
llanura, los cables de alta tensión se van sucediendo, y esto
a Christina, que acelera, le proporciona una sensación de
diferida confianza: más allá, al final de esos cables, por
fuerza tiene que haber alguien. Kelly se desnuda de cintura para arriba y se pone el sostén del bikini; los pechos,
moderados, de 22 años, comban el elástico. Se mira en el
espejo de las gafas de sol, que le aumenta los pechos,
Como los de Pamela Anderson, se dice. La vigilante de la
playa de la serie televisiva que le metió el gusanillo del surf
californiano allá a principios de los 90. Pasan ante un cartel que anuncia el desvío hacia la US50, toma la braga del
bikini entre sus manos, desliza los dedos por dentro, pre-
siona sobre la licra y a trasluz, sobre las elipses azul-verdo-
sas del estampado, sus manos parecen algas dentro del
agua, piensa, las estructuras rizomáticas y arborescentes
que observaba hasta que se quedaba sin aire cuando se caía
de la tabla. Ahora ya no le pasa, es muy buena surfista y,
por un instante, mientras desvía la mirada hacia el surco
de la cuneta, echa de menos aquellos comienzos. A lo que

en realidad se parece su mano bajo la licra es al guante de un cirujano, pero aún no lo sabe. Hace tiempo que ha amanecido y ahora se nubla, a lo lejos se están formando oscuras espirales de aire. Las sucesivas catenarias que entre poste y poste dibujan los cables de alta tensión le parecen a Kelly olas de un océano ahora esqueletizado y sin algas; nadie sabe por qué se secó. En el CD suena «Karma Police» de Radiohead. Se duerme con la braga del bikini en una de sus manos, pero antes imagina que surfea en las playas del Índico. Se le emblandecen los pezones.

Cuando los destinos de Niels y de Frank se juntaron en un laboratorio de la Universidad de Arizona, no podían suponer que su alianza les llevaría tan lejos como a Mozambique. Niels, zoólogo danés especializado en el comportamiento animal, estudiaba ayudado por un plan de cooperación entre universidades cómo amaestrar perros enanos con la suficiente habilidad como para olfatear minas antipersona. No progresaba. Según la simulación que hacía por computación del problema, los perros saltaban siempre por los aires. Demasiado peso. Frank, en aquel tiempo repartidor de HDL, era quien le llevaba diverso material de laboratorio. Su relación se limitaba a la firma que estampaba Niels una vez al mes en el papel autocalco de Frank. Un día Frank le dijo, Yo tengo la solución a su problema, no hay que usar perros sino ratas, venga a mi casa y se lo mostraré. Niels viajó casi 200 km hasta Nevada, donde vivía Frank con su mujer y tres hijos en una casa de madera, robusta y bien construida, rodeada de césped. Lo llevó al sótano y allí vio el espectáculo que con ratas había montado para diversión de la familia. Unidas por cuerdas suficientemente largas, las hacía pasar por todo tipo de pruebas de equilibrio, jamás presionaban más de la cuenta una tecla y olfateaban perfectamente el reclamo: pólvora de cartucho. Son ideales, le dijo, Baratas, hay montones, son absolutamente obstinadas cuando siguen el rastro, y pesan menos de 1,2 kilos que, si no me equivoco, he leído que es el peso mínimo para hacer estallar uno de esos artefactos. A partir de ahí la colaboración se hizo tan estrecha que Niels le gestionó un puesto en la universidad como ayudante. Ahora están en Mozambique. Nada más salir el sol van de batida con sus 15 ratas de Gambia, que recorren frenéticamente la llanura atadas con arneses a cuerdas de 15 metros; cuando huelen algo comienzan a chillar y una vez lo localizan se sientan sobre el lugar donde supuestamente se esconde la mina y vuelven a la calma. Un día, Frank, a quien ni siquiera aún hoy se le ha pasado el tic de repartir cosas en cuanto puede, quiso llevar a su destino una carta que llegó por equivocación a la carpa en la que han improvisado el campamento. Como no estaba muy lejos decidió ir a pie, y Niels le recordó que debería llevar a un par de ratas como sistema de seguridad. Al poco tiempo de caminar, los animales se pusieron muy nerviosos y comenzaron a lanzar el típico chillido de mina a la vista. Tiraron fuerte de las cuerdas y no pararon hasta que llegaron a la base de un árbol y allí, calmadas, se detuvieron y miraron hacia arriba. De las ramas colgaban, atados por una especie de lianas, multitud de huesos de algún animal que nunca identificó.

Por fin, terminaron tomando la decisión de que no sería nuestro proyecto el que se iba a usar para la separación del uranio. Nos dijeron entonces que lo dejáramos porque en Los Álamos, Nuevo México, iban a comenzar el proyecto que verdaderamente permitiría fabricar la bomba atómica. Todos nosotros iríamos allí para construirla. Había experimentos que realizar y tampoco faltaba trabajo teórico. A mí me tocó el trabajo teórico. Cuando llegamos, las viviendas, dormitorios y demás cosas por el estilo no estaban listos todavía. En realidad, ni los laboratorios estaban totalmente listos. Así que al principio nos alojábamos en un rancho. La primera vez que llegué a las instalaciones vi que había una zona técnica, que presumiblemente debería estar rodeada por una cerca pero que todavía no lo estaba. También, presumiblemente, debería haber una ciudad rodeada a su vez por una gran cerca. Pero todavía estaba en construcción. Cuando fui al laboratorio me encontré con personas de las que tenía noticia por el *Physical Review*. No los conocía de antes. A lo mejor me decían, «Le presento a John Williams». Entonces se levantaba para saludarme un tío que estaba remangado ante una mesa cubierta de copias de planos, dirigiendo a gritos desde las ventanas las cosas y orientando los camiones de material de construcción. En otras palabras, como los de física experimental no tenían nada que hacer hasta que estuvieran listos sus laboratorios y sus aparatos, se pusieron a construir ellos mismos los edificios.

Richard P. Feynman

Entonces quedamos en que Heine es un periodista austriaco, corresponsal del *Kurier*, Viena, que desde hace 6 años vive en Pekín casado con una china, Lee-Kung. El bloque de pisos en el que viven parece hecho con hormigón; pero no. Tan sólo es conglomerado de arena y limaduras de hierro extraídas de las minas de turquesas de mala calidad, y después prensadas y solidificadas con una cola llamada SO(3). Dentro de esa estructura, el matrimonio hace tiempo que se ha desmoronado. Él está fascinado con el auge económico que ha experimentado China bajo la introducción del libre mercado. Casi todas las crónicas que envía a Viena analizan el poder futuro de los mercados en este país. Por ejemplo, los chinos se han lanzado a comprar coches de tal manera que están extenuando la industria automovilística mundial, con el consiguiente riesgo para las reservas de petróleo. Lo mismo ocurre con las lavadoras, los videojuegos o los tampax. No se da abasto. Lee-Kung no trabaja y pasa mucho tiempo recortando fotografías de los ejemplares gratuitos de revistas norteamericanas que le llegan a Heine. Las escanea y las almacena en un Mac para después modificarlas introduciéndoles motivos chinos a base de un corta y pega digital. Hace un año que chatea con alguien llamado Billy, un norteamericano del estado de Nevada que resultó ser un experto en escalada deportiva, deporte que ella desconocía por completo. Cuando se escriben siempre hablan de verse algún día. El mayor entretenimiento de Heine, después de la pedofilia y de las apuestas en las carreras de ratas, que clandestinamente se organizan en la parte de atrás de una franquicia de Versace que abrieron el año pasado a tres manzanas del edificio donde tiene el despacho, es salir a la calle a filmar con una pequeña videocámara lo que él llama un *road movie* pekinés que, como se sabe, nada tiene que ver con el norteamericano. En cualquier *road movie* lo más importante es el horizonte; tarde o temprano tiene que verse y significar algo por sí mismo, a fin de empaquetar en aquel punto lejano el espíritu de la película. Está bien estudiado que, en el cine europeo, el horizonte significa pérdida o melancolía; en el cine norteamericano, esperanza, imán de pioneros; y en el cine chino o japonés significa muerte.

Está descrito que la materia, los objetos, todo lo que vemos, son grumos, catástrofes ocurridas en el espacio plano, neutro e isótropo que había en El Principio. Son las llamadas Catástrofes de 1.ª Especie. Cuando a uno de esos objetos un agente extraño lo saca de su equilibrio, se inclina por algún destino impredecible arrastrando consigo a otros circundantes o muy lejanos, como una fila de fichas de dominó en la que la primera golpea a la siguiente. A esto lo llamamos Catástrofe de 2.ª Especie. El desierto, por plano e isótropo, es el lugar menos catastrófico. Salvo cuando la quietud se rompe porque un escarabajo arrastra una piedra, o en un pliegue nace una hierba, o un álamo encuentra agua y crece. Después, un marido, por fastidiar a su mujer, le tira los zapatos a la copa de ese árbol al que, como un punto atractor, se le irán sumando otros cientos. Y ésta es, obviamente, también una Catástrofe de 2.ª Especie.

26

El primer poema que Hannah, original de Utah, escribió, fue éste[*]:

> The content of this poem is
> invisible: it exists but can't be seen.
> Not even the author knows it.

[*] «El contenido de este poema es invisible: existe pero no puede verse. Ni su autora lo conoce.»

Lee-Kung, como ocurre siempre en las películas chinas, y como ocurre también en todos los matrimonios reducidos a polvo, tiene unos parientes en el campo que cultivan arroz, y a los 2 años de casada ya pasaba allí largas temporadas para no tropezar cada día con la cara de deseo de Heine, condenado ahora indefinidamente en un penal de la provincia de Chao. En la casa familiar Lee-Kung pudo siempre conectarse a Internet sin miedo a ser descubierta por Heine, y sus abuelos, que trabajan o duermen, no se enteran de nada. Hoy Billy le ha dicho que ha quedado en segundo puesto en la XV Competición de Escalada Deportiva de Sacramento y le envía unas fotos. Más allá de la pantalla del PC, la visión de los arrozales en toda su extensión le encoge el corazón, que se transmuta en plomo. Pequeño pero denso.

El camión cruzó la frontera en El Paso sin problemas; de hecho, la carga de alubias negras que transportaba era ya bien conocida por los guardas norteamericanos que cada 37 días veían pasar a Humberto. Venía de Monterrey, norte de México, para dirigirse al Mercado Central de Salt Lake City, desde donde se distribuían frutas y verduras a diferentes puntos del estado de Utah y colindantes. Una vez ya rodando en USA, siempre que se detenía para hacer noche o repostar solía abrir la puerta del remolque a fin de comprobar el estado de la mercancía; si algo se echara a perder, ya fuera por golpes o por una incorrecta sujeción de las cajas, tendría que abonarlo de su bolsillo. Pero esta vez no lo hizo; se sintió unas veces muy cansado, y otras encontró demasiadas cosas interesantes en cada lugar en que se detuvo como para acordarse de las alubias. Por ejemplo, el nuevo parque de atracciones un poco más allá de San Antonio, o la espléndida vista que se divisaba desde la también nueva carretera que enlazaba altísimos puentes en una zona de cañones de Nuevo México, o la conversación de un autoestopista, llamado Bertrand, que se dirigía lo más al norte que le llevaran, y al que después de invitarlo a comer y beber, dejó cerca de Ely, en el apeadero del autobús. Así que así, rodando sin prestar atención a la carga, al cuarto día llegó al mercado, polígono industrial en el que se almacenan las mercancías en naves sólo accesibles a mayoristas. Nadie imaginó que, cuando abrieran una de las 2 puertas de la parte trasera del remolque, se encontrarían con un hombre muerto en lo más alto de las cajas, tumbado boca abajo y con la espalda a ras de techo. La puerta derecha, abierta, sólo dejaba ver la cintura y las piernas, que quedaron medio colgando en el vacío. Cuando abrieron la puerta izquierda, que permanecía cerrada y ocultaba la cara y parte del tronco, el cadáver se les vino encima. Con un sonido como de huevo estrellado y hueco dio contra el suelo. Es un mexicano, dijo Humberto palideciendo, ¡Hay que llamar a Inmigración! Todos guardaron silencio unos segundos. Murió de asfixia, seguro, murmuró otro. Para no perder la mercancía, decidieron mezclar entre las otras cajas aquellas sobre las que había yacido el joven mexicano, para decir después que las habían tirado y evitar así las manías y escrúpulos de futuros compradores. Si suponemos que el cuerpo del joven malogrado poseía las medidas del estándar universal, 1,75 metros de altura por 0,5 metros de ancho, tenemos una superficie de 0,875 m^2 de alubias que, dispersa, anda por el mundo llevando saliva, sudor, lágrimas, orina y excrecencias de aquel que sobre ella consiguió pasar la frontera. Un nuevo cuerpo en negativo, un doble devaluado, repartido en escaparates, fruterías, cestas de la compra, estómagos y ollas. Un mapa roto de 0,875 m^2 del cual quizá algún fragmento haya regresado a casa: hay una tienda de productos solidarios en Salt Lake City que periódicamente envía partidas de legumbres a los lugares más empobrecidos de México.

Al sureste de China, en la provincia de Tsau-Chee, poca gente sabe que hay una pequeña comunidad constituida por norteamericanos. Ésa es la gran ventaja de la globalización, que puedes tomar Tex-Mex en China y bambú hervido en un pueblo de Texas. En torno a dos docenas de familias se ha creado un lugar de ambiente sencillo, despreocupado, pero de mucha riqueza. Básicamente, son ejecutivos de empresas americanas que en su día fueron destinados a esa región, y que ahora que hay pujanza, por ese fascinante misterio que es la economía de libre mercado y sus relaciones contractuales, han sido prejubilados con sueldos del 100% del total. Liberados de la presión moral de la sociedad norteamericana, y por otra parte teniendo todo cuanto puede ofrecer una sociedad norteamericana postiza, son felices. Los ojos de la mitad sureste de China están puestos en esos pocos cientos de metros cuadrados. Es el tipo de vida que anhela todo buen chino en vías de modernización. Pero sobre todo, por lo que más es conocida la Little America es por haber conseguido formar un núcleo de surfistas, del más alto nivel, en el Yellow Sea. Este núcleo inicialmente estaba formado por los hijos de los norteamericanos, pero ahora está arrastrando a multitud de chinos con la peculiaridad de que entre éstos no son los jóvenes sino los ancianos de la comarca quienes destacan. A su lado, sus nietos no tienen nada que hacer. La explicación está en que en esa zona de China existe la peligrosa tradición, sólo reservada a los ancianos, de recoger el kwain, un fruto cítrico que crece en un árbol del mismo nombre, caminando en equilibrio de un árbol a otro sobre una cuerda que une todas las copas del bosque, y que puede llegar a ubicarse hasta a 25 m de altura. El día que esos ancianos se pusieron el traje de neopreno y se montaron sobre la tabla, arrasaron.

En la buhardilla de los Holler, en la que ahora yo me había instalado con los escritos de Roithamer, que en su mayor parte se ocupaban de la construcción del Cono, Roithamer tuvo la idea de construir el Cono, y los planos
más importantes para la construcción del Cono fueron
trazados por él en esta buhardilla y, apenas entré en la habitación de los Holler, descubrí que ahora, meses después
de la muerte de Roithamer y medio año después de la
muerte de su hermana, para la que había construido el
Cono, ahora abandonado a su ruina, en la buhardilla de
los Holler seguían estando todos los planos, en su mayor
parte no utilizados, pero siempre relativos a la construcción del Cono, así como todos los libros y escritos en lo re-
lativo a ella que Roithamer había utilizado, en su totalidad, para la construcción del Cono, libros y escritos en
todos los idiomas imaginables, incluso en los que él no hablaba, pero que se había hecho traducir por su hermano
Johann, que hablaba muchos idiomas y en general estaba
dotado para los idiomas como ninguna otra persona que
yo conociera, también esas traducciones estaban en la buhardilla de los Holler y, ya en la primera ojeada, vi que debía de tratarse de centenares de esas traducciones, montones
enteros de traducciones del español y el portugués había
descubierto enseguida al entrar en la buhardilla de los Holler, esos centenares de millares de procesos mentales de
penoso desciframiento pero, probablemente, importantes
para su proyecto de construir y terminar el Cono, de hombres de ciencia desconocidos para mí pero probablemente
muy familiares para él, que se ocupaban de *el arte de la*

construcción, él odiaba las palabras arquitectura o arquitecto, jamás decía arquitecto o arquitectura y, si yo decía u otro decía arquitecto o arquitectura, replicaba enseguida que no podía oír las palabras arquitecto o arquitectura, esas dos palabras no eran más que deformidades, abortos verbales que un pensador no podía permitirse, yo tampoco utilizaba jamás en su presencia esas palabras, y también Holler se había acostumbrado a no utilizar las palabras arquitecto o arquitectura, decíamos siempre, como el propio Roithamer, sólo constructor o construcción o arte de la construcción, el que la palabra construir era una de las más hermosas lo sabíamos desde que Roithamer nos habló al respecto, precisamente en la buhardilla en la que me alojaba ahora, una tarde oscura y lluviosa en la que realmente habíamos temido una inundación.

Thomas Bernhard

Como no pasaba ningún coche, Falconetti extendió el mantel en mitad de la carretera en vez de en la cuneta, justo al lado de un bache de gran diámetro que utilizó para estabilizar el macuto. Es como tener una mesa de 418 km de longitud, se dijo. En el ejército le habían enseñado a hacer estas cosas: redefinir lo absurdo en su beneficio. Sabía perfectamente que era ésa la base de la supervivencia. Después de preparar los liofilizados permaneció sentado, tomando el sol en el centro de aquel rombo que dibujaban el Este y el Oeste en sus respectivos puntos de fuga. Pensó en las Nike que había dejado colgando. En qué sería de ellas. En qué pensarían los habitantes de la Tierra cuando las encontraran 2.000 años más tarde; quizá, se dirían, «restos de una civilización anterior», que es lo que él piensa siempre que se sienta en la mesa de una cafetería y aún hay restos del último cliente. Extrajo del macuto un libro, *La increíble historia de Cristóbal Colón contada a los niños,* que había sustraído en la biblioteca del cuartel de Apple Fork. Allí leyó que para llegar a saber que la Tierra es redonda no hace falta dar la vuelta. Basta con quedarse sentado en un punto fijo y ver cómo son los otros quienes dan vueltas. Comenzó a llover.

Existe un Principio de Reversibilidad universal por el cual sabemos que todo cuanto no podemos ver o detectar con alguno de nuestros sentidos, en justa correspondencia, tampoco podrá ni ver ni detectarnos a nosotros. Así los microbios, así el futuro, así las estrellas ubicadas más allá de nuestro *horizonte de sucesos,* así el interior de alguien que pasa y saluda, así el 100% de la gente que ha muerto. Cuando vemos una película no la vemos porque sus personajes no pueden vernos. Pero para entenderlo hay que imaginar que es como si la norma fuera que los hijos no se pareciesen físicamente a ninguno de los padres, para no verse en ellos. No es fácil. Pero hay que entenderlo.

Heine llegó a casa tan cansado de sus *road movies* pekinesas como de costumbre; el material recolectado siempre terminaba por decepcionarle. Cenó lo que encontró mientras Lee-Kung veía la última novedad en lo que a televisión china se refiere. Se trata de un *reality show* en directo cuyo atractivo consiste en cazar a gente en actividades vergonzosas. Heine no lo soportaba. Apartó el lote de revistas con una pierna y se acercó a Lee-Kung con intención de besarla. Ante el rechazo, enojado, aunque esa noche no pensaba salir, se fue a las carreras de ratas. Mientras caminaba la vio a lo lejos en un callejón, frente a los escaparates de las tiendas de souvenires ya cerradas: una preciosa adolescente china, de minifalda con estampados de cómics occidentales. Un cruce de ojos bastó para que se dirigiera a ella, la pusiera de cara a la pared y la violara mientras le tapaba la boca con la mano izquierda. Entonces Heine se dio cuenta de que los focos que venían de un extremo del callejón no pertenecían al alumbrado público sino al equipo del *reality show*. Nunca más volvió a ver a Lee-Kung. Le extraña la costumbre por la cual los presos van cada día construyendo, como ofrenda a un dios que proporcione un horizonte mejor, una escultura que consiste en colgar del ginkgo-biloba, la clase de árbol milenario que hay en el patio, sus excrementos secos atados con hilos de seda. Una vez le había dicho Lee-Kung, De ese árbol sacamos el ginseng.

Russ Stevenson, propietario de un bar asador en Ely, mientras remueve la carne con un bastón de hierro que termina en tridente, afirma, Coged lo que necesitéis, algunos compran zapatos sólo para ir y dejarlos, o cambiarlos por otros que les gusten más, hace poco un autoestopista que tenía los pies destrozados se llevó unas botas de las que usábamos antes en el matadero y dejó sus viejas deportivas. Se revuelve y hace un movimiento con el tridente alzado, que precesa en el aire. Sus 120 kg de peso giran también sobre su cintura describiendo un movimiento de peonza, y hace pasar a los primeros clientes de la tarde.

Todo el mundo sabe que escribir es haber muerto. Sólo la muerte pasa la vida a limpio y a esa distancia es capaz de reescribirla. Por eso sólo el escritor es quien narra el mundo de los vivos desde el mundo de los muertos. Ya llovía, y aquel día que tomaron la US50, las 4 rubias surferas no sabían que encontrarían a un hombre sentado ante un mantel en mitad de la carretera. Christina controló el derrape, pero aun así se metieron de lado en un gran bache que les hizo pegar un largo bote. Cuando salieron de la furgoneta, el hombre había echado a caminar con un macuto hacia el Este dejando allí el mantel y un infiernillo llameando. Le gritaron, pero pronto su espalda se atomizó en gotas de lluvia. Como las probabilidades de que alguien pasara eran mínimas, se tomaron su tiempo para cambiar la rueda pinchada en mitad de los dos carriles, intuidos más que vistos. Kelly, cuando se cayó al suelo después del gran bote, había notado un dolor muy intenso en la pierna, perfectamente localizado en la parte posterior del fémur derecho. Cuando Kelly pensaba en la muerte lo hacía de la siguiente manera: quería morir surfeando, atrapada bajo una ola y consciente de que esos 30 o 50 segundos que se pueden aguantar bajo el agua eran los últimos de su vida. Si no eres consciente de que te mueres, si un día te acuestas y te duermes y ya no te despiertas, de qué ha valido la vida, pensaba, habría sido sólo un sueño. Ahora le han diagnosticado un sarcoma en el fémur derecho, ha visto ya en el TAC esa estructura tumoral arborescente en un momento muy avanzado de su desarrollo. Como la visión de los finales nos hace cursis, «es como un alga en un mar de carne y hueso», anota en una libreta.

¿Cuánta información se necesitaría para describir todo el Universo? ¿Podría tal descripción caber en la memoria de un ordenador? ¿Podríamos, tal como escribió William Blake, «ver el mundo en un grano de arena», *(o como dijo Borges, en un Aleph),* o esas palabras sólo han de tomarse como una licencia poética? Desarrollos recientes de la física teórica contestan algunas de estas preguntas; las respuestas podrían ser hitos importantes hacia una teoría definitiva de la realidad. Del estudio de las extrañas propiedades de los agujeros negros se han deducido límites absolutos que acotan la información que cabe en una región del espacio o en una cantidad de materia y energía. Resultados ligados a esos límites sugieren que nuestro Universo, al que percibimos en 3 dimensiones espaciales, podría en realidad estar «escrito» en una superficie bidimensional: podría ser un holograma. Nuestra percepción ordinaria de un mundo tridimensional resultaría ser en tal caso una profunda ilusión. Quizá un grano de arena no abarque el mundo, pero sí lo pueda hacer una pantalla plana.

Jacob D. Bekenstein

En el cabo más al norte de Dinamarca hay una fábrica que cuartea, envasa y congela salmones llegados de todo el país. Viéndola desde la última colina que precede al mar, nunca se diría. No hay nada allí que recuerde la higiene o la comida. Su aspecto es más bien el de una central nuclear en proceso de desmantelamiento. Oye, tienes que ser muy hábil para no cortarte con las sierras que van fileteando al animal helado, en ese momento es puro fósil de vidrio, es perfecto. No, no es vidrio, es cristal, que es más perfecto que el vidrio, ¿no?, dijo Adolf, como siempre, cuando le oyó a Hans ese comentario. Hans continuó sin responder, también como siempre, con la vista fija en el rodar de la sierra y en el serrín de carne helada que regaba en todas direcciones. Acabó el turno a las 7 de la tarde. Ya era casi de noche. Una vez se hubo cambiado, cogió la escoba y comenzó a barrer todo el serrín de salmón helado que moteaba el suelo hasta que hizo un montón en el centro. Lo metió en una bolsa y se fue camino arriba, al lado de Adolf, quien se quedó en un bar a tomar una cerveza. Hans, de costumbres fijas, continuó directo hacia su casa. Dejó la bolsa sobre la encimera de la cocina, al lado de una fila de cuchillos ordenados de menor a mayor que tenían inscrito en la empuñadura el equivalente en inglés a Mataderos Medley e Hijos, Nevada. Dentro de la bolsa, los cristales de hielo se habían ya deshecho para formar una papilla rosa de pescado y agua. Después de asearse, metió la mano en aquella pasta y con una cuchara redonda de heladero sacó una bola que tiró a una plancha muy caliente sobre el fuego. Vuelta y vuelta. Cuando la hamburguesa de salmón se hubo hecho la introdujo en un panecillo redondo, con queso, cebolla y kétchup, y con el tercer cuchillo de la fila cortó el conjunto por el diámetro. Se sentó a cenar en la mesa de la cocina. Antes encendió la radio y abrió una botella de agua de 1,5 litros que bebió a morro. De costumbres fijas, Hans se acostó a las 9. A las 9.05 apagó la luz.

El segundo ejemplo es del film *Los pájaros,* de Alfred Hitchcock. Melanie Daniels sale de la escuela, donde se encuentran los niños, y se sienta cerca del patio de recreo a fumar un cigarrillo. No se da cuenta de que, a su espalda, varios pájaros se juntan sobre unas estructuras metálicas que son los aparatos de gimnasia situados en el patio. Se filma el patio en un plano general, mientras que una sucesión de planos más próximos de la joven son introducidos en ese plano general. La escena se desarrolla de la siguiente manera:

Plano general: Un pájaro solo llega y se posa sobre las barras.

Plano general: Melanie está fumando.

Plano general: Varios pájaros están en las barras. Llega otro cuervo.

Plano medio de la joven: Sigue fumando.

Plano general: Otros pájaros llegan.

Plano próximo de la joven: Fuma lentamente.

Plano general: Otros pájaros se juntan con los cuervos ya reunidos en el patio.

Primer plano de la joven: Para de fumar y vuelve la cabeza hacia la izquierda para mirar fuera de campo.

Un pájaro vuela en el cielo. La cámara, encuadrándolo en tomas a distancia, sigue su vuelo de izquierda a derecha para mostrar cómo el cuervo se reúne con las hileras de pájaros que ya cubren completamente la construcción metálica del patio.

Primer plano de la joven: Reacción de miedo.

Daniel Arijon

Ted emite desde su módem vía Internet un mensaje de feliz año nuevo a todos los internautas del mundo, pero en especial a aquellos que, como él, viven o trabajan en alguna *micronación*. La micronación más famosa, y de alguna manera precursora de estas otras actuales que motean tanto la superficie como la atmósfera y las profundidades del globo terráqueo, es Sealand; el Principado de Sealand (http://www.sealandgov.org/). En 1966, Roy Bates, dueño de una radio pirata inglesa llamada Radio Essex, tomó posesión junto a otras 240 personas de una base militar construida por Inglaterra durante la Segunda Guerra y abandonada desde entonces. Una plataforma del tamaño de medio estadio de fútbol, asentada sobre dos pilares cilíndricos de cemento y acero que emergen verticalmente del mar gris y verdoso de la costa británica. Sobre la plataforma, apenas hay unas construcciones de chapa de hierro llamativamente herrumbrosas y minúsculas comparadas con el espacio vacío. El *site* Micronations On The Web (www.reocities.com/capitolhill/senate/5385/index.html) dice que, aparte de las 185 «macronaciones» nucleadas en las Naciones Unidas y los 60 países que no están formalmente reconocidos como tales o no forman parte de la ONU, existen decenas de micronaciones no reconocidas. En la lista de Micronational Links (www.reuniao.org/chancellery/links.html) se pueden encontrar 95 micronaciones, cada una con su sistema legislativo y financiero, sus símbolos e himnos. Ahora Ted, a 65 metros por debajo del desierto de Nevada, instalado en la gran sala de lo que fuera en su día el Centro de Recogida de Residuos

Radiactivos del Gobierno, descorcha una botella de champán y brinda con sus 178 conciudadanos de Isotope Micronation. Aunque brinda con doble intención, porque hoy tiene la sospecha de que alguien ha muerto. Se puede decir que Isotope Micronation es una especie de gran cubo sepultado bajo una extensión de desierto de 77.000 m², un intestino de cemento que puesto en línea recta llegaría a medir casi 600 km. Fue comprado por un par de pioneros de las micronaciones al Gobierno, que lo había sacado a subasta sin ningún éxito debido a la reticencia, casi irracional, que posee la población hacia todo lo que tenga que ver con la radiactividad. En su superficie, el desierto ha sido modificado, y es donde cultivan y explotan una ganadería cuyos parámetros son en todo momento controlados por un *software* de desarrollo propio instalado bajo tierra en el llamado Nodo de Agricultura: el nivel de minerales, la tasa de fotosíntesis, el estrés de cada animal o su calendario de inseminación. También, en la extensión de la superficie hay un antiguo helipuerto, muchos metros cuadrados de células fotovoltaicas de las que obtienen energía, y una pequeña caseta tipo nido de ametralladoras que da acceso a donde está verdaderamente Isotope Micronation, el subsuelo: colegio, restaurantes, viviendas, tiendas, depósitos de agua, transformadores eléctricos, etc., todo diseminado en esos cientos de salas y galerías que de todas las formas y tamaños se extienden entre los 0 y los 98 metros de profundidad. Así, en ese sobredimensionado cubo subterráneo les sobra tanto espacio que los 178 habitantes pueden pasar hasta un mes sin verse ni una sola vez, y verse es excusa suficiente para no separarse durante otro mes y comprobar cómo la vida los va tratando. Saben que el día en que alguno se muera inesperadamente de camino a alguna sala o galería, tardarán mucho tiempo en encontrarlo, pero aún no se ha dado ese caso: la micronación tiene apenas 10 años y, desde ese punto de vista, de momento aún son inmortales. Uno de los «divertimentos micronacionales», regulado por el Módulo de Apuestas del Microestado, dependiente del Nodo de Economía y Recaudación, consiste en, una vez por semana, y en unas hojas impresas a ese efecto, marcar con una X el nombre del ciudadano que cada cual estime que será el primero en morir. Quien más X acumule sobre el nombre del primer desafortunado será el ganador, a quien le corresponderá en premio los bienes íntegros del muerto. Cada semana todos están atentos a qué niño se pone enfermo, qué adulto asume una actividad de riesgo, o qué olor tiene esa noche la sopa del *fast food* en caso de sospechar que el camarero lleva ya marcadas junto a tu nombre un montón de X.

Siendo él un hombre de pocas palabras, y ayudados por los pocos conocimientos de materia de geografía, el origen exacto de Hans, rubio y de tez clara, no era evidente para los habitantes de Carson City. Entre Dinamarca, Islandia o Polonia no sabían con qué quedarse. Russ Stevenson, su compañero de sierra en el MEDLEY E HIJOS-MATADERO, dijo en una ocasión que lo que era, era un piel roja; pero por lo salvaje. Aunque no era salvaje, sino preciso. Podía él solo aplicar el bastón electrocutante y despellejar y trocear 6 vacas en un turno de 10 horas. Entraba a las 5 de la mañana y salía a las 4 de la tarde; una hora entremedias para comer. En la época del año en que a las 5 ya amanece, la luz roja de los primeros rayos se refleja en la tierra del desierto para entrar por los amplios ventanales de la nave de despiece y dibujar haces cuadriculados de gran tamaño en el suelo, y era entonces cuando Hans pensaba en la catedral de Copenhague, y entonces encendían las sierras, y el ruido provocaba la huida de todos los animales que salen a cazar cuando amanece. A la hora del almuerzo, Hans, de costumbres fijas, tras devorar la hamburguesa de vacuno que preparaba en una plancha improvisada, sacaba siempre del mismo bolsillo del mandil el mismo libro, y leía:

«El cocinero Ding descuartizaba un buey para el príncipe Wenhui. Se oía ¡hua! Cuando empuñaba con las manos el animal, sostenía su mole con el hombro y, afianzándose con una pierna, lo inmovilizaba un instante con la rodilla. Se oía ¡huo! cuando su cuchillo golpeaba como si ejecutara una antigua danza.

»—¡Es admirable! —exclamó el príncipe. Nunca había visto una técnica así.

»El cocinero dejó su cuchillo y contestó,

»—Lo que interesa es el funcionamiento interno de las cosas, no la simple técnica. Cuando empecé a practicar mi oficio veía todo el buey ante mí. Tres años después ya sólo veía partes del animal. Hoy lo encuentro con el espíritu, sin verlo ya con los ojos. Mis sentidos ya no intervienen y mi espíritu actúa solo y sigue solo los ligamentos del buey. El cuchillo corta y separa, sigue las fallas y hendiduras que se le ofrecen sin esfuerzo. No toca ni venas ni tendones. Cuando encuentro una articulación, localizo el punto difícil, lo miro fijamente y con un golpe certero lo corto. Con el cuchillo en la mano me yergo, miro a mi alrededor divertido y satisfecho, y tras haber limpiado la hoja, lo envaino. La actividad se ha transformado y ha pasado a un plano superior. Ésta es la concentración que hay que seguir en toda actividad, por cotidiana que sea, de la vida.» *(El libro del zen de Zhuangzi.)*

Imagínese una red urbana de distribución de agua que no abastece a locales y viviendas porque las tuberías carecen de la longitud suficiente. Esta situación se parece mucho a la que hoy se da en la red de transmisión de datos de alta velocidad. Se han invertido muchos miles de millones de dólares en construir redes de fibra óptica que lleven a los ordenadores domésticos y a los profesionales servicios multimedia de calidad elevada; pese a ello, se han quedado cortas. En Norteamérica, por ejemplo, les falta un poco menos de 1 km para llegar a 9 de cada 10 empresas de más de 100 empleados. Tardan en hacerse realidad las halagüeñas perspectivas: la supresión de los retrasos en la navegación por Internet y acceso a bibliotecas de datos, un comercio electrónico más ágil, emisiones de vídeo en tiempo real, transferencias de imágenes clínicas, interconexiones entre empresas que permitan compartir trabajos... Todo esto no ha despuntado todavía. Yace enterrado bajo las calzadas y aceras de las ciudades.

Anthony Acampora

Nuestra preocupación principal es mantener la vaquería, le dice la señora Stevenson al comercial de la funeraria, sentada en la entrada de su granja dotada con 60 vacas, 2 tractores, 2 segadoras y cientos de acres de sembrado, en la que también hace miel, mermeladas y embutidos para consumo propio. Al lado, está la antigua fundición de estaño, también de la familia, que ya cuando se hizo era lo suficientemente grande como para saber que quebraría. Señora Stevenson, como su granja está situada en el centro del estado, le dice el comercial, y como sólo hay 10 hornos crematorios en todo Nevada, hemos pensado que esa instalación de fundición en desuso sería el lugar ideal para montar nuestro horno. Ella se muestra reticente. ¿Y si le consultamos a su marido? No, la granja es mía y la fundición también, además, él llegará hoy muy tarde del asador. Las negociaciones se alargan. Las ofertas suben. Ella continúa en su negativa. Cansada, le dice, Bueno, señor, tengo que confesarle algo. Y lo lleva hasta la antigua nave de fundición. Le señala, en la pared, la puerta abierta de uno de los hornos abandonados con forma de tubo, en cuyo interior, de entre los hierros, crece un árbol; las ramas se amoldan al techo y paredes del cilindro, y sólo unas pocas logran escapar por el tiro de la chimenea. ¿Lo ve; ve ahí un árbol?, Sí señora, lo veo. Pues ése es el problema: en este horno, un invierno que la nieve nos incomunicó, ya incineramos al abuelo [había muerto de repente], y por nada del mundo destruiríamos ahora ese árbol.

Joseph Campbell pensaba lo mismo cuando narró una breve parábola sobre una ocasión en que miró detenidamente dentro de su PC. Campbell, que sostenía que las principales religiones estaban obsoletas, quedó impresionado por el mandala de los microcircuitos. «¿Ha mirado alguna vez dentro de una de esas cosas? —le contaba a un entrevistador—. No se lo podría creer. Es toda una jerarquía de ángeles dispuesta en láminas.»

Mark Dery

De costumbres fijas, al salir del matadero Hans pasaba siempre por el bar de Gregory, donde entraba con las botas de trabajo golpeando el suelo. ¡Ten cuidado, el luminoso de la puerta se menea!, le decía cada día Gregory. ¡Paso!, respondía Hans. Tomaba cerveza hasta que no podía más, y si se terciaba, una visita al burdel, donde Linda siempre estaba a mano. Ahora bien, Hans no sabía muy bien qué hacer con aquel cuchillo de 35 cm que el matadero regalaba cada año al trabajador más eficaz. Ya tenía 4. Cuando tenga 5, se había dicho el primer día que entró a trabajar, me vuelvo a Copenhague. Los exhibía en el recibidor de su casa, en fila vertical, en sus legítimas fundas de piel de coyote, que escondían el filo, quedando a la vista el mango de madera de álamo. Los miraba y pensaba que, en realidad, esos cuchillos sólo valían para matar, pero él no quería, y Carson City tampoco. Siendo así, ¿Con qué fin me los regalan?, se decía. ¿Por qué desean la muerte? Lo preparó todo minuciosamente. A las 4 de la tarde saldría del matadero, como siempre, e iría al bar de Gregory. Fingiría que tomaba el n.º de cervezas habitual, y diría con voz bien alta, hasta que le oyeran los muchachos del billar del fondo, que estaba muy cansado y se iba para casa a dormir. Llegaría a casa pero no se metería en la cama, sino que cenaría fuerte, limpiaría los cuchillos, y se amarraría con cinta de embalar 2 a la cintura, y los otros 2 los ocultaría en las pantorrillas. A las 22 h se dirigiría al bar de Gregory, que es la hora a la que está haciendo caja a puerta cerrada, le pediría una cerveza, a lo que Gregory respondería que no, que ya estaba cerrando, y entonces no podría sino apuñalarlo;

quizá eligiera el pecho, donde sabe que tiene un tatuaje que le había hecho una chicana y que pone *Casi Love*. Después se dirigiría hacia el burdel y Linda, seguro, estaría con otro cliente, por lo que tendría que matarlos a ambos, y si estuviera sola, también, porque seguro que como de costumbre ella querría tomar una copa antes de que fueran a la habitación, aun conociendo lo mucho que a él le incomoda el alcohol antes del amor. Después se encaminaría hacia la oficina del sheriff y por la calle pediría fuego a Bob, el vagabundo que a esa hora frecuenta los contenedores de la calle Washington, y a la luz del mechero le atravesaría la femoral para después subir hacia el estómago. Y al final llegaría ante el sheriff, tiraría los cuchillos sobre la mesa y le diría, Misión cumplida, jefe. Repasa el plan mientras busca las botas. Son las 21.45 h. Acaba de quitárselas hace una hora escasa, mientras cenaba. Mira debajo de la mesa, revuelve la casa. No las encuentra. Abre y cierra cajones, revisa la bañera, detrás de las puertas. Nada. A las 22.45 h, descalzo, se sienta en la cama y observa detenidamente sus pies desnudos, muy blancos. Decide en ese momento que tiene que hacer la maleta e irse de Norteamérica. Las botas no volvió a verlas.

45

Año 2054. Mis nietos están explorando el desván de mi casa. Descubren una carta fechada en el 2004 y un CD-ROM. La carta dice que ese disco CD-ROM que tienen entre sus manos contiene un documento en el que se da la clave para heredar mi fortuna. Mis nietos tienen una viva curiosidad por leer el CD, pero jamás han visto uno salvo en las viejas películas. Aun cuando localizaran un lector de discos adecuado, ¿cómo lograrían hacer funcionar los programas necesarios para la interpretación del disco? ¿Cómo podrían leer mi anticuado documento digital? Dentro de 50 años lo único directamente legible será la carta.

Jeff Rothenberg

Pero entre los estados de Albacete y Almería, España, conectando 2 desiertos de piedra *beige,* casi blanca, a los cuales separa un río caudaloso que viene del norte, hay una carretera muy poco transitada en la que sólo existe una gasolinera que permutó el letrero de Campsa por el de Cepsa aprovechando el cambio de ubicación, allá en el 85, de todo aquel pueblo que quedó cubierto por las aguas del pantano. Acaba de entrar una furgoneta; la tasa es de un vehículo por semana. Fernando, con el pelo a la taza, Adidas Saigon y pantalón de tergal, se acerca, ¿Cuánto? Pero confunden dólares con euros y no contestan nada comprensible. Son tres rubias norteamericanas, las tablas de surf van en el techo. Fernando les da conversación y ellas en un español-chicano le cuentan que van al Campeonato Internacional de Surf de Tapia, un pueblo que, señalado en el mapa por el dedo de Christina, está en el sur de la península porque tiene el mapa al revés. ¡Ah, no, está en Asturias, pegado a Galicia!, les dice Fernando girándolo, y sonríe. Queremos cumplir el último sueño de nuestra amiga, Kelly, competir contra los chinos. ¿Los chinos?, pregunta Fernando. Sí, vienen del sureste de China, son los mejores del mundo. Ah, bueno, contesta, y mete la manguera en el surtidor que a su vez le contesta, Buen viaje, gracias. Apoyado en el cartel de Wynn's, con la mano izquierda de visera, las ve alejarse en una nube de polvo. De golpe frenan y dan marcha atrás, la nube ahora va en sentido contrario, y él piensa, ¡Kitt, te necesito! Acodada en la ventanilla, la copiloto señala con el índice de la otra mano el estampado de la camiseta de Fernando, SURFIN'

BICHOS. *Ya a la venta su LP El fotógrafo del cielo,* y dice, ¿Nos la vendes? Y él sin pensarlo: Os la doy, tengo más. Ahora sí que las ve alejarse. La misma nube de polvo alcanza su pecho desnudo y *beige* como el desierto. Se sienta en la cabina y coge de nuevo la guitarra, una Les Paul negra con raspador blanco. Juguetea con las cuerdas, piensa en que las surferas ahora estarán bordeando el pantano, donde en estas fechas de sequía siempre asoma la punta del campanario, donde en los árboles de la calle principal según dicen los buceadores cuelgan algas y anidan peces, donde los surtidores de la gasolinera contendrán aún el plomo de aquella súper tan espesa, el brillo en el ADN del chapapote que le fascina, la proteína del planeta. Salen unos cuantos acordes de la caseta que no encuentran en el llano obstáculo que los amortigüe. A esta canción la llamaré «Los diarios de petróleo», piensa. Sonríe cuando ve rodar a lo lejos un grupo de bolas de papeles de periódico del tamaño de un balón de playa. Las sigue con la mirada.

En 1971, un grupo de *hippies* tomó una base militar abandonada en Copenhague, Dinamarca, y proclamó allí el estado libre de Christiania, una micronación. Tras mantener un pulso con el Gobierno danés, en 1987 fue finalmente reconocida como un microestado independiente. Entre los 18 jóvenes que tomaron aquella noche la base estaba un aún adolescente Hans quien, tumbado en el suelo, en aquella penumbra verdosa que como un residuo militar parecía flotar entre el pavimento y los altos tragaluces, decidió descalzarse para siempre: en sus pies desnudos y blancos halló un símbolo de paz y de vida no violenta. La población actual está compuesta por 760 adultos, 250 niños, 1.500 perros y 14 caballos.

Está descrito que la materia, los objetos, todo lo que vemos, son grumos, catástrofes ocurridas en el espacio plano, neutro e isótropo que había en El Principio; son las llamadas Catástrofes de 1.ª Especie. Cuando a uno de esos objetos un agente extraño lo saca de su equilibrio, se inclina por algún destino impredecible, arrastrando consigo a otros circundantes o muy lejanos, como una fila de fichas de dominó en la que la primera golpea a la siguiente. A esto lo llamamos Catástrofe de 2.ª Especie. El desierto, por plano e isótropo, es el lugar menos catastrófico, salvo cuando la quietud se rompe y un escarabajo arrastra una piedra, o en un pliegue nace una hierba, o un álamo encuentra agua y crece. Después, un gasolinero de una estación de servicio del desierto de Albacete mata el tiempo haciendo bolas de periódico del tamaño de un balón de playa y lanzándolas al llano más allá de la carretera. Piensa que así se parece más al desierto americano, con sus rodantes bolas de espinos. Grumos de papel, información que se desplaza errática y sin receptor dibujando los diversos teoremas que rigen la propagación del viento. Y esto, obviamente, también es una Catástrofe de 2.ª Especie.

Lo cierto es que, a pesar de cruzar la frontera México-USA cada 37 días, hasta que descubrió sobre la carga de alubias a aquel mexicano muerto, Humberto jamás se había planteado hacerlo: intentar establecerse en Norteamérica. No resultó fácil tomar la decisión; el camión, propiedad de la empresa mexicana para la cual trabajaba, sería dado inicialmente por desaparecido, y después por robado, y a las ya de por sí dificultades que se le vienen encima a un sin papeles en USA habría que añadirle una orden de búsqueda y captura. Al contrario que sus compatriotas, que buscan ciudades bulliciosas con las que mimetizarse, Humberto razonó de manera exactamente opuesta: compraría una identidad en el mercado negro para ir después a la zona más inhóspita del Medio Oeste. La gente de los pueblos, aunque inicialmente es más dañina, una vez te coge confianza puedes estar seguro de su inquebrantable nobleza, le dijo a Bart, un compañero americano del almacén de verduras de Salt Lake City. Fue Bart el primero que le habló de una zona de Nevada casi deshabitada en la que él tenía un par de familiares que le podrían ayudar. Y de esta manera, una vez se hubo deshecho del camión en un compraventa, y una vez obtenidos los papeles en las mafias mexicanas, a las que pagó con el dinero de esa venta, tomó el bus hacia Ely, a donde llegó ya entrada la noche. En el apeadero le estaba esperando Ron, el primo de Bart, quien le dijo nada más verlo, Tranquilo, ya Bart me lo contó todo; aquí tengo un trabajo que te viene a la medida, te instalarás en una dependencia situada en la parte posterior de un negocio de venta de ropa usada de mi propiedad. A través de carreteras y pistas, llegaron a un páramo de tierra y arbustos en el que se enclavaba lo que parecía ser una casa-almacén más horizontal que vertical. Subieron la persiana metálica, encendieron las luces, y se encontraron con una numerosa colección de cajas abiertas en el suelo, a rebosar de jerséis, camisetas, bragas y abrigos totalmente desordenados, y situadas ante un minúsculo mostrador como encajado allá en el fondo. Sin hacer ni un solo comentario, Humberto fue dirigido hacia una puerta lateral que daba directamente a su futura residencia. De sólida construcción, y dotada de baño, cocina-comedor y habitación dormitorio, le pareció que sobrepasaba con mucho sus expectativas; además, podría usar la misma calefacción que daba servicio a la tienda. Antes de que Ron se fuera, Humberto le preguntó, ¿Pero en este lugar tan inhóspito tiene salida toda esta ropa usada? ¡Qué va, hombre!, contestó como riendo, ¡todo esto va para Mozambique! Además, ¿cómo que inhóspito? Humberto no insistió, y Ron, una vez hubo bajado la verja metálica, se fue dando un par de bocinazos. Humberto se sentó en la cama a oír cómo la distancia [pensó en una esponja] iba absorbiendo el sonido del coche. Colocó en el armario las pocas cosas que había rescatado del camión; una muda de ropa, el neceser, un par de fotos y unas cuantas cintas de casete de grupos de rock mexicanos con las que hizo una columna. Antes de tomar el sándwich que Ron le había llevado, se puso lo primero que encontró en el almacén, un abrigo de lana de señora con cuello de zorro falso, y después masticó la cena con lentitud sin apartar la vista de la columna de cintas de casete. Quiso oír al astro Dj. Camacho pero no tenía reproductor. Extrajo una alubia negra del bolsillo para introducirla en un frasco vacío, que colocó junto al reloj despertador.

Leicester, Reino Unido, William llega a su casa después de
una jornada de 14 horas en la fábrica de géneros de punto.
Estar todo el día en contacto con telas en general, y con el
punto en particular, tiende a domesticarte el alma, que
emerge hasta la piel, y ahí se desborda en los poros para sentir las texturas y los olores de los tejidos como si ésta fuera
un sentido más. Pero eso William no lo sabe, así que odia su
trabajo. Cierra la puerta de la calle, ve a lo lejos una montaña de ropa aún sin planchar sobre su cama, y se le ocurre
que le gustaría planchar mientras practica la escalada en
roca, su deporte favorito. El domingo siguiente, él y su amigo Phil, colgados de una cuerda horizontal que une dos pi-
cos, a 125 m de altura, planchan sobre una tabla casera, y
también asida a esa cuerda, el lote de ropa que aquel día
esperaba sobre la cama. Así nace el Planchado Extremo.
A partir de ahí el fenómeno corre por los 5 continentes, se
crean federaciones y reglas, y tanto Phil como William dan
la vuelta al mundo compitiendo con otras parejas. En los
Alpes esquiando, en Londres colgados de un camión en
movimiento, o en Los Ángeles haciendo windsurf, son sólo
unos pocos ejemplos. Transportan cargadores que calientan
las planchas, y algunas marcas como Rowenta o Tefal es-
ponsorizan a los equipos y fabrican partidas especiales de
diferentes tamaños y pesos, como ocurre con los palos
de golf. Pero Phil y William ya no están muy en forma, hay
equipos de jóvenes más fuertes y adiestrados, lo que les ha
llevado a verse relegados a puestos cada vez más modestos
en la clasificación mundial. El día en que William decidió
que abandonaba para siempre estaban compitiendo en la

Selva Negra; de esto hace ahora 1 año. La prueba consistía en planchar en el aire, colgados de un árbol con arneses. Todos al mismo tiempo y del mismo árbol. Rápidamente William vio que el equipo de Moulinex les sacaba una ventaja de tres camisas y un pañuelo por lo menos. Sabía que eso ya era insuperable. Fatigado, se relajó y ocurrió de repente: vio la escena desde el otro lado, como si flotara alejado varios metros del árbol, a la misma altura que los otros participantes. Las planchas de izqda a dcha, y en cada envite el inevitable chicleo de la rama del árbol, que le daba un tono cinético y esponjoso al conjunto, Puro complot de la naturaleza, pensó, y se abandonó a la visión de semejante organismo mutante y viviente. Por un momento le vino a la cabeza la idea de que esa escena ya la había visto antes, es más, la había estado viendo durante 10 años y 8 horas al día en el balanceo de los hilos que se van entrelazando en la tejedora mientras un gran número de ovillos de colores cuelgan.

Existe una ciencia que estudia las micronaciones: la Micropatrología, cuyos alcances se explican en *sites* de Internet como L'Institut Français de Micropatrologie (www.reo cities.com/capitolhill/5829), o The Micronations Page (www.execpc.com/~talossa/patsilor.html). Uno de los que está ocupado en mantener la página web inglesa es Ted. Como experto obsesivo en redes, puede llegar a hablar durante horas de cómo reforzar un link sin perder eficacia de transmisión, cómo destruir un nodo principal en una red del tipo Potencia Inversa, o cómo la red de la biosfera, la red Internet y la red neuronal poseen todas una misma topología, por lo que pueden ser consideradas, a ciertos efectos, isomorfas. Él es un servidor principal, del que cuelgan otros muchos repartidos fundamentalmente por Norteamérica, Centroamérica y Sureste Asiático. Esta noche (aunque, técnicamente, en Isotope Micronation no puede hablarse de días y noches, pero sí de ciclos) ha soñado con una red de información que hibridaba lo orgánico e inorgánico, a la que, como si fuera un árbol, se le iban colgando las historias de cada habitante de todas las micronaciones del planeta; la HiperRed Micronación.

Tarde o temprano nuestras costas quedarán vacías. Cientos de kilómetros de cemento permanecerán durante siglos cayéndose a pedazos y cubriéndose de zarzamora y ortiga. Por la noche sonarán en su interior aullidos insoportables. Zonas inmensas de este país se convertirán en refugio de criminales, plantas de fabricación pirata, cuarteles de mafias orientales, talleres textiles ilegales, clubes de rufianes eslavos. La ruina y el espanto extenderán su sombra amarilla sobre unos lugares en donde tiempo atrás, como en el Líbano, giraban las ruletas más caras del planeta mientras delgadas actrices apenas adolescentes sorbían láudano en compañía de futuros suicidas.

Félix de Azúa

Constantes físicas de interés

Masa del Sol, M_o = 2 x 10^{33} g

Radio del Sol, R_o = 6,96 x 10^{10} cm

Distancia Tierra-Sol = 1 unidad astronómica = 1,5 x 10^{13} cm

Velocidad de la luz, c = 3 x 10^{10} cm/s

Constante de Plank, h = 6,63 x 10^{-27} erg.seg

Constante de Gravitación, G = 6,67 · 10^{-8} dyn cm^2 g^{-2}

Carga del electrón, e = 4,8 x 10^{-10} esu

Constante de Boltzman, k = 1,38 x 10^{-16} erg K^{-1}

Masa del electrón, me = 9,11 x 10^{-28} g

Masa del átomo de hidrógeno, mH = 1,67 x 10^{-24} g

Radio de la Tierra, R_T = 6 300 km

Radio de la Luna, R_L = 1 700 km

1 año luz = 9,3 x 10^{17} cm, la distancia que recorre el cerebro de un ser humano en el momento en que un clic, apenas audible, le indica que ha pisado una mina antipersona. La distancia que recorre un feto entre 2 bombeos consecutivos del corazón de la madre.

Por la mañana, Ted y su mujer, Hannah, original de Utah, montaron a su hijo, Teddy, en el *pickup*, y se dirigieron a Carson City; de turismo, le llamaban ellos. Había fiesta. Peggy les alzó la barrera, que subió como una tijera sobre sus cabezas, y atravesaron esa frontera entre Isotope Micronation y los Estados Unidos de América. El camino hasta coger la US50, un laberinto de pistas pertenecientes al estado de Nevada, arranca de un gran cruce de donde parten otras muchas pistas a lugares desconocidos para los habitantes de la micronación. Barreras de espinos, verjas y encrucijadas hasta llegar a la carretera principal son una constante. Delgados y blancos como la leche, disfrutaron del día comiendo en el bar asador y montando después en las atracciones que desde hacía una semana estaban instaladas en la plaza. La media melena del trío suscitaba comentarios; hacía años que ya no se veían por allí familias de tergal ancho, jersey de rombos, deportivas en los pies y camiseta sintética. Hasta que llegó la media tarde, y Hannah le recordó a Ted aquella época en que no tenían a Teddy. Si así fuera, le decía, ahora se hubieran quedado toda la noche, de bar en bar, bebiendo y bailando, jugando a las tragaperras, y ya muy tarde, camino de Isotope Micronation, habrían hecho el amor bajo el álamo de la US50, para amanecer donde cuadrara. Él la coge de la mano y le dice, Es tarde, vámonos a casa. Han llenado la furgoneta de globos y chucherías para los demás niños, y ruedan esquivando baches. Toman el arranque de la pista de tierra, que nunca está del todo claro, y a los pocos minutos, entre dos ramales, en una isleta un poco apartada, Teddy ve un bulto que al acercarse resulta ser una maleta de curtido marrón. Como cabeza de familia, es Ted quien la abre, y en su interior resulta haber toda una colección, centenares, de retratos en fotografía. Sólo retratos. No la cojáis, dice Hannah, trae mala suerte meter tantas caras bajo tierra. No os la llevéis a casa, dice Ted, es ilógico meter una micronación dentro de otra, la más grande dejaría de serlo. Dejémosla, dice Teddy, la gente que sale es vieja, parece muerta. Se alejaron. La maleta se quedó con la mandíbula abierta y boca abajo como con intención de morder la tierra. Es de suponer que las fotografías o ya son polvo de desierto, o volaron [o se las han comido los coyotes, a quienes les fascina la plata, por eso en las noches les brillan los ojos; eso está documentado por los antiguos vaqueros y pioneros. Incluso existe la certeza de que, inicialmente, todo el desierto de Nevada era una sola fotografía lisa y brillante, de colores refulgentes, la cual fue devorada por sus coyotes, que ganaron esa plata en los ojos pero fueron castigados a vagar solos y hambrientos por esta tierra sucia y polvorienta que es el acúmulo de sus propios excrementos derivados de la digestión de aquella fotografía].

Suenan acordes en el desierto de Albacete, siempre suenan. Se extienden en ondas por un paisaje sin rozamiento. Como aquellos acordes monótonos y primitivos que, según Benet, avanzaban por Región y terminaban golpeando los cristales de las ventanas. O como esas propagaciones lentas pero eficaces que consignó René Thom en su Teoría de Catástrofes. Suenan acordes, Fernando le está dando: una silla entre los dos surtidores, la guitarra, y el ampli conectado. Las cejas, líneas rectas, espejos del horizonte sobre unos ojos que mantienen la mirada fija buscando el fiel de una balanza. Una idea recurrente: le parece mentira cómo un objeto tan pequeño como una guitarra puede llegar a llenar con su sonido semejante espacio, hacer salir a los insectos y que se escondan los niños. A lo lejos ve rodar unas cuantas bolas de papeles de periódico, tarde o temprano vuelven y se van. Hace unas pocas más con un taco de periódicos que tiene a su izquierda y las tira más allá de la carretera. Improvisa acordes mientras observa sus movimientos. Se acerca un coche negro con una línea de luces que se desplazan en la parrilla delantera de izqda a dcha. Con pericia de cine, el Pontiac Trans AM del 82 se detiene en la gasolinera. Fernando deja la guitarra e intercambia con el conductor un vago saludo militar llevándose la mano a la frente, Qué hay, Fernando. Bien, Michael, bien, ¿lleno? Sí. El surtidor se pone en marcha con un sonido que recuerda a una trituradora. Michael sale del coche y se acoda en el cartel de Wynn's. Habitualmente le saca tres cabezas a Fernando. Hoy, con las nuevas botas de serpiente, tres y media. Qué,

Michael, ¿mucho trabajo?, dice Fernando juntando cejas. Pse, pse, responde, ahora ando buscando a quien está tirando esas bolas de papel de periódico, recorren todo el desierto, hay cientos, asustan a las ovejas. Sí, es una putada, contesta Fernando. Después ya no hablan. Michael paga con un cheque de la Fundación Para la Ley y el Orden, se despiden con un idéntico movimiento de mano sobre la frente, y Fernando le dice, ¡Michael, suerte! El Pontiac sale dibujando una S. Toma la guitarra, clava de nuevo la vista en el fiel del horizonte, y comienza a tontear los acordes de *El coche fantástico*.

Faltaba un poco de energía para que el modelo propuesto como explicación a la reacción nuclear de la *desintegración beta* fuera exacto. Nadie sabía dónde iba a parar esa energía. Pero los científicos poseen una creatividad demasiado fantástica como para detenerse en menudencias, y así, en 1925, el físico teórico Wolfgang Pauli postuló la existencia de una nueva partícula casi fantasma llamada neutrino, sin masa y sin carga eléctrica, que sería la que se llevaría la misteriosa energía que faltaba. Se pusieron a buscarla. Inicialmente se construyó un detector de neutrinos en Dakota del Sur, y hace 5 años otro en las cercanías de Pekín, siempre en las profundidades de alguna mina para evitar contaminaciones de otras partículas que llegan del sol. Consiste en un grandísimo estanque de agua, como un edificio de 6 pisos, en el cual cualquier impureza que se colase, animal, vegetal o mineral, arruinaría el proyecto, y que, efectivamente, detecta 1 o 2 neutrinos por año. Visto de un golpe, su color es azulado, más azul que cualquier playa marina que se haya visto. Hace tiempo que a Chii-Teen, el físico al cargo, dentro de ese búnker de purísima agua le parece ver racimos de algas que después desaparecen. Pero hoy ya ha visto la cola de una sirena.

Los desiertos, como los enfermos, son objetos, aunque vivos, al borde de todo, en proceso de consumación y fundamentalmente delgados. La piel de ambos es blanca-amarilla, y subsisten extenuados, aunque siempre encuentran un oasis genético que al final los salva. La carestía de recursos les lleva a fantasear situaciones de auténtica abundancia y placer, incluso en los momentos más duros alcanzan cotas de delirio casi lisérgico y acogen a todo tipo de criaturas extrañas en sus dominios con tal de sentir que alguien les quiere y se preocupa por ellos. También, la delgadez de ambos los convierte en los dos objetos más estéticos que pueblan la Tierra, y es por eso por lo que Tom, que nació en la Little America y que sabe que ya nunca vivirá en la Nevada que vio crecer a sus padres, escogió la profesión de médico.

58

Una de las micronaciones más interesantes es el Reino de Elgaland & Vargaland (http://www.elgaland-varga land.org/), creado por dos artistas alemanes. Su Carta Magna comienza de esta manera y define el alcance de su territorio:

«Con efectividad desde el 14 de marzo de 1992, somos los que anexan y ocupan los territorios fronterizos siguientes:

Un Territorio Físico
Dos Territorios Mentales
Un Territorio Digital

1. Territorio Físico: todos los territorios fronterizos entre todos los países de la Tierra, y todas las áreas (hasta una anchura de 10 millas náuticas) fuera de las aguas territoriales. Señalamos estos territorios como nuestros. Estos territorios, generalmente de nadie, están en flujo constante, cambian a diario, y sobre toda la Tierra aparecen otros nuevos (ejemplo: la frontera coreana del Norte y del Sur), o bien desaparecen (la frontera del Este y de la R. F. Alemana en 1989) o bien reaparecen otros que estaban en letargo o sumergidos (las fronteras letonas, estonias y lituanas). También lo observamos en los territorios de pesca de las naciones. Tanto en la teoría como en la práctica, áreas tales como las fronteras entre Tejas y los EE. UU., entre Inglaterra y Escocia o entre Skåne y Suecia son anexadas a partir de hoy por el Reino de Elgaland & Vargaland. No se descarta en un futuro anexar también las grandes construcciones aban-

donadas de las líneas de playa, cuando el turismo definitivamente olvide esa forma caduca de ocio.

2. Existen otras dos zonas de frontera: a) la duer-
mevela, el estado frontera entre la vigila y el sueño y b) los
estados de ensimismamiento creativo experimentados en
la cotidianidad. Ambas son zonas híbridas que quedan a
partir de hoy anexionadas por los reinos de Elgaland &
Vargaland. Territorios que cualquier ciudadano del reino
podrá explorar a fin de proponer ahí sus actividades artís-
ticas o mercantiles.

3. El último territorio es el Digital. Actualmente el
puerto territorial más grande de la entrada al reino es KREV,
que funciona dentro del World Wide Web en: www.krev.
org. También vemos CD-ROMs y floppydisks con programas de VR como territorios potencialmente ocupables. El
espacio KREV Digital es, hasta ahora, un lugar de borde; un
lugar de reunión global existente.»

De esta manera, una vez dibujado sobre un mapamundi el
territorio físico de este microestado, su resultante será una
curva que recorra todas las fronteras, una curva ancha y de
longitud potencialmente infinita. Un fractal. De ahí que
su dimensión no sea ni la de una línea, 1, ni la de un plano, 2, sino una facción intermedia, 3/2. En justa correspondencia, todo lo que acontece en ese microestado está
en otro cuerpo de realidad. La línea plana del mapa coge
relieve, toma cuerpo, borbotea. La embajada en Nueva
York del Reino de Elgaland & Vargaland se hizo oficial en
la galería Kate & Versi, en la 5.ª Avenida, donde los dueños han cedido un espacio permanente. La embajada en
Los Ángeles está en una mansión de Santa Mónica, residencia del embajador y familia, junto a la playa. La embajada en Johannesburgo, Suráfrica, en la última planta de
los grandes almacenes Shadows; el cónsul es un hombre
que suele estar sentado en una mesa en la sección Muebles
de Oficina. La embajada en España está en una gasoline-

ra de la provincia de Albacete, donde el gasolinero, primer español con nacionalidad de Elgaland & Vargaland, ha colado entre las banderas de España y de Lubricantes Wynn's una del Reino de Elgaland & Vargaland. Ahora anda metido en la composición del himno.

Sherry y Clark llegan a Las Vegas una noche de luna cre-
ciente; la observan entre los letreros luminosos y hacen algún comentario. Encuentran un hotelito en una zona relativamente devaluada. Al entrar en la habitación Sherry
dice que es mejor que cualquiera de las del Honey Route
y pagan 7 días por adelantado. Vamos cuanto antes a ver
a mi amigo el argentino, le dice Clark mientras ella se
ducha. ¿Pero dónde os conocisteis?, pregunta Sherry con
burbujas de champú en los labios. Clark no contesta.
Guiados por una dirección garabateada en una factura del
reparto de refrescos que él conservaba del Honey Route,
y tras varias equivocaciones y más preguntas, llegan al
Salsa's Club, pero en la puerta un hombre de esmoquin les
dice que Jorge Rodolfo hace por lo menos un mes que no
se presenta a trabajar, que no saben nada de él, y les da su
dirección, que escriben en la parte de atrás de la misma
factura de reparto. De regreso al hotel deciden esperar al
día siguiente para ir a verlo. Esa noche, Clark le dice por
primera vez, ¿Me dejas hacer una cata? Y Sherry abre sin
preámbulos las piernas y contesta con un susurro, Entra
directo al *foie-gras*. Ambos comienzan a reír con estrépito
y en ese momento entienden que no necesitan a nadie
más, que ellos solos ya se las apañan para sobrevivir. En el
tiempo que siguió se concentraron en buscar algún trabajo lo más alejado que fuera posible de la prostitución para
Sherry, y lo más alejado posible del negocio del reparto de
bebidas para Clark, pero al mes de búsqueda, Sherry sólo
obtuvo un empleo de puta en un club del complejo Vene-
cia City, y Clark de repartidor de refrescos para una enva-

sadora llamada Las Vegas Castle, ubicada en el polígono industrial. Ella tenía mejor paga y sacaba propinas más cuantiosas que en el Honey Route, pero él no superaba el sueldo que había dejado atrás, lo que, lejos de generar tensiones, se convirtió en catalizador para una unión más fuerte entre ambos: Clark se esforzaba en superarse y darle a Sherry un futuro mejor, y ella sentía por primera vez en su vida el orgullo de ostentar la cabeza de familia. Al Salsa's Club volvieron muchas veces, al principio para ver si Jorge Rodolfo regresaba [que no], y pasado el tiempo ya sólo para bailar y ver el surtido de atracciones musicales de las cuales el local disponía. Una de esas noches estaban con unos cuantos asiduos viendo el *show* de un ventrílocuo que manejaba 3 muñecos a la vez [uno en cada mano, y el otro, según afirmaba, era él mismo], y Clark pidió una ginebra Gordon's con naranjada, bebidas ambas que él repartía semanalmente en ese club. Cuando hubo terminado la copa comenzó a sentirse mal y a vomitar, y la piel le adquirió un tono blanco verdoso, como de tapia abandonada. La ambulancia no tardó en llegar, y de camino al hospital Sherry le apretaba la mano sin poder enunciar ni una sola palabra. El informe médico concluyó «parada parcial de constantes vitales por ingestión de sustancia tóxica hallada en botella de zumo de naranja», y se confiscaron todas las partidas envasadas en aquel período en Las Vegas Castle, que terminaron en alguna reventa allá por Centroamérica. Cuando después de casi un mes en coma se despertó, comenzó a hablarle a Sherry de una especie de iluminación que se le había repetido varias veces durante todo aquel tiempo de muerte aparente, se trataba de un castillo que de lejos parecía muy grande pero que al acercarse se hacía cada vez más pequeño, levantado con botellas de refrescos, pero vacías, sólo contenían aire, y que ese aire era justamente la cantidad que le quedaba por respirar hasta su muerte, y que lo había visto claro, y que se iba al Norte, a las montañas, para no ver a nadie nunca más y disfrutar él sólo de ese preciado maná que le quedaba. Ella intentó convencerle para que se quedase, pero él ya no la reconocía. Dejó en la habitación todas sus cosas. Lo único que Sherry conservó de Clark fue aquella factura de reparto en la que él había garabateado la dirección que hasta allí los había llevado.

Madrid. Un barrio céntrico. Es un cuarto piso de un edificio en algunas zonas apuntalado y en un claro estado de abandono. En su interior, desde hace 8 años, permanecen 120 cuadros de la pintora norteamericana surrealista Margaret Marley Modlin. Murió en 1998; su marido lo hizo 2 años después y el único hijo de ambos 2 años más tarde que el padre. El último trabajo de Margaret está en el mismo lugar y punto inacabado en el cual lo dejó. Cuando ella murió, su marido, Elmer, entró en un bucle de melancólica descomposición y quiso dejarlo todo tal como estaba cuando ella vivía. Él había sido actor en Hollywood, y ella profesora de Bellas Artes en la Universidad de Santa Bárbara, California. Él, tras haber participado activamente en la culminación de la bomba de Nagasaki, renegó de su pasado encabezando actos de protesta contra la política militar norteamericana por todo el país; ya no obtuvo ni un solo papel más en Hollywood. Aconsejados por Henry Miller, íntimo de la familia, eligieron España para refugiarse. 1972. Ella se encierra en el piso de Madrid a pintar y sólo sale 3 veces hasta el momento de su muerte: cuando expuso, 2 veces, y en su propio entierro. El marido y el hijo hacen las tareas domésticas, las relaciones sociales y se ganan la vida como pueden a fin de que ella continúe pintando. Sus cuadros tienen una clara tendencia al surrealismo de Chirico, espacios amplios que no juegan con la escala sino con los puntos de fuga de lo inanimado, y ahí ella inserta no a personas, sino arquetipos de personas, y eso, más que surreal, es pura mística: el ser humano y el punto en que desaparece. Como ella, que murió sin dejar rastro. Sólo en uno de sus cuadros hay un árbol.

Chii-Teen, tras salir del complejo donde se ubica el detector de neutrinos del cual está al cargo, ha quedado atrapado en un atasco; ya no llega a tiempo. La planitud de la avenida le permite ver sin impedimento el mar de coches detenido. Hoy se inaugura la segunda fase del Museo de Ciencia Ficción de Pekín, que él dirige. Pistolas desintegradoras, la ballesta de *Barbarella,* la Reina Alien de *Aliens,* el Millennium Falcon de *La guerra de las galaxias,* la USS Enterprise de *Star Trek,* la pistola de rayos de *Flash Gordon,* el primer ejemplar de *La Máquina del Tiempo* de Wells y también el primero de *Crónicas marcianas* de Ray Bradbury, todo está allí, al alcance de la Tierra, y sin embargo la nave *Mars Polar Lander,* piensa mientras manosea el volante, se perdió hace tiempo por un error de cálculo de la NASA y ahora, salvaje, andará por la galaxia emitiendo un rugido que ya nunca oiremos. Aquí deja de pensar. Cruzando entre los coches, justo delante de su automóvil, pasa una china que guarda mucho parecido con su exmujer.

62

Mucho antes de que se conocieran, antes de que oyeran hablar de las micronaciones y decidieran irse a vivir a Isotope Micronation, Hannah vivía en Salt Lake City y Ted en Chicago, donde trabajaba de programador informático para una compañía local de telefonía, ocupación que le apasionaba. Hannah, también programadora, hacía trabajos por su cuenta que después vendía a empresas, y así, encerrada en su apartamento, iba tirando. Pero la verdadera pasión de Hannah nunca había sido la informática, sino la poesía. Habiendo estudiado 3 cursos de literatura española en la Universidad del Estado, se entretuvo en aquella época traduciendo a clásicos que cogía de la biblioteca [las universidades norteamericanas tienen unas excelentes bibliotecas]; San Juan de la Cruz, Jorge Guillén e incluso algún contemporáneo como Valente. Todas las traducciones, decentes pero no óptimas, se las guardaba para sí. Encontraba una gran satisfacción al detectar un mismo pulso poético en las obras despojadas y desnudas de aquellos autores y los programas que ella confeccionaba, cuyo destino consistía en también volverse inmateriales en el interior de las computadoras. Un día, comenzó a escribir sus propios poemas. Aprovechaba cualquier lugar, pero era especialmente en los bares, mientras desayunaba o comía, donde garabateaba en las servilletas las diferentes tentativas e ideas. En pocos meses terminó por confeccionar un poemario bastante peculiar titulado *New Directions,* que recorrió varias editoriales sin éxito hasta que decidió autoeditarlo. Una vez con el libro en sus manos se lo fue haciendo llegar a profesores de la universidad de cuya opinión se fiaba; lo halagaron, y éstos a su vez se lo dieron a unos cuantos críticos, el 5,8% de los cuales lo calificaron de «poemario que hace gala al título», y frases de ese tipo, lo que no impidió que fuera reseñado favorablemente en diversos periódicos y revistas especializadas. Pero el libro, circunscrito únicamente a esos ámbitos académicos, aún no había sido presentado al público. Cuando le sugirieron que era el momento de preparar una presentación a los medios, lo pensó una sola noche y decidió que no, que no le interesaba esa forma de llegar a la gente, que quería llevar a cabo un experimento literario. Hannah había leído muchos textos de *arte conceptual,* de hecho, la atracción que había sentido por los artistas agrupados en torno al movimiento del arte conceptual norteamericano de los 60, Graham, Smithson, Long, Amat y otros, era lo que inicialmente la había animado a dedicarse a la programación informática, disciplina que veía como herramienta del arte futuro y, por supuesto, conceptual por derecho propio. Esos artistas se iban a un campo, pintaban una línea blanca atravesándolo y lo titulaban *Escultura,* o se iban a unas bocas de desagüe de alcantarillado que van a dar al mar, les hacían una foto, y la titulaban *Monumento de una fuente,* y cosas así. De modo que la idea de Hannah fue la siguiente: los 2.000 ejemplares de *New Directions* los dedicó uno por uno, de su puño y letra, a un receptor desconocido: «A quien lo haya encontrado. Ahora, si quieres, ya puedes tirarlo. Afectuosamente, la autora, Hannah», después, en sucesivas semanas, de día y de noche, los iba dejando en las aceras, debajo de los coches, o los abandonaba en las estaciones de metro, autobús, o aeropuertos, acción que desarrolló durante 3 meses por todas las ciudades importantes de los estados que rodean al de Utah. Ayudada por su hermano Mich documentó todo el proceso debidamente en vídeo y fotografía, para elaborar después un *dossier* que envió a la Asociación de Artistas Conceptuales de Los Ángeles, de Nueva York y de Boston. La circunstancia importante, la que cambiaría su vida, llegó cuando Ted, que estaba en Denver de paso hacia Big Sur, a donde lo habían enviado a hacer un trabajo en una empresa filial, bajó del autobús, que se detuvo a repostar, y en ese momento en el que los viajeros aprovechan para comer algo e ir al WC del *shopping center,* se sentó en una de las mesas y allí, entre un vaso de Pepsi y una servilleta garabateada, estaba *New Directions.* Devoró el libro en lo que le quedaba de trayecto, pero fue la foto de Hannah en la solapa lo que terminó de enamorarlo.

Ella lo recordó siempre muy bien. Abro la botella, eh. De acuerdo, querida, le contesta Elmer. Margaret descorcha y sirve en dos vasos. Lleva uno hasta la mesa de trabajo de Elmer, acorazado entre cientos de informes, archivos y cartas contra la política militar norteamericana. Fuma. Ella sale al porche, que penetra directamente en la arena de la playa. De pie, apoyada en una de las columnas, ve al fondo las luces de Santa Bárbara. Está segura de que nunca se irá de California. Al día siguiente deberán salir en coche hacia Nueva York, un viaje muchas veces hablado, que durará 11 días, y que ahora se justifica por la apertura de una exposición de Margaret en la Carrington Gallery. Elmer sale al porche y brinda con la copa fría en la espalda de Margaret, que da un pequeño salto. ¿Todo preparado, querida? Más o menos, responde ella. Antes de que amanezca parten en el Buik convertible del 63. Ella lo recordó siempre muy bien, sobre todo cuando se fueron a vivir a Madrid y miraba por la ventana y veía los árboles de la línea de fuga de la Gran Vía: rodaban por la US50, temían quedarse sin gasolina y Elmer decía esas tonterías que dicen quienes no tienen ni idea de lo que es el proceso creativo, del tipo: El desierto es un poco como tus pinturas, ¿no crees, Margaret? No sé, a veces, respondía ella divertida. Hasta que recortado contra las montañas vieron un árbol, Es un álamo, dijo ella una vez detenidos bajo su sombra. Lo miró con atención, Se está muriendo, concluyó. Abrió el capó de un golpe, giró un tapón situado en la parte de abajo del radiador y llenó un vaso con su agua. Se encaminó hacia la base del árbol y allí la vertió. Fue absorbida al instante y dejó un agujero anal en la tierra. Llevaba una falda de punto gris, un jersey de pico rojo, zapatos de punta con tacón plano y un moño.

Una forma de garantizar el carácter reservado de las transmisiones por Internet consiste en encriptarlas: manipular y enrevesar la información a fin de volverla ininteligible durante el tiempo que dure la transmisión, hasta que llegue al lugar de destino, donde es desencriptada. Hasta hace unos 25 años, la norteamericana Agencia Nacional de Seguridad (NSA) poseía el monopolio de la técnica de encriptación, especialidad mantenida en celoso secreto. En 1976, un artículo fundamental, «New Directions in Cryptography», en el que Diffie y Hellman, ambos de la Universidad de Stanford, expusieron abiertamente la noción de «criptografía de clave pública», cambió el panorama. En los sistemas secretos de la NSA la criptografía era, en realidad, muy básica, pues dado que ellos tenían el monopolio, el canal era muy seguro, y si existe un canal seguro, ¿qué necesidad hay de una complicada encriptación? Esta limitación, derivada de la perfección del sistema, había entorpecido el desarrollo de la criptografía. Por el contrario, la red Internet, el canal más inseguro que existe, ha generado una altísima cota de perfección en materia criptográfica.

P. R. Zimmermann

Justo en la franja limítrofe del sur de París donde Guy Debord y sus correligionarios situacionistas en 1960 ponían en práctica su Teoría de la Deriva, ahora hay un gran número de casetas de obra habitadas y dispersas en aparente azar. No hay rastro de los edificios que en el 60 estaban en construcción. Sólo quedan estos habitáculos de chapa, casi inmodificados, que los obreros utilizaban para cambiarse de ropa y comer el bocadillo, ahora tomados como vivienda por ciento y pico personas. Peter es un artista de San Francisco que atraído por el Land Art llegó a Europa hace un par de años. Estos territorios híbridos, le dice a Françoise mientras le acerca la lata de raviolis para acto seguido señalar con el dedo el acúmulo de casetas, son auténticas obras de arte creadas por la unión de elementos extraños. Françoise coge el abrelatas, y con una pericia tal que parece que hubiera nacido con uno bajo el brazo la abre en un par de segundos y vierte el contenido en un pequeño cazo. Peter presta atención al movimiento parabólico de su pecho y a sus pies descalzos. Se sientan en la sombra, mirando la puerta de la caseta, que está abierta. Entra un haz de luz muy definido que calienta la chapa, y ésta gana un color vaporoso de espejismo, como si la propia luz se cociese a su contacto. ¿Tú sabes, le dice Peter, que hubo un artista norteamericano que en los 60 definió una autopista en construcción de las afueras de Nueva York como obra de arte? Françoise dice no con la cabeza. Tus pies son grandes y bonitos, continúa Peter, como este lugar, como aquella autopista, también en construcción. Los tiene destrozados, la indigencia hace su trabajo. Apagan el fuego, se van pasando el cazo y la cuchara. Los raviolis de esta marca, dice Peter, como le ocurre a la caza, así, recién caducados, son exquisitos, ¿que no? Françoise no para de examinarse los pies.

Ahora Billy the Kid ve muy claro que aquel zapato marrón tan quieto y tirado en mitad del asfalto por fuerza no podía ser bueno. Parpadea en la pantalla de su PC una fotografía editada en *The New York Times* digital. Por lo visto es muy famosa, pero él no lo sabe porque a los 12 años la fama no existe, y si existe es otra cosa. Se trata de un hombre que está de pie, también muy quieto y sobre el asfalto, en mitad de una calle desierta de Hiroshima. Sujeta un paraguas abierto y mira el hongo nuclear que crece al fondo.

Ahora Billy the Kid ve muy claro que aquel zapato marrón tan quieto y tirado en mitad del asfalto por fuerza no podía ser bueno. Parpadea en la pantalla de su PC una fotografía editada en *The New York Times* digital. Por lo visto es muy famosa, pero él no lo sabe porque a los 12 años la fama no existe, y si existe es otra cosa. Se trata de un hombre que está de pie, también muy quieto y sobre el asfalto, en mitad de una calle desierta de Hiroshima. Sujeta un paraguas abierto y mira el hongo nuclear que crece al fondo. Ahí el relato de la fotografía se detiene, y el ejercicio consiste en preguntarse de qué pretendía protegerse ese hombre con aquel paraguas, qué destino creía poder refutar, qué fue de su vida en adelante. Existen 3 soluciones al enigma. La primera es de carácter negativo: en un típico arrebato nipón, el japonés se enoja, echa a correr hacia la masa nuclear y perece en el acto. La segunda es de carácter neutro: su umbral de enojo se ve desbordado y ese giro le hace comprender al enemigo, sus motivos, sus hijos, las familias a las que defiende, y en un exceso de compasión se pasa a las filas de enfrente, salvando así la vida que se desarrollará felizmente en un almacén de frutas en alguna población de tamaño medio en Norteamérica durante unos cuantos años, antes de que el cáncer lo corroa definitivamente. La tercera es de carácter positivo: queda fascinado por la plástica de esa visión, que se le antoja sublime, de arquetipo místico, y la fotografía varias veces con una Instamatic que como buen japonés lleva en el bolsillo, y abre el paraguas para emular la forma del hongo, y pide que, a su vez, también a él lo fotografíen, dando inicio así a la leyenda de esa foto (en esta versión es irrelevante si finalmente vive o muere). Existe una cuarta, pero que excede al Orbe Oriental y acaso el Occidental; el japonés nunca existió, ni su soledad ni su paraguas, como tampoco existieron ni la bomba, ni Hiroshima, ni los Estados Unidos de América, ni los insectos, ni los árboles, ni los pechos de la mujer, porque todo cuanto vemos, incluida la raza humana, es un inmenso holograma concebido por alguien que nos observa, un reflejo en una pantalla plana de una especie de cósmico PC. En ese mundo ilusorio el japonés bien puede pensar que el hongo nuclear es el Árbol de la Vida del cual cuelgan cascotes y radiaciones como bolas de Navidad. O algo así.

La revista *Artforum,* en su número de diciembre de 1966, publica el viaje/experiencia de Tony Smith. Se trataba de, aprovechando el cese de los trabajos en horas nocturnas, recorrer en coche una autopista en construcción en las afueras de Nueva York. A esta acción, en su día polémica e inclasificable, se la considera el origen del Land Art, y a Smith el abuelo del arte minimalista americano. En esa cinta de asfalto negra, aún sin marcas, una mezcla entre naturaleza y civilización que atraviesa lugares marginales, Smith experimenta, según relata, algo así como un éxtasis, una situación casi inefable, a la que define como «el fin del arte». «La noche era oscura y no había ni luces, ni señales de borde, ni líneas, ni barandillas, ni nada, excepto el oscuro pavimento avanzando por el paisaje de las llanuras, bordeado por algunas colinas en la distancia, y puntuado por chimeneas, torres, columnas de humo y luces de colores. Este viaje en coche fue una experiencia reveladora. Tanto la carretera como gran parte del paisaje eran artificiales, y no podían considerarse como una obra de arte. Pero por otra parte me produjeron un efecto que el arte jamás me había producido. Primero no sabía de qué se trataba, pero a medida que pasaban los kilómetros, vi que me liberaba de muchos de los puntos de vista que yo tenía acerca del arte. Parecía que hubiese allí una realidad que nunca hubiese tenido una expresión artística hasta entonces.»

Al sureste de China acaba de llegar el cómic de moda en India. No se trata de una traducción del Spiderman norteamericano al hindú o al chino, sino de una estricta transcreación del personaje. De cintura para arriba el atuendo es el mismo, la malla con la araña estampada y la clásica máscara, pero de cintura para abajo cambia sus mallas azules y rojas por un *dhoti*, una esponjosa gasa enrollada a cada pierna como los típicos pantalones hindúes, y calza babuchas de cuero terminadas en una punta que mira al cielo. Sin llegar a rasgos orientales, es más moreno que Peter Parker, y sus aventuras se desarrollan en los barrios del viejo Bombay, acosado por un malvado que ya no es el conocido Duende Verde, sino Rakshasa, un demonio de la mitología india con cuerpo de hombre y cabeza de monstruo. Todo este producto de mezcla fascina a los chinos, pero porque lo comparan constantemente con los ejemplares originales americanos que les proporcionan las tiendas de Little America. Se diría que a los chinos lo que menos les importa son las historias en sí, y su fuente habitual de fantasía consiste en ver quién encuentra más diferencias entre una determinada viñeta del americano y su bastarda oriental. Cualquier obsesión en manos chinas puede convertirse rápidamente en amenaza, así que esta manía le está comiendo terreno al surf: si bien éste sólo estaba destinado a los hombres más viejos, lo de Spiderman abarca todas las edades y núcleos sociales. Fue ésta la única manera por la que el joven Kao Cheng, de un arrabal de la ciudad de Punh, pudo establecer contacto con Ling-O, la hija de un alto funcionario, al encontrarse casualmente el uno al lado del otro en la misma librería-kiosco, ensimismados con ese juego de las diferencias. Yo encontré 43, Pues yo 377. Y así. Pero como la dirección artística y el guión corren a cargo del arquitecto hindú Jeevan J. Kang, hay una diferencia más profunda entre ambas versiones del superhéroe, diferencia que podemos llamar «de estructura», y que lleva a estas nuevas a un auténtico punto de ebullición racionalista. En efecto, en su afán por no perder un quimérico espíritu americano, Jeevan ha cargado las tintas, y las tramas, más que historias ilustradas, parecen teoremas desarrollados a base de concatenaciones silogísticas tan maquínicas que incluso cuando la historia se relaja y suelta amarras, en vez de proliferar a un plano fantástico se aprecia claramente que la *máquina de narrar* se ha estropeado para siempre; como cuando un motor suelta su último suspiro y entra en la esfera del sueño, sí, pero del sueño eterno. El argentino Jorge Rodolfo Fernández, en su habitación de Budget Suites of America, está leyendo repetidamente y en voz alta este pasaje de Ernesto Sábato: «Borges plantea sus cuentos como teoremas, por ejemplo, en "La muerte y la brújula", el detective Erik Lönnrot no es un ser de carne y hueso: es un títere simbólico que obedece ciegamente —o lúcidamente, es lo mismo— a una ley matemática; no se resiste, como la hipotenusa no puede resistirse a que se demuestre con ella el teorema de Pitágoras; su belleza reside, justamente, en que no puede resistir».

Detrás del acúmulo de casetas de obra, a unos 100 m
más o menos de la de Peter y 120 de la de Françoise, existen unos bloques de edificios de 4 o 5 plantas cuyas fachadas han sido tomadas por estudiantes de arquitectura de la
Escuela de París 7. Peter observa cada día cómo estos estudiantes van conformando lo que constituye su proyecto fin
de carrera. Se trata también de casetas de obra, como las de
su campamento, pero nuevas, de chapa y colores vivos, que
están siendo apoyadas sobre unas pequeñas plataformas
puestas a tal efecto en las fachadas de los edificios. Parecen
incrustadas, comenta Louise, una exalcohólica de las casetas de la zona sur. O como si flotaran, dice Françoise, mientras se mira las imperfecciones de sus pies. Peter está fascinado ante una hibridación de tal magnitud y osadía;
permanece en silencio mientras mira ese enjambre de cubos
sobresalientes que le da a aquellos bloques de pisos una nueva configuración como de videojuego Tetris. Ante esto, no
hay galería ni Louvre que valga, le comenta el director del
proyecto a un vecino, Esto es puro urbanismo genéticamen-
te modificado. Los estudiantes lo plantean como una acción que sintetiza el riesgo creativo que supone proponer
nuevas formas de habitar la ciudad creando espacios tangenciales, que emergen como a otra dimensión agujerando
el vertical mapa, y la denuncia por reducción al absurdo de
la imposibilidad de adquirir una vivienda hoy por hoy en
París. Excusándose en tal espectáculo, Louise ha vuelto a
beber. Lo hizo la otra noche, ante la fogata que encienden
en mitad del campamento, donde han improvisado un ágo-
ra en la que espontáneamente se reúnen desde hace años

grupos de las ciento y pico casetas. Como los estudiantes están a pie de obra, a veces se les hace tarde y de vez en cuando son invitados a cenar y beber alrededor de la hoguera. Hablan mucho y desglosan el proyecto ante la mirada atenta e incrédula de los veteranos casetistas. Varios platos de sopa y vino de mesa van pasando hasta las tantas. Un hombre mayor llamado Tierry dice, Qué bonito, ahora las casas, con esas cosas colgando, parecen cajas de regalos. Y otro dice otra cosa aún más atrevida, y así. Y tú qué dices, Peter, le pregunta Françoise. Nada, responde mirando la caduca verticalidad de las llamas. Pero lo que en realidad piensa es que hace 46 años las viviendas eran muy diferentes a como son hoy en día, y sin embargo su caseta, de una antigüedad de 46 años, y las que hoy están poniendo estos chicos apenas se diferencian en nada.

Nos encontramos inmersos en un invisible océano de ondas electromagnéticas. Proceden de multitud de fuentes: antenas de radiodifusión, estaciones de telefonía celular, transmisiones de la policía y de otros servicios civiles o militares. Aunque estas radiaciones no nos ocasionan perjuicio físico alguno, sí pueden mermar notablemente nuestra capacidad de recibir y transmitir información. El exceso de energía radioeléctrica contamina el entorno porque perturba e interfiere las comunicaciones útiles. Así como hay que alzar la voz en los ambientes ruidosos, las señales de radio se han de amplificar para que destaquen sobre el ruido de fondo electromagnético. El problema puede solucionarse mediante un nuevo tipo de antenas de radio que en vez de radiar innecesariamente en todas las direcciones la energía necesaria para, por ejemplo, una llamada por teléfono móvil, siguen la posición del usuario a medida que se desplaza y le envían directamente las señales de radio que le estén destinadas. Como si las antenas tendiesen hilos virtuales que las conectasen con cada ser humano tecnificado.

Martin Cooper

Al día siguiente Peter tiró sus libros de arte contemporáneo a la hoguera, y al siguiente se fue.

Respecto a los saludos que dispensaba Samantha a los caminantes, camioneros y viajeros en general cuando pasaban por delante del Honey Route mientras se hacía las uñas de los pies en el porche a media tarde, esa hora en la que aún no hay clientes y las chicas no están embadurnadas de saliva, hay que decir que sólo tenían como propósito desear un buen viaje, afirmarse en la idea de que existía un mundo más allá de sus uñas y su porche, y nada más. Por eso cuando un hombre frenó en seco su Ford Scorpio y se acercó a Samantha y la cogió de la mano para decirle de golpe lo guapa que era, se le encendieron las mejillas y a punto estuvo de soltar una lágrima sobre la laca de uñas roja que la emoción le había hecho derramar al suelo. Mientras tomaba algo, sentado a su lado, dijo llamarse Pat, Pat Garret, y no tardaron en besarse, lo que les llevó casi inmediatamente a la habitación. Samantha jamás había estado con un hombre a esa hora en la habitación. De repente, como otra vida. Pat tenía una afición: coleccionar fotografías encontradas. Toda valía con tal de que salieran figuras humanas y fuera encontrada. Viajaba con una maleta llena. Mientras miraba un punto fijo en la pared de la habitación, le contó que después de haber trabajado en un banco en LA, había heredado inesperadamente, así que dejó el trabajo. Su afición por las fotografías le venía del banco, por culpa de ver a tanta gente; siempre imaginaba cómo serían sus caras, sus cuerpos, en otro contexto, más allá de la ventanilla, que era también como el marco de una fotografía. Pero tras haber cobrado la herencia, su otra afición, el juego, lo había llevado a perderla casi en su totalidad. Ahora se dirigía al Este, a Nueva York, en busca de más fotografías, Aquí, en el Oeste, siempre andamos a vueltas con los paisajes, pero allí todo son retratos, le dijo. Abrió la maleta y le fue dando las fotos, que ella miró una a una sin atención pero con ganas de comprender. En un momento dado él le dijo señalando con el dedo una foto en la que un grupo de colegialas posaba un día de fin de curso del 78, ¿Ves esta niña de ahí? ¡Es tan guapa que podrías haber sido tú! Entonces Samantha se armó un taco imaginando todas esas vidas que ahora, emulsionadas, pasaban por sus manos, pero un taco que le hizo creer por un momento que tenía una gigantesca familia más allá de las compañeras de burdel y los hombres de carretera. Cayó sobre el pecho de Pat y lo abrazó. Él le dijo, Te llevaré conmigo a Nueva York. Se quedó muchos días más, ella le preparaba la comida y no salían de la habitación. La noche que Pat se fue, a Samantha la despertó el motor del Ford. No se movió de la cama, pero estuvo despierta hasta que amaneció, y ya de mañana, tras descartar que se hubiera ido a Carson City a por tabaco, se sentó en el porche a hacerse las uñas de nuevo, y lo olvidó todo y saludó a un joven que con una mochila del ejército pasaba caminando hacia la US50, y le gritó, ¡Si ves a un tipo en un Ford Scorpio rojo que viaja solo hacia Nueva York dile que vuelva! Él ni la miró. Ahora habrá dos maletas llenas de fotos tiradas en dos lugares del desierto. Rostros, familias, posibles parejas que ya sólo serán teóricas, retratos de una y otra maleta que no llegarán a encontrarse.

En su imparable obsesión por la experimentación en la grabación de ruidos y su posterior procesado para darles una forma sinfónica, el joven Sokolov ya sólo se dedica a registrar en su grabadora las entrañas de las casas que, como él ha descubierto, están recorridas a cada instante por un canal ramificado de sonidos únicamente audibles con aparatos creados en su mayoría por él a tal efecto. Después de estudiar detenidamente las zonas de la ciudad que le convienen según las características constructivas, pide que le cedan una habitación en un edificio en la que instalarse durante un par de días. Atrás quedó su interés por registrar el sonido de las calles de Chicago, de los coches que pasan, de los grafiteros y de todo aquello. Su abuela piensa que esa obsesión por los edificios le viene del accidente que a los 10 años le había sepultado en el sótano de su casa en Polonia, matando a sus padres, pero él sabe que no, que en realidad todo se gestó cuando aún era un feto, momento en el que el sentido más desarrollado es el auditivo. Su siguiente objetivo es el World Trade Center, Nueva York. En las oficinas de la BP, piso 77, le han permitido montar su laboratorio sonoro. Pretende recoger todos los sonidos que, en ese piso totalmente aislado del exterior, jamás llegan a oírse: el vuelo de un pájaro a ras de la ventana, el paso de un helicóptero, el silbido de un limpiacristales o del viento, así como los ruidos imperceptibles de las cañerías, las vibraciones de la estructura, el cimbreo de las antenas, las cisternas de los 100 pisos circundantes, el zumbido parásito que emiten los cables de electricidad, el rodar de las ruedas de los coches del par-

king del sótano, el ring de las cajas registradoras de las
tiendas de las plantas bajas, etc. Coloca micrófonos garza
exteriores, micrófonos tipo membrana pegados a los cristales y bajo la moqueta, otros hidrófugos en los desagües,
en el interior de los enchufes, y como cuando por capilari-
dad el café sube por el azucarillo si mojamos sólo la punta, o como cuando la savia de un árbol sube de las raíces a
las hojas impulsada por una fuerza sólo explicable mediante arquetipos vectoriales, todo el sonido oculto del
edificio sube también hasta sus auriculares; escucha los la-
tidos de lo inerte, vive una experiencia íntima con el edificio, devuelve a la habitación los sonidos que le son suyos.
Respecto al origen de su obsesión por los sonidos de los
edificios, ha pensado que quizá tenga que darle la razón a
su abuela, porque hoy le ha parecido distinguir entre la
maraña de ruidos del World Trade Center las últimas voces de sus padres.

Imagen congelada: En la técnica de la *imagen congelada* el tiempo cesa de moverse físicamente en la imagen. Muchos films terminan con imagen parada, deteniendo así el movimiento. Otros directores utilizan este efecto para terminar una secuencia: se para la imagen y al cabo de un rato se desvanece en fundido cerrado. En mitad de una secuencia, a veces se para el final de un plano para llamar la atención sobre un hecho o sobre un personaje. Se han obtenido efectos increíbles parando zooms en avance.

Daniel Arijon

El polvo que levantan las miles de construcciones que se están llevando a cabo en Pekín obliga a sus autoridades a replantearse por primera vez la velocidad de su occidentalizado crecimiento. Hasta la cercana ciudad de Dalian, que tiene puerto en Yellow Sea, el viento arrastra grandes masas cuasisólidas [sólidos virtuales, podemos llamarles] de arena y cemento que se depositan sobre el mar, cada vez más sólido y amarillo también. Irán cubriendo Pekín diferentes capas hasta que sobresalgan únicamente las puntas de los más altos rascacielos para, finalmente, convertirse en un desierto. Y en ese momento en nada se diferenciará de un desierto de España, Marruecos, Mongolia o Norteamérica. Igual que toda el agua y todos los PCs de la Tierra están conectados de alguna u otra manera, también todos los desiertos son el mismo [y también por lo tanto las ciudades que sepultan, en las que habiendo desaparecido calles, plazas y autopistas ya sólo existe una dirección reconocible: la que define el vector de gravedad que apunta al centro de una tierra cada vez más lejana].

Jorge Rodolfo Fernández pasea sin descanso por el interior de su apartamento de Budget Suites of America. Hace días que no se presenta al trabajo en Las Vegas Boulevard. Recorre los 5 metros que hay de pared a pared, donde gira para ir hacia la otra, y vuelta a empezar, día y noche, hasta que cae rendido en el colchón un mínimo de horas para levantarse y continuar esa trayectoria. No es que tenga una enfermedad importante, como aquel perro del vecino que enloqueció y comenzó a correr en círculo varios días hasta que labró un surco en la tierra de medio metro y cayó muerto [resultó ser un coyote], tampoco es que lo hayan echado del trabajo por excederse en sus funciones de recogevasos, ni que le haya llegado una carta desde Buenos Aires anunciando la inminente muerte de su madre, no, es algo mucho más grave, ha perdido su fe en Jorge Luis Borges. No sabe cómo ocurrió, pero un día se levantó, miró el retrato del maestro y lo supo por la presión negativa que dentro de su cuerpo se ejercía fruto de un nuevo y extraño vacío. Sintió entonces que la foto ya no le miraba, que era un rostro que parecía haber sido retratado sin vocación de mirar al futuro: el retrato sólo eran 2 ojos enraizados en el áspero metal y la plata de su estricto presente, hacía ahora 68 años. Después intentó leer textos del autor y a las 2 primeras líneas ya le aburrían. Llegó a pensar que esa sensación de pura intransitividad cuando cogía la foto y le miraba a los ojos era debido a que Borges era ciego, pero desechó este argumento por fantástico o porque, en cualquier caso, le pareció que no venía a cuento. Desde entonces, no sabe de qué manera recuperar la fe perdida y rebota con la vista fija en el suelo de una pared a otra. Cuando llega a una pared piensa que ahí se desdobla en 2 Jorge Rodolfos: el uno gira sobre sus pies para iniciar de nuevo el movimiento cíclico y continuar siendo el mismo, y el otro no gira y sigue recto para siempre perdiéndose en la nebulosa trayectoria de aquello que no conoce ni pasado ni futuro y que es propio de los insectos blandos y las partículas de luz; y que este que continúa se desdoblará a su vez de nuevo en 2, un desgraciado que gira y regresa y un iluso que continúa, que a su vez volverá a separarse en dos y así hasta formar esa estructura arracimada en bucles que constituye la conciencia. Afuera, delante de su apartamento, sentados en una acera improvisada hay una pareja de jóvenes. Hablan de viajar, barajan Denver, Los Ángeles o, por qué no, París, se emocionan y fuman, pero da igual porque no tienen dinero y hace tiempo que saben que el viaje es una actividad anticuada y absurda, ocio para horteras de un siglo ya pasado.

78

Los Sex Pistols habían desbrozado el terreno, lo habían arrasado. No quedaba nada excepto la ciudad, que se erguía como si nada hubiera ocurrido. Hay un retazo de suciedad humeante en medio de la ciudad, en la que un cartel envuelto por la neblina pone: LIQUIDACIÓN POR INCENDIO. La gente que rodea el espacio vacío no sabe qué hacer ahora. No saben qué decir; todo aquello de lo que solían hablar ha sido parodiado hasta la estupidez a medida que las viejas palabras surgen de su boca. Tienen la boca llena de bilis, son atraídos hacia el vacío, pero retroceden. «La definición de nihilismo de Rózanov es la mejor», había dicho en 1967 el situacionista Raoul Vaneigem en *Tratado de saber vivir para uso de las jóvenes generaciones:* «El espectáculo ha terminado. El público se levanta y abandona sus asientos. Es la hora de recoger los abrigos e irse a casa. Se dan la vuelta... Ya no existen sus abrigos ni tampoco sus casas». Éstas están donde ellos se encuentran.

Greil Marcus

El nómada toma por hogar una idea. Los grandes nómadas son personas de ideas inamovibles, en tanto van dejando atrás personas y ciudades. Michael Landon llegó cansado y muy tarde de los estudios de la Fox; la casa estaba fría, desordenada y desprovista de personalidad. Unos muebles regalados. El cubo de la basura desbordado. La grabación de los capítulos de la 5.ª temporada de *Autopista hacia el cielo* consumía toda su capacidad de nomadismo; ahora esta casa era el eventual refugio que cualquier viajero tarde o temprano necesita. Se sirvió un güisqui sin hielo y escogió al azar un vídeo porno de la estantería. Mientras la cinta giraba se calentó un sándwich que había traído del catering. Una mujer corría por un bosque perseguida por dos hombres, al final caía rendida debajo de un árbol y allí se dejaba penetrar. No atendió demasiado a la película. Se despertó cuando pasaban los créditos, según los cuales, los exteriores habían sido grabados en un bosque del estado de Nevada, el mismo bosque en el que hacía 20 años él había localizado un capítulo de *La casa de la pradera,* 1972, recordó con nostalgia, la crisis del petróleo, Berkeley era un hervidero, Bertolucci estrenaba *El último tango en París,* en los Juegos Olímpicos de Múnich un comando palestino secuestraba a 9 atletas israelíes y les daba muerte, Nixon era el primer presidente norteamericano en visitar China, Susan Sontag había publicado *Contra la interpretación.* Volvió a caer dormido en el sofá. Esa noche fue la más nómada de todas pues tomó como hogar la idea definitiva, la única involuntaria, la muerte.

Hace 3 días que nadie para a repostar. Fernando se entretiene hojeando las revistas, a la venta, del expositor, montadas en hilera unas sobre otras porque así le recuerdan al escamado lomo de un pez. Tiene entre sus manos el número de hace 6 meses de *Letras Libres*, «El pasado es lo que recordamos del pasado, y ese recuerdo es una miscelánea de fragmentos que ahora, en el presente, pegamos y atamos. Así, el pasado no existe, sólo existe el presente en el que esa composición emulsiona siguiendo sus propias reglas para hacerse también presente. Pero hay algo más terrible todavía: si ni siquiera existe el pasado, ¿cómo entonces puede existir el futuro? Incluso esa ciencia llamada Futurología habla de lo que nunca existirá, porque si no, por definición, dejaría de llamarse Futurología. En un desierto Presente nos movemos delimitados por esos dos espejismos, el Pasado y el Futuro». Y al final de la hoja, a renglón seguido, Fernando agarra un BIC y escribe: «En efecto, de la misma manera que lo terrible del 23-F no fue que un espontáneo con bigote tomara al asalto el Congreso de los Diputados [está en nuestra Historia el asilvestramiento, lo necesitamos para mantener la identidad], sino que lo terrible fueron los disparos de arma reglamentaria recibidos por los albañiles que estaban reparando el tejado». Arranca la hoja y la tira a un lote, a su derecha, con el que hará grandes bolas de papel.

Tumbado de medio lado en la cama del hospital, Ernesto Che Guevara observa a su derecha la máquina a la que está enchufado desde hace 3 días. Supuestamente, dibuja en la pantalla una curva que en tanto no sea plana indica que la cosa va bien. Aunque por el trato que ha recibido hasta ahora se sorprende de la eficacia de la medicina vietnamita, piensa a menudo en cómo serían las cosas si estuviera en Cuba o en Las Vegas. Aunque es mediodía, las persianas casi bajadas inducen una penumbra espesa que se suma al 98% de humedad relativa del aire. Observa la máquina que, cuando está en *standby*, oscurece su pantalla a fin de ahorrar energía y sólo queda bajo ella, como testigo, un pequeño círculo de plástico transparente dentro del cual hay una luz naranja que parpadea. Cada 3 segundos se enciende lentamente y se apaga. Lleva horas con la vista fija en ella, pero de la misma manera en que nos ensimismamos con el fuego o con el temblor de una estrella. Observa que, por algún error, la pequeña lámpara del interior está levemente desplazada hacia la parte inferior de ese círculo, con lo cual, cuando se ilumina, a Ernesto la forma final le recuerda más que a un círculo, a un huevo. Un huevo que aparece y 3 segundos después se funde en negro. Le resulta paradójico que la misma máquina que certifica la defunción de una persona lo haga con ese icono oval, símbolo por antonomasia de vida.

En algún momento de su travesía Falconetti decide regresar a San Francisco. Piensa que si él no puede dar la vuelta a la Tierra, por lo menos que la Tierra la dé por él. Compra una bola del mundo del tamaño de un balón de playa, y con un rotulador indeleble pinta un monigote sobre la ciudad de San Francisco, y al lado escribe su nombre. A la mañana siguiente, en East Bay la tira al mar.

Payne, para hacerlo él mismo, no dejó que el botones le metiera las 3 tablas de surf en el armario ropero. Situado en el corazón del Pekín moderno, desde la habitación del piso 33 se veía toda una colección de rascacielos de vidrio y acero, y entre ellos, serpenteada y laberíntica, una sucesión de pequeñas construcciones de no más de 2 alturas intercaladas con tenderetes, puestos de venta diversa y domicilios anexados. A 15 días vista de la competición prefirió que su padre le pagara este lujo de 5 estrellas como terapia de meditación antes de abordar las olas. Estuvo observando el tren aéreo que se perdía entre los altos edificios sustentado sobre anchas columnas que cada 20 metros sostienen los raíles y la estructura. Cronometró que cada 5,50 minutos pasaba uno. Pulsó el 0 para que le trajeran una bolsa de patatas fritas. Ya en el viaje desde Londres había venido tarareando «Cemetry Gates», «Es un día inquietante y soleado, así que quedamos en la puerta del cementerio, Keats y Yates están de tu lado, pero Wilde lo está del mío...», aquella canción de The Smiths que creía ya tener olvidada, cosa que le pareció curiosa cuando vio que, a 2 manzanas del hotel, el tren aéreo pasaba por encima de un cementerio, entre el parque frondoso y la ABC Tower. A Payne le gustaban todos los hoteles por lo que cada piso posee de estrato de soledad; arriba del todo, en el último estrato, la soledad alcanza su punto máximo, pero también lo alcanzan la buena vista y el confort. Una soledad narcótica, acogedora, que jamás te obliga a salir. Uno puede estar temporadas enteras encerrado allí sin hacer nada, como si toda la sociedad se confabulase para organizarte una dulce cámara de nada, de historias inventadas de quienes antes pasaron por allí, de un pelo que encuentras en el lavabo y cosas así. Se tumbó a descansar. Siempre que estaba muy lejos de casa pensaba en Robert, su hermano mayor, el que hacía años se había desprendido de la figura paterna para ir a buscarse la vida a Norteamérica. Lo último que sabía de él es que vivía en una pequeña ciudad del Medio Oeste, que trabajaba en un banco y que tenía una avioneta de una hélice. Había sido ese hermano quien, cuando aún vivían con la familia en Londres, siendo pequeño le incitó involuntariamente a practicar surf cuando le dijo: «El equilibrio sobre el agua no te iguala a las canoas, sino a los pájaros». Y aunque hoy sabe que tenía parte de razón, lo cierto es que las veces que se sintió más cerca del equilibrio de los pájaros fue meando en un orinal: un accidente lo tenía postrado, la tabla lo había estampado contra unas rocas con el resultado de varias costillas y la cadera rota, y en el hospital, en el momento de mear en un recipiente que guardaba debajo de la cama, se sentaba en el borde, abría ligeramente las piernas, miraba a un punto al frente que rápidamente se desdibujaba, y soltaba el chorro que caía, como ya todo su cuerpo, a un lugar lejano e indefinido, con una penetrante sensación de ingravidez, de absoluta flotación, de biología, por desaparecida, bien diseñada. Su hermano Robert, por su parte, aún estando en Londres, había iniciado una ingeniería, que dejó a la mitad, y fue en ese momento cuando partió a Norteamérica. Llegó la bolsa de patatas y encendió la tele. En la Star Movies ponían *Salem's Lot,* y le hizo gracia David Soul en el papel de sesudo escritor que busca zombis y vampiros en la América profunda en vez del consabido Hutch de *Starsky y Hutch.* Aún no había terminado las patatas cuando sonó el teléfono. Era Kelly. Estaba en una pensión de la zona sur con otros cuantos participantes llegados de Los Ángeles. Decidieron quedar para verse al margen del grupo. Mientras Payne sostenía el teléfono veía el cementerio y se le ocurrió que podían quedar en su puerta. Vale, respondió ella. Dame 1 hora.

Una ciudad en la noche vista desde el cielo. Piensa. Una casa, una luz que se apaga. Al instante un número indeterminado de luces a su alrededor también se apagan, y en cascada el círculo oscuro va ampliando su radio hasta que toda la ciudad deja de verse. Piensa. Un país en la noche visto desde el cielo, una ciudad es un punto de luz que de repente se apaga. Inmediatamente después van apagándose en círculo las ciudades próximas hasta que la oscuridad del país alcanza sus fronteras. Piensa. Un continente visto en la noche desde el cielo. La luz que es un solo país se apaga y así todas hasta volverse negro el continente. Piensa. El globo terráqueo visto en la noche desde el cielo. Cada continente es un punto de luz que ahora se apaga. Por efecto dominó se apagan todos los continentes adyacentes hasta quedar en tiniebla toda esa cara de la Tierra. Piensa. Sólo eso, piensa. En la otra cara aún es de día. Pero piénsalo bien.

El nuevo capitalismo, el del siglo 21, no sólo ofrece productos de consumo para sentir a través de ellos un estatus o una ensoñación, eso está ya superado, lo que hace es crear una auténtica realidad paralela que se erige en única a través de los medios de comunicación. Así que más que nunca la común Realidad imita a lo artificial, al Arte. Ahora bien, ese Arte, que ya es la nueva Realidad, agobia por excesivamente estándar, por eso los chinos hace tiempo que copian todo lo Occidental, introduciendo ciertas transformaciones; lo *customizan*. Copian canciones y álbumes enteros de artistas occidentales, réplicas exactas de Madonna, Radiohead o Strokes pero cantadas por chinos. O los rascacielos, réplicas de los norteamericanos pero con ligeras variaciones ornamentales de arquitectura clásica china. La lista es inmensa. Los ancianos de Little America que están participando en el campeonato internacional de surf de Tapia, Asturias, España, han traído su equipo también modificado y, por ejemplo, la quilla trasera de las tablas está trabajada con motivos escultóricos chinos [alguien dice que es ahí y no en el zen donde radica la estabilidad de esas tablas]; o las furgonetas Volkswagen del 71, que han sido *customizadas* al punto de parecer tuck-tucks pekineses a motor; también, antes de beber Coca-Cola cierran los ojos y emiten un canto. Aunque el tipo de poema haiku fue desarrollado por los japoneses, tiene como fuente remota la poesía china, por eso estos ancianos están desarrollando un tipo de haiku *customizado,* medio clásico, medio occidental-algebraico: en el campeonato internacional de Tapia, el ganador, Chi-Uk, de 87 años, cuando le dieron el trofeo recitó en inglés:

Wave is a tree,
light particles hanging
x infinity = matter

Y acto seguido traduce al español:

La ola, hay un
punto, ahí el cuerpo
x0 = nada

Nota: la correcta interpretación no se obtiene con
la lectura del poema o de su traducción, sino con la media
aritmética de la lectura de ambos.

Al día siguiente de entrar a trabajar en el almacén, Humberto ya se enteró de qué iba la cosa. Según le explicó Ron, en líneas generales, el suyo era uno de los centros que envían ropa usada a Mozambique para que allí, en uno de esos tan en auge intercambios solidarios, se reparta por diversas tiendas, que la venderán a muy bajo precio, y de esta manera los niños de Mozambique podrán tener su camiseta Lacoste seminueva, sus tenis Converse, y así. Cada día llega un camión al almacén y Humberto trabaja con las ganas de quien sabe que está haciendo un bien y que además cobra por ello. Como el pueblo cae un poco lejos, apenas sale del recinto; aun así, con el tiempo ha ido decorando su trastienda y adquiriendo útiles diversos, pero lo que aún no ha hecho es comprar un reproductor para sus cintas de casete. Las tiene allí, perfectamente apiladas en columnas de 7, un total de 4 columnas. Mira las 28 cajitas, las limpia, las reordena incluso, pero la firme intención de desconectar con todo lo que suponga recordar su patria le impide poner en marcha los mecanismos necesarios para materializar el campo magnético sonoro que, paralizado, permanece en ellas. Un mediodía, mientras hacía limpieza en el despacho de Ron, encontró un recorte de periódico del *News Today* en el que se venía a decir que el envío de ropa usada a países como Mozambique está llevando a la ruina a la práctica totalidad de tiendas oriundas de ropa y calzado mozambiqueñas, que no pueden competir con los precios de las tiendas solidarias. Los comerciantes decían mostrarse indefensos ante esta situación y denunciaban, aportando una buena suma de pruebas, que el Gobierno mozambiqueño no toma cartas en el asunto debido a ciertas cantidades de dinero que interesadamente recibe de ciertas ONGs. Humberto guardó el recorte. Hoy ha reunido fuerzas para pedirle a Ron una explicación de todo eso. Éste le ha dicho que eso no es cosa suya, que le sobrepasa, que él hace lo que buenamente puede, que es una persona, no un superhéroe, y que a trabajar. Después de cerrar la tienda, ya a solas, Humberto ha desmontado cada una de sus cintas de casete, ha salido afuera, y comenzando por la base para terminar por el tejado, ha ido encintando por completo el exterior del almacén, una vuelta al perímetro y otra vuelta y otra vuelta, desenroscando las cintas de sus ruedecitas, subiendo y subiendo ayudado por una escalera sin dejar al fin a la vista ni la más mínima superficie de las 4 fachadas. Después se ha sentado a observar toda la noche esa gigantesca caja de voces mudas recortada contra la oscuridad del cielo, su leve aleteo al paso del viento, la otra música emitida por ese envoltorio magnético-sonoro. Cuando se canse, lo más probable es que le prenda fuego.

87

Principio de superposición [FIS]: 1. Principio general que se aplica a muchos sistemas físicos, que establece que si un número de influencias independientes actúan sobre un sistema, la influencia resultante es la suma de las influencias individuales. 2. Es el principio según el cual, en todas las teorías caracterizadas por ecuaciones diferenciales homogéneas y lineales, tales como óptica, acústica y teoría cuántica, la suma de cualquier número de soluciones a las ecuaciones es también una solución. Analíticamente: si $f_1, f_2, f_3..., f_n$ son soluciones a una ecuación, entonces $f_1 + f_2 + ... + f_n = F$ también es solución.

(Diccionario de Física McGraw-Hill)

Según lo acordado, a las 6 de la tarde Payne estaba en la verja del cementerio. Kelly aún no había llegado. Apoyó la espalda en el tronco de un ficus gigante y después se sentó sobre una de las raíces. Comprobó que estéticamente los cementerios chinos son como los cristianos pero sin cruces. A pesar de que para ir hasta allí había tenido que atravesar calles concurridas como nunca hubiera imaginado, nada más llegar a la especie de acera que rodeaba la verja la gente había desaparecido y el silencio era casi total; sólo se oía el ruido continuado de unas aguas fecales en una conducción bajo tierra y el canto de determinados pájaros. Cuando se fijó en que dentro del cementerio había numerosas bocas de alcantarillado, y que, por su parte, los pilares que sustentaban la vía del tren aéreo se clavaban en varios puntos del suelo, vio claramente cómo ese lugar permanecía en perfecta armonía con las fuerzas terrestres y celestes; allí no sólo iban a parar los muertos, sino también las heces y la alta tecnología de una civilización, quizá también muerta. Pensó que si su hermano Robert estuviera allí con su avioneta seguro que tendría algo más inteligente que decir. Se rio. Tal como había comprobado desde la habitación del hotel, cada 5,50 minutos pasaba el tren, y retumbaba la tierra de entre los mausoleos, ligeramente agrietados. Después todo quedaba en silencio. Reconoció en esa cadencia la perfecta simulación de las olas del mar. Kelly nunca llegó.

Teniendo en cuenta que el radio de la Tierra es 6.300 km y el radio de una bola del mundo de juguetería 0,001 km, teniendo en cuenta además los complejos movimientos de las mareas y los obstáculos continentales, podemos afirmar que esa bola del mundo, aunque ya nunca va a dejar de moverse, jamás conseguirá dar la vuelta a la Tierra, como tampoco lo consiguió aquel iluso que en East Bay la tiró al mar. Por lo que para esa bola la Tierra será ya siempre un objeto plano e infinito, carente de dimensiones y situado en una esfera metafísica. Lo que indica que cualquier acción del ser humano es reflejo de sus propias limitaciones y, por añadidura, que construimos un mundo a nuestra imagen y semejanza. Así que ese error en cierta manera nos convierte en dioses por reducción al absurdo.

Ernesto nunca quiso hacer ese viaje. Ella se empeñó. En primer lugar no quería porque consideraba que viajar es un atraso desde que ya todo está descubierto, y que no tiene sentido andar por ahí emulando a los exploradores del 19. En segundo lugar porque Internet, la literatura, el cine y la televisión son la forma contemporánea del viaje, más evolucionada que el viaje físico, reservado éste para esas mentes simples que si no tocan la materia con sus manos son incapaces de sentir cosa alguna. Y en tercer lugar porque Vietnam está muy lejos y a sus 78 años Ernesto ya no estaba para esos trotes. Ya había tenido bastante con haber salido a los 18 años de Argentina en moto, haber abanderado una revolución en Cuba y haber sobrevivido a 3 intentos de asesinato antes de calcular finalmente con precisión relojera la simulación de su muerte en Bolivia para irse a Las Vegas a dedicarse al juego y al lujo bajo el sobrenombre de J. J. Wilson. No obstante, contra su voluntad, cediendo a las presiones de su joven novia, Betty, se plantaron allí. Visitaron los lugares típicos budistas entre la multitud, pero al cuarto templo Ernesto se cansó y cambió a Betty por una puta vietnamita. Con los días se fue acostumbrando al modus operandi del típico turista, e incluso participó en los regateos que ella entablaba con los vendedores de los mercadillos nocturnos. Comprobó que lo único que diferencia a estos mercadillos de los de cualquier otra parte del mundo son los estampados de las camisetas, auténticos termómetros de las culturas emergentes de un país. Le hizo gracia ver que una sola camiseta se repetía allí como en todo el planeta, la de su rostro con boina. 7 pm, hace calor, es de noche y llueve en el mercado. Él empieza a calentarse y compra unas gafas imitadas Ray Ban de espejo azul, una camiseta rosa en la que pone Play Boy bajo el dibujo del conejito serigrafiado, y se deja incluso fotografiar por la puta con la camiseta, las gafas y un puro entre los dientes. Acto seguido cruzan la calle del brazo y Ernesto ve cómo ella sale por los aires, después él nota un golpe fortísimo. Desde el suelo, impedido por un intenso dolor en la cabeza y en toda la parte derecha del cuerpo, ve alejarse corriendo, mimetizado entre los faros de los coches, al conductor de la moto, que le pareció un niño.

91

Planetas, fluidos, objetos, personas, todo lo que existe co-
labora a cada instante para que cada planeta, cada fluido,
cada objeto y cada persona tienda al equilibrio gravitato-
rio, al cero absoluto de la suma de fuerzas. Cuando una
moto te arrolla y sales por los aires, en ese instante rom-
pes esa inercia cósmica, y constituyes la parte infinitesi-
mal del Universo más violenta que existe oponiéndote al
giro de la Tierra, de los planetas, de los fluidos, de las personas y de las cosas. Y sin embargo, en el punto más álgido de ese vuelo estás en suspensión, careces de velocidad,
flotas; eres nada. Esa nada es la que te mata. A Ernesto lo
enterraron 11 días más tarde en Las Vegas. Tal como dejó
indicado, en la lápida hay una maquinita a la que le echas
una moneda y suena una de Sinatra.

Heidegger, y desde él toda la filosofía, distingue entre *espacio* y *lugar*. *Lugar* es un espacio que ya está habitado, hecho a la medida de su morador, impreso ya de una historia, personalidad y cultura particulares. Los filósofos posmodernos han calificado a una serie de lugares impersonales, como por ejemplo los grandes centros comerciales o los aeropuertos, como *no-lugares,* espacios idénticos en cualquier cultura y donde quiera que te los encuentres. Por eso Kenny, fugado de la justicia canadiense, vive desde hace 4 años en la terminal internacional del aeropuerto de Singapur. Sin papeles, y harto de que lo repatriaran de un país a otro, decidió quedarse ahí, en ese no-lugar que, legalmente, no pertenece a país ni estado alguno. Ese vacío legal le beneficia. Deambula con un carrito metálico de arriba abajo abarrotado de sus escasas pertenencias. Conocido ya por los dependientes de restaurantes, tiendas, cibercafé, papelerías y servicio de limpieza, éstos le facilitan todo lo que le hace falta para subsistir con lo que va sobrando del ingente volumen de productos que genera un aeropuerto cada día. Nada le perturba, su complexión de boxeador ha desaparecido, y se entretiene mirando los cambios que temporada a temporada sufren los escaparates. Sólo en una ocasión permaneció viendo la tele hasta que terminó una noticia; el canal International Fox decía que en el estado de Nevada, USA, un incendio estaba arrasando la vegetación y habían tenido que desalojar una ciudad llamada Carson City. Cuando terminó, le dijo a la dependienta del Duty Free que era una pena lo del fuego, que por eso él vivía en un lugar de vidrio, acero y cemento. Hace poco menos de un año por fin el Gobierno de Singapur, acogiéndose a una norma excepcional, le dio la carta de ciudadanía, pero entonces él dijo que no la quería, que a sus 57 años estaba cansado de recorrer mundo y que tenía cuanto necesitaba. El asceta ascendió a místico en la imparable agitación que le rodeaba y pronunció estas palabras ante el funcionario que le llevó la noticia, *seré luz en esta carabela*. Sacó unas monedas de una sucesión de bolsas atadas unas dentro de las otras e invitó al funcionario a desayunar en el Burger King. Éste declinó. En su calidad de habitante de un lugar propiamente frontera, ha tramitado su pertenencia a la micronación Reino de Elgaland & Vargaland (http://www.elgaland-vargaland. org/). Le han propuesto como embajador de ese reino para las terminales de aeropuertos de todo el mundo.

No existe espacio si no existe luz. No es posible pensar el mundo sin pensar la luz [lo dijo Heráclito, lo dijo Einstein, lo dijo el Equipo-A en el capítulo 237, lo dijeron tantos]. Y sin embargo dentro de cada cuerpo todo es oscuridad, zonas del Universo a las que la luz jamás tocará, y si lo hace es porque está enfermo o descompuesto. Asusta pensar que existes porque existe en ti esa muerte, esa noche para siempre. Asusta pensar que un PC está más vivo que tú, que adentro es todo luz.

Robert, originario de Londres, ciudad de la que se separó
en la primera juventud, es el único habitante de la ciudad
de Carson City que tiene una avioneta. Pero, aparte, en
general, los objetos son unas cosas rarísimas: si los acerca-
mos mucho a nuestro campo de visión, por ejemplo con
un microscopio, se convierten en estructuras simples, totalmente organizadas y con una geometría matemática-
mente tratable. Después, si nos alejamos lo suficiente, entramos en el orden de magnitud del día a día, donde tales
objetos se solapan y mezclan para conformar un paisaje de
geometría compleja y cotidiana, impura y difícilmente
analizable, de la que sólo las teorías del caos y otras afines
consiguen dar buena cuenta: es la escala humana. Y si nos
alejamos más, como puede ser el caso de la visión de la Tierra desde un avión, volvemos a verlo todo asombrosamen-
te simple y organizado, con una geometría muy parecida a
aquella vista al microscopio. Desde la avioneta, Robert ya
tiene confeccionada toda una clasificación de figuras urbanas y paisajísticas inspiradas en la *Guía de Campo de la
Con-Urbación* de Dolores Hyden. El oficio de Robert es
bancario, de ventanilla, también casi microscópica, pero
los fines de semana coge el cacharro de una hélice y sale a
sobrevolar Nevada con el único propósito de extasiarse en
toda esa geometría urbano-humana que hasta ahora carecía de análisis y cabal clasificación. Para Robert, de entre
todas las construcciones que caen dentro del estudio de la
Con-Urbación, una de las más bellas son los asentamien-
tos urbanísticos elaborados con *cubresuelos,* edificaciones,
según se definen en la guía, baratas y fáciles de derruir, a me-

nudo unidades de almacenamiento, que se montan para generar ingresos antes de que las promotoras puedan abordar un proyecto más ventajoso económicamente. Nadie pasea por sus aceras teóricas. Ve jugar a unos niños. Se conmueve. Ve una difunta tienda de Toys"R"Us a la que ha incluido dentro de los *toad (sapos):* lugares obsoletos, abandonados o derruidos, según la definición ortodoxa de la misma guía. Hace pocas semanas descubrió al sur, en Porter City, lindando con Arizona, la mayor *área de no consecución* del estado, o lo que es lo mismo, *un área de contaminación urbanística imposible de eliminar y cuya única salida hacia el orden es dejar que crezca sola hacia el caos.* También le atraen las McMansiones, inmensas casas unifamiliares prefabricadas, distribuidas en aparente azar; cada tejado es de un color diferente, y así desde el cielo cada conjunto de McMansiones dibuja su propia y premeditada bandera. Todo está bien calculado, piensa. Pero lo que más le fascina son las *privatopías,* urbanizaciones, de lujo o no, en las que los residentes aceptan restricciones que llegan a extremos casi carcelarios con tal de preservar su seguridad. Hay algo en ellas de seductora autodestrucción controlada. Sun City es una de estas privatopías, que sobrevuela con la avioneta lo más alto que le es posible. Casas prácticamente idénticas dispuestas en perfectos anillos concéntricos que a Robert se le antojan los del tronco de un árbol. Con la única diferencia de que en éstas el anillo más exterior es el primero en hacerse y ya no se mueve de su sitio, y el resto se van construyendo hacia adentro; cuando se llega al centro, el proceso urbano toca a su fin y los habitantes se mudan a otro lugar en el que se construye una nueva Sun City, y así, como un orgánico sol, Sun City se mueve. Sus calles son estrictamente circulares, y el tamaño del complejo es tal, 27 km de diámetro, que si vas por uno de los anillos más exteriores no notas que describes un círculo. Más al centro, conducir es un mareo. Robert sueña con algún día tener el arrojo de irse a vivir a cualquiera de estas privatopías, dan movilidad, piensa, y la posibilidad de elegir, de mudarse, así como la intimidad en otro tiempo sólo reservada a los ricos. El recuerdo más vivo de todos los que conserva de Europa: las casas adosadas del Londres victoriano, hoy icono y orgullo de esa ciudad, que cuando fueron construidas en 1915 también fueron objeto de burla. [Aparte, tiene otro: como la aviación nunca bombardea los parques, cuando Londres era atacado cogía un litro de leche y se iba a Hyde Park a sentarse en un banco por la noche a beberlo y ver esos fuegos artificiales en el cielo. Lo que ocurre es que miente porque en la 2.ª Guerra Mundial él aún no había nacido.]

95

Harto de ir de una pared a la otra de su apartamento, y como pasaban los meses y le parecía imposible recuperar su fe en Borges usando el método introspectivo o la voluntaria reclusión, Jorge Rodolfo decidió la planificación y levantamiento de un templo al Maestro allí mismo, delante del apartotel. Los de las caravanas, *roulottes* y contenedores móviles accedieron a cederle la explanada de tierra donde estaban asentados con tal de que una vez construido recibieran un tanto por cien, a determinar, de la explotación del mismo en concepto de visitas de turistas y curiosos. Jorge Rodolfo aceptó. Los siguientes meses fueron de una reclusión si cabe mayor que aquella de la que pretendía escapar: día y noche releyendo las obras del Maestro, tomando anotaciones de detalles que pudieran transfigurarse en símbolos, buscando el material de construcción más ajustado a su orbe simbólico, levantando planos y más planos y sucesivas enmiendas a esos planos, consumiendo, en definitiva, la salud y la vista y el escaso dinero que le quedaba en lo que sería la obra de su vida. Los habituales del Budget Suites of America pasaban a menudo a dejarle comida, bien fueran cereales o galletas de maíz, y era el momento en que él se relajaba e incluso intercambiaba unas palabras con ellos, pero nunca en lo referente al templo, sino a cómo apostar mejor en la ruleta de tal o cual casino, o a las ventajas nutricionales del arroz respecto a la pasta apoyado en argumentos antropológicos observados en la milagrosa supervivencia en el Tercer Mundo; despistes, en definitiva, del tema principal que era la construcción del Templo, cuyos detalles no tenía ni la más mínima intención de revelar. Al cabo de seis meses y medio comenzó la construcción. Un único espacio de 20 x 20 m de planta y 20 de altura, cuya cubierta tendría una forma piramidal. El material a usar serían esos grandes bloques cúbicos de chapa compacta a los que quedan reducidos los coches en los desguaces después de que unas máquinas los compriman al máximo por los cuatro costados. La construcción estuvo terminada en 63 días. Tal como lo había concebido Jorge Rodolfo, esos bloques perfectos poseen una textura de brillos aleatorios y destellantes bajo cualquier angulación solar, apoyados por una gama de colores que cambia según el del coche de origen, así como según las partes de éste que hayan quedado a la vista tras la compresión. A veces se distinguía en su superficie, como naciendo de su propia naturaleza, una manilla de una puerta de atrás, o un cuadro cuentakilómetros o, según se dijo, hasta un manojo de cabello de mujer producto de algún accidente. Tal como él lo había visionado, puestos unos sobre otros como ladrillos, forman una composición nunca vista hasta la fecha. Además, tal como corresponde al templo de una divinidad inexistente, ese potaje metálico provoca que en invierno hiciera un frío insoportable y en verano un calor muy por encima de la temperatura media, lo que lo haría un templo invisitable, y donde la foto del Maestro, ubicada en el exacto centro, jamás sería mancillada, un templo cuya puerta quedaría reducida a un objeto teórico, pues nunca nadie la querría abrir y menos traspasar, donde el aire quedaría inmaculado para siempre en torno a la figura del Maestro. Los habitantes de los carromatos que cedieron la parcela, hasta la fecha jamás han podido explotarlo. La gente se acerca, lo mira extrañado, le toma fotos y se va. Con la última luz de la tarde el templo brilla de tal manera que hace palidecer a los últimos oropeles de Las Vegas Boulevard que le enfrentan en el horizonte, y a Jorge Rodolfo, entonces, la emoción le lleva a verter una lágrima. Tuvo que salir por la ventana de atrás de su apartamento una noche de febrero, cuando los estafados, varias decenas, fueron a por él.

Parece ser que el pianista de jazz Thelonius Monk abandonó una vez el escenario de muy mal humor. Estaba muy descontento con la música que acababa de tocar. Cuando le preguntaron por qué creía eso, respondió: «He cometido todos los errores inadecuados». Esa observación nos conduce a un nudo filosófico claro, aunque apretado.

Eddie Prévost

Cuando Margaret y Elmer llegaron de Santa Bárbara, California, para instalarse en Madrid, ella ya tenía una edad avanzada y él continuaba enconado en su batalla antibelicista contra el Gobierno norteamericano. La monacal reclusión que Margaret se impuso para dedicarse sólo a pintar no impidió que aprendiera el idioma castellano rápidamente por correspondencia, aunque se puede decir que ni un poro de su cerebro se vio condicionado por la cultura española. Para ella decir Madrid era tanto como decir Toronto o Londres o Singapur o nada. La segunda vez que salió del piso, febrero de 1981, desempolvó el broche de diamantes y el vestido de las exposiciones de Nueva York. Hacía tiempo que ya no tenía la regla. En la radio del taxi que la llevaba al Círculo de Bellas Artes estaba sintonizado el programa *Esto no es Hawai* en el que sonó una canción contenida en la maqueta de un grupo post-punk que le pareció lo más fresco y extraño que había oído jamás. Se trataba de Siniestro Total cantando «Ayatolah no me toques la pirola». Supo por el locutor que la recién nacida discográfica DRO (Discos Radiactivos Organizados) estaba preparando el lanzamiento del primer LP. Durante toda la inauguración de su exposición estuvo turbada por aquella escucha y apenas pudo centrarse en los comentarios y halagos que le dedicaba la gente. Cuando esa noche regresó a casa vio de manera muy clara que le gustaría ilustrar la portada de ese primer LP. Elmer asumió la representación legal de su mujer y se puso en contacto con la discográfica, Si he podido con el Gobierno norteamericano, podré con una discográfica de provincias, pensó. Aceptaron estudiar los bocetos, que se prolongaron durante 6 meses. Finalmente, debido a la mala salud de Margaret la cosa se complicó y la portada definitiva consistió en los integrantes del grupo caracterizados de los Hermanos Dalton, concebida por un dibujante español llamado Oscar Mariné. Entre los 120 cuadros que ahora se pudren en su piso de Madrid se conservan multitud de bocetos a carbón: un árbol en flor en cuya copa hay un Renault 12 estampado. De dentro del coche también emergen ramas florecidas. El único árbol representado en esos 120 cuadros.

Primero fue el acero, luego el vidrio, después otros metales y aleaciones, y hoy los vidrios más especializados. Pero todos estos materiales modernos tienen comportamientos totalmente diferentes y responden a las acciones térmicas y mecánicas con cambios dimensionales que son mucho más importantes que en los materiales tradicionales. En un edificio formado por elementos tan heterogéneos esos movimientos serán muy importantes y variados. Por ello, la relación (y unión) entre piezas se hace cada vez más difícil. Hace 30 años la respuesta universal a esos problemas era la silicona y en general los sellados elásticos. Se sellaban todas las uniones, incluso entre elementos estructurales. La inmensa confianza en esa panacea llevó a excesos de todo tipo: sellados exteriores que sometidos a la acción de los rayos ultravioleta aceleraban su envejecimiento, etc. Tras esos años de inmensa confianza en un producto con el que se quería suplir las deficiencias en la concepción del proyecto, la silicona sufrió importantes fracasos y se convirtió en un símbolo de la chapuza constructiva. (Ignacio Aparicio, *La alta construcción*, Espasa, 2002.) O «A propósito de la novela».

Lo que más le sorprende es que la cantidad de razas y culturas que pasan y se cruzan a diario por un aeropuerto no logren modificar en absoluto la fisonomía estética ni humana del propio aeropuerto; ha llegado a compararlo con un ente atemporal e incorpóreo; una divinidad. Kenny, a ver si la próxima vez no me dejas la ducha llena de pelos, le dice una de las mujeres de la limpieza, Que cada día se te caen más. Él se pasa la mano por la cabeza en señal de duda y continúa empujando el carrito. Hojea la prensa en el kiosco y más adelante se para a mirar el escaparate de zapatos Prada, por compararlos con el de Gucci, y de paso ir teniendo claro cuál de los modelos querrá la próxima temporada, cuando, como cada año, ya pasados de moda, le regalen un par. Lo bueno de vivir en un lugar así es que verano e invierno son idénticos, así que no hace falta pensar en la ropa salvo, como Kenny, por estricto vicio; sibaritismo químicamente puro. Sentado en la cafetería observa la tele; bocanea un cigarrillo. Se acerca un hombre a su mesa, sostiene un café y un plato de bollería surtida. Oiga, ¿puedo sentarme? Es que no hay más sitios. Kenny afirma con la cabeza, y antes de desviar la mirada ve que ronda los 45, que lleva un traje oscuro de CH, con una corbata gris de seda y camisa también gris de origen desconocido; a juzgar por el maletín del PC portátil concluye que se dedica a alguna profesión liberal. Mientras el hombre come le cuenta que se llama Josep, que es español, de Barcelona, y le pregunta a Kenny por su destino, quien en un principio se hace el remolón pero termina contándole, sin entrar en mucho detalle, toda su historia, su vida en el aeropuerto, etcétera. Josep continúa comiendo sin apartar más que lo justo la vista del donut de chocolate. Acostumbrado como está Kenny a que la gente se impresione con su narración, siente curiosidad por este hombre que ni se inmuta, y le dice, ¿Y usted, adónde se dirige? Ahora a Bangkok, pero después a Pekín, contesta sorbiendo el fondo de la taza. ¿Y qué hace?, si no es indiscreción. Soy diseñador. ¡Ah! Qué interesante, ¿de moda? ¿Zapatos quizá? No, de tapas de alcantarilla. ¿Cómo? Sí, hombre, esas cosas redondas o cuadradas, generalmente metálicas, que tapan las bocas de alcantarillado para que usted no se cuele por el agujero cuando va por la calle (y suelta una carcajada mientras se limpia los labios), aquí dentro, por ejemplo, mire, ahí hay una (y señala al suelo con el dedo de azúcar), ése es un diseño P. H. Rudoff, un alemán que tiene su estudio en Frankfurt, se inspiró en el modelo de puerta de los coches hispano-alemanes de los años 30, ¿no ve esa intención de manilla, y en el lado opuesto las bisagras? Me he fijado que las de afuera, ahí donde los taxis, son de Phillip Bhete, australiano, bueno, australiano de origen británico, un gran hombre, para mí el mejor, ya sé que un profano no lo aprecia, pero Bhete combina motivos marinos con el mapa de la ciudad para la que diseña el encargo, sí, en serio, bueno, ya veo por su cara que no le merece mucha credibilidad esta profesión, pero he de decirle que sólo somos 17 personas en todo el mundo las que nos dedicamos a esto, así que todos nos conocemos, como en familia. ¿Quiere tomar algo? Sí, hombre, le invito (y Kenny pide un desayuno). Pues como le decía, los congresos anuales los hacemos cada vez en la casa de uno, con las mujeres y los hijos y todo, por eso, como puede comprobar hablo perfectamente el inglés; casi casi, cubrimos todos los continentes, nos falta África, ¿sabe?, hemos adoptado el inglés como idioma oficial de la profesión, este año les impresioné a todos con el desarrollo de un nuevo material, porque se habrá fijado que todas las tapas de alcantarilla terminan cascándose por las esquinas si son cuadradas y por el centro si son circulares, pues bien, entré en contacto con un laboratorio de Canadá que manejan materiales de aeronáutica, de barcos rápidos y todo eso, y estudiando las posibilidades llegamos a la conclusión de que una mezcla de fibrilaciones de carbono con unos oxalatos que me reservo sería el secreto que le daría a la tapa la flexibilidad y dureza que necesita, ¿sabe? (y pega con el puño sobre la mesa), no, si la cosa tiene su miga, cada uno tiene, como es lógico, su anagrama, o sea, su firma comercial, el mío es sencillo, para qué complicarse, ¿no? Son mis iniciales, J. F. K., bueno, mi nombre es Josep Ferrer Cardell (y coge una servilleta y lo escribe), pero cambié la C por una K (hace un giro de muñeca sobre ambas letras), sí, ya ve, se me ocurrió un día viendo la película aquella, por darle una distinción considerable a mi firma y al mismo tiempo utilizar un icono universal, sí, quien la ve una vez ya no la olvida, la verá en el extremo derecho inferior si la tapa es cuadrada, y en la circunferencia más externa si es circular, y ahí está el asunto, mi gran asunto de este año, la bomba (se acerca a Kenny y medio susurra): también la verá en uno de los focos de la elipse en caso de que la tapa sea una elipse, y ahora se preguntará el porqué de esa elipse, que qué es eso de una elipse, pues bien, hace tiempo que me di cuenta de que el contorno de una persona es más elipsoidal que circular, y más que cuadrado ya no digamos, y entonces me pregunté, ¿por qué no ensayar esa nueva forma para tapas de alcantarilla, en elipse? Es más cómoda para el operario y además se ahorra en gastos superfluos en material, es muy importante ahorrar en esas pequeñas cuestiones de diseño, la gente cree que son mariconadas, pero no, realmente abaratan gastos, por ejemplo, ¿sabe cuánto dinero le ahorra a la Coca-Cola al año que sus latas ya no acaben arriba en ángulo recto sino en esa rebaba inclinada? (toma entre sus manos una lata de la mesa de al lado y la muestra), pues ni le cuento, lo que no está escrito, pero a lo que iba, ya tengo vendidas varias partidas de tapas elipsoidales

a una fábrica, se las han pedido para una gran zona residencial que se está construyendo en Hong Kong y para el
casco antiguo de León, una pequeña ciudad española que
usted no conocerá, pero ahora viene lo bueno, yo a veces,
como extra, lo hago, es una de las cosas del trabajo que más
me satisface, agárrese: los modelos de ambas son el mismo,
¿comprende?, gracias a mí existirá un hermanamiento entre esas dos ciudades (y coloca las dos manos en ambos extremos de la mesa para juntarlas en el centro con una palmada). ¡Chof! ¡Hermanamiento! Claro, esto poca gente lo
sabe, lo bonito está en descubrirlo; a ver, también hay veces
que los científicos descubren un metatarso de un animal en
Asia y después el mismo también en África, ¿no? Y se preguntan el porqué de esa coincidencia, ¿no? Pues algo así
ocurrirá dentro de miles de años con mis tapas de alcantarilla, porque, y ojo, esto es una confidencia, ya he conectado 10 pares de ciudades de varios continentes, no le diré
cuáles porque, claro, ya le digo, lo bonito estará en descubrirlo, aunque claro, usted no podrá, es natural, aquí encerrado toda su vida, ¿pero no tiene miedo a morirse aquí?
¿Y qué pasa con la vejez? ¿Tiene plan de pensiones o algo
así? Pida algo más, hombre, le invito, pues entonces, como
le decía, el meollo está ahí, porque ando mal de batería que
si no le enseñaba el diseño en el que estoy trabajando, me
ocupa mucho disco duro, ¿sabe? Pero lo de conectar ciudades o lugares es fundamental, otros ya lo tuvieron claro, ¿no se acuerda de *De la Tierra a la Luna* de Julio Verne?
O *Arriba y abajo,* la serie de televisión (Kenny niega con la
cabeza), ¡sí, hombre, aquélla! O la de Marco y el mono, *De
los Apeninos a los Andes,* ¿no? Era tremendo aquel mono, o la
película esa *París, Texas,* sí, es tremendo, Kenny, es tremendo eso de conectar las cosas bajo cuerda. Bueno (dice Kenny), no sé si sabe que «París, Texas» no quiere decir «de París»,
de Francia, «a Texas», USA, sino «París, Texas», como quien
dice «Berlín, Alemania». ¿Comprende? París es una ciudad
que está en el estado de Texas. Bueno, es igual (dice Josep),

ya me entiende, por cierto hablando de Texas, le voy contar algo que me ocurrió en los Estados Unidos, una historia francamente buena: mi amigo y colega R. S. Lloyd, un
gran diseñador que vive en Los Ángeles, me pidió que si le
podía hacer un trabajo, él ya lo había apalabrado pero después se vio desbordado, y como yo estaba empezando en la
profesión y aquí nos ayudamos los unos a los otros, ya sabe,
me dijo si me interesaba hacerlo a mí, y acepté, claro, voy a
pedir una Coca-Cola, ¿tú qué quieres? (Kenny pide otra).
El caso es que se trataba de hacer las tapas de alcantarilla
de una pequeña ciudad llamada Carson City, en el estado de Nevada, creo recordar, o en Nuevo México, bueno,
no sé, da igual, los dos estados son casi iguales. Cuando me
presenté allí, el típico pueblo anodino sin otro interés que
sus magníficos burdeles, ellos ya tenían la idea muy clara
de lo que querían, la tapa debería ser 50% hierro fundido,
35% acero y 15% níquel del país, la forma sería circular y
en el centro tenía que haber el relieve de un álamo, sí, como
lo oye, un simple álamo americano, pero, agárrese, con la
peculiaridad de que tuviera 2 pares de zapatos colgando de
una rama, me contaron que habían aparecido un día, hacía
años, y que nadie sabía por qué, y que eran como un símbolo para el pueblo, o algo así, y bien, como mi trabajo no
consiste en hacer preguntas que no me incumben, me puse
manos a la obra, aún no había PCs ni programas en 3D ni
nada, todo a brazo, chico, a brazo, así que tardé un poco en
pasar los planos, las diferentes proyecciones axiales y sagi-
tales y, bueno, todo eso, no le voy a liar con tecnicismos, y
se los presenté al alcalde y a la comisión evaluadora, que
quedaron encantados. Pero en éstas, alguien de una población cercana llamada Ely, es un decir, está a 418 km, se entera y entonces dicen que ellos quieren también unas tapas
de alcantarilla y que además deberán ser iguales a las de
Carson City, con 2 pares de zapatos, porque consideran
que el árbol les pertenece más a ellos que a los de Carson
City, dado que fue el alcalde de Ely quien primero descu-

brió el par de zapatos, y exigen, además, que no construyeran esas tapas de alcantarilla. Y los de Carson City que dicen que de eso nada, que construirán sus propias tapas con 2 pares de zapatos, así que me dicen los de Ely que les haga un diseño igual pero con 3 pares en vez de 2, y esa misma noche se van al árbol a tirar a su copa ese tercer par, y yo voy y les hago ese diseño con 3 pares de zapatos, y entonces los de Carson City argumentan que no quieren hacerlo ya con 2 pares de zapatos, y me piden que añada al diseño inicial 2 pares más, es decir, 4 en total, y van esa misma noche y tiran otro par al árbol con lo que ya eran 4 pares en la copa del árbol, y yo voy y les diseño el puñetero árbol con 4 pares, y entonces los de Ely que se mosquean y me piden 5 pares y van y tiran al árbol el quinto par, y bueno, te lo puedes imaginar, al final había tantas botas y zapatos en ese árbol que las ramas ni se veían, así que la cosa, que a mí ya me parecía imparable, la resolví astutamente de la siguiente manera porque, y esto es un inciso, el pique entre esos dos pueblos, que yo pensé en un principio que sería para mí una fuente inagotable de dinero, se estaba convirtiendo en una pesadilla, y no me malinterprete, no es que disfrutara con aquella forma que tenían de sacarse los ojos, no, en absoluto, pero es que el negocio es el negocio, pero en fin, a lo que iba, junté a los alcaldes de Ely y de Carson City y les dije que como había tantos pares era ya imposible ponerlos todos en la tapa de alcantarilla, así que era absurdo preguntarse si había 1.000 o 5.000, porque en cualquier caso era imposible representarlos todos, así que haría el diseño de las tapas de tal manera que si alguien intentara contarlos no pudiera, los dejaría como desdibujados, ya sabes, como cuando se pinta un bosque y se emborrona un poco para hacer entender que hay muchas ramas, pues igual pero con zapatos, y así se resolvió el problema, ya ve, Kenny, se lo dije, las tapas de alcantarilla tienen su miga, la gente se vuelve loca con ellas, después supe por mi amigo Lloyd que la gente aún va hasta allí y que siguen tirando pares de zapatos, pero ahora ya por otros motivos, y que el árbol ya se está combando, lo que no se sabe es quién puso aquellos 2 pares de zapatos iniciales, qué te parece, Kenny, qué te parece (se echa hacia atrás en el asiento y emite un resoplo), si ya te digo, mi profesión es más interesante de lo que parece (consulta el reloj), ahora me tengo que ir, que ya sale el enlace a Bangkok, pero sabes qué te digo, que me has caído bien, dentro de 35 días regreso y hago escala aquí, y entonces sí que te contaré una buena historia, una historia de verdad, de esas que no se olvidan. Recogió sus cosas, se abotonó la americana y se fue no sin antes estrecharle la mano con una fuerza casi sobrenatural. Cuando lo perdió tras el letrero de Internacional, supo por el movimiento que le imprimió a la puerta giratoria que jamás volvería a verlo.

Al igual que la mayoría de los defensores de dejar el cuerpo humano en el basurero del siglo xx, los extropianos merecen un examen más atento. Ross, el director ejecutivo de Max More, y el resto de los miembros del movimiento, se reúnen alrededor de la bandera del «transhumanismo». El transhumanismo es el movimiento del potencial humano llevado a su último extremo: un humanismo tecnófilo, capitalista y radical, centrado en la transformación de uno mismo y de la especie a través de cualquier medio disponible: la «descarga» (que consiste en vaciar de información el cerebro para almacenarla en un ordenador y abandonar así el cuerpo mortal para siempre), la «nanomedicina» (el uso de la escala molecular para reparar daños y aumentar el sistema inmunológico), los implantes de nanocomputadores (ordenadores moleculares integrados en el cerebro y que proporcionan memoria adicional, capacidad de proceso y programas de toma de decisiones), la ingeniería genética, las drogas inteligentes, la criogenización o la «psicología de la auto-transformación», según la escuela de Anthony Robbins. Como se teorizaba en Extropy, el transhumanismo extropiano es un matrimonio entre Ayn Rand y Friedrich Nietzsche, más exactamente entre la convicción de Rand de que lo estático y lo colectivo están en la raíz de todo mal y las ideas complementarias de Nietzsche sobre el fin de la moral, la «voluntad de poder» y el *Übermensch* o superhombre.

Mark Dery

101

El día que el interventor del banco, que trabajaba en el periódico local, le encargó a Robert, habida cuenta de su
procedencia de la clase culta londinense, que escribiera
una pequeña reseña laudatoria sobre Sunny Avenue, la
nueva calle asfaltada de Carson City, en especial acerca de
la alameda central sembrada de gardenias, pensamientos y
rosas que acogía en su interior un lago artificial al que se
vertieron unos peces de colores y un par de cisnes conseguidos tras años de peleas con el concejal de urbanismo,
quien se negaba a traer el agua y los animales necesarios
para semejante proyecto, ese día, decíamos, nadie supuso
que Robert se encerraría en la cabina de su avioneta 3 días
y 3 noches, quieto en el silencio metálico del hangar, con
las manos sobre los mandos y la vista fijada en el horizonte artificial del panel de control, sin comer y apenas beber,
sin admitir visitas y mucho menos sugerencias, para al final entregar a la imprenta:

    a vortex/henkel/hooper production
    a film by Tobe Hooper
    La película que vamos a ver relata la
tragedia que se abatió sobre un grupo de 5
muchachos, y en especial sobre Sally Hardes-
ty y su hermano inválido Franklin. Todo parece más trágico por tratarse de jóvenes.
Aunque hubieran vivido muchos años más nunca hubieran imaginado que se pudiera pre-
senciar tanta demencia y sadismo como el
que se encontraron aquel día. Lo que iba a

ser una idílica tarde de verano se convirtió en una pesadilla.

Lo que aconteció aquel día concluiría
con el descubrimiento de uno de los críme-
nes más extraños y bizarros de la historia
de EE. UU.: la matanza de la sierra mecánica de Texas.

Chii-Teen está hojeando artículos de periódico antiguos, recortes de los que ha ido haciendo acopio a lo largo de los años. Todos guardan relación con ciertos temas de física, y en concreto con algún aspecto, sea teórico o experimental, de la detección de los neutrinos, o con la ciencia ficción, y especialmente con los actos celebrados en el Museo de Ciencia Ficción de Pekín, que él dirige. Tales días como el de hoy, en los que no trabaja, se queda en su casa, un chalet en un barrio residencial, y pasa el día tomando baños tibios, leyendo, viendo películas o pensando acerca de esos baños tibios, de esas lecturas, y de esas películas, aunque siempre termina relacionándolo todo con lo mismo: o la ciencia ficción o la detección de neutrinos. Dado su precario estado de salud, los médicos le han aconsejado un ocio alejado de las emociones fuertes, de baja intensidad para el baipás que desde hace 3 años se aloja en su corazón. Pero hoy ha ocurrido algo que le ha desviado de esa trayectoria. En la cara posterior de uno de los recortes de periódico ha encontrado una foto en la que se ve a un pintor entrado en edad, sin duda occidental, de aspecto distinguido, pelo engominado y bigote, que parece estar trabajando en su estudio. No llega a entender muy bien el hecho de que esa estancia en la que se halla el pintor esté llena de botes medio abiertos con la pintura desbordada en manchones hasta el suelo, pinceles de todos los tamaños en aguarrás, que el pintor lleve puesta una bata de trabajo también salpicada de chorretes de colores pero que, sin embargo, esté trabajando sobre un lienzo en blanco, sin manchar en absoluto, procurándole con un cúter rajas verticales a la tela, sólo eso, rajas verticales. De pronto Chii-Teen entra en un elevado estado de excitación, piensa en la posibilidad de la existencia de un cuerpo sin mente, en la posibilidad de que todo el estudio y la bata del pintor y toda la espesa masa de pintura que allí se ve sea un cuerpo separado de la mente pura, cartesiana, sin carne, que vendría a ser ese lienzo en blanco sobre el que trabaja con el cúter, Al contrario de lo que siempre ocurre, se dice Chii-Teen, es el cuerpo quien está agrediendo a la mente. La posibilidad de esa separación entre la materia y el espíritu no era algo nuevo, ya lo había meditado en alguna ocasión, Está claro que una mente sin cuerpo, se decía, sería inmortal, igual que si pudiera construirse un *software* sin su correspondiente *hardware*, éste funcionaría para siempre. Pero sólo la contemplación de esa fotografía, de ese hombre solo y automático como un neutrino en el espacio vacío rasgando una tela también sola y vacía, sólo la intuición tan claramente materializada de la colisión allí de dos fuerzas, una telúrica y la otra áurica que buscaban separarse en el estudio del pintor, sólo esa casualidad de esa tarde de domingo que vino acompañada de un doloroso y arrítmico bombeo en una válvula de su corazón, le llevó a la certeza de que 1) decir «ciencia ficción» es una redundancia porque toda ciencia es ficción, y 2) que el próximo domingo se dedicaría a una actividad menos peligrosa, por ejemplo, ver aquellas inocentes fotos de su exmujer en las que la mente y el cuerpo estaban aún tan juntos y revueltos como las heces y la orina en la deposición de una gallina.

Pero ese domingo nunca llegó. Siempre que cogía el lote de fotografías de su exmujer, o siempre que se disponía a abrir el cajón donde estaban las fotografías, o siempre que buscaba los álbumes de fotografías, en ese momento, sonaba el teléfono; algo del trabajo, algo del museo, amistades, lo que fuera. Eran llamadas todas ellas que le tenían mucho tiempo al auricular y que le hacían desviar la atención hacia otras cosas y asuntos más urgentes aunque no necesariamente más interesantes. Por último, una de esas tardes en las que estaba echando mano a las fotos, la que llamó fue su exmujer, con la que hacía años que no hablaba, para comunicarle que se iba a Norteamérica para siempre, «a una especie de comuna que vive bajo tierra en una antigua planta de residuos radiactivos, o algo así», le dijo, y que renunciaba a la custodia de los niños, que se los regalaba. Quemó todas aquellas fotos en la chimenea, y la observación del fuego le llevó a pensar que en ellas ahora sí que cuerpo y mente estaban juntos y eran verdaderamente indistinguibles.

Todos tenemos una época en la vida en la que fuimos muchos, esa que va del nacimiento hasta los 3.5 años aproximadamente, cuando no tenemos conciencia de ser quienes somos salvo por lo que nos contarán más tarde quienes nos han visto crecer. Hasta ese momento no somos más que lo que da de sí cada una de esas versiones de nuestra fase sin conciencia, elementos inertes o vegetales: una piedra, un matorral, un haz de viento, un trozo de arena, etc., cuya suma es la exacta identidad de un desierto de 3.5 años de longitud.

El día en que el interventor del banco, que trabajaba en el periódico local, le encargó a Robert, habida cuenta de su procedencia de la clase culta londinense, que escribiera una pequeña reseña en torno al movimiento de colonos ingleses que habían llegado a las costas americanas en el siglo 18, qué alimentos comían, en qué número se podía estimar su población, los cultos religiosos que practicaban, cómo terminaron por domar en aquel primer momento de la Historia la salvaje naturaleza que era el territorio americano, y cómo ocurrió que tras esos años iniciales se adentraran hasta Nevada para fundar con un poco de barro y cuatro maderas lo que es hoy Carson City, ese día, decíamos, nadie imaginó que Robert se encerraría en la cabina de su avioneta 3 días y 3 noches, quieto en el silencio metálico del hangar, con las manos sobre los mandos y la vista fijada en el horizonte artificial del panel de control, sin comer y apenas beber, sin admitir visitas y mucho menos sugerencias, para al final entregar a la imprenta:

Hay que liberar todos los fluidos, ya sean líquidos o gases, que los humanos hemos ido comprimiendo aquí en la Tierra. Dejar que se expandan. Hay que abrir al mismo tiempo todos los grifos en cada una de nuestras casas, piscinas, pozos y redes de abastecimiento. Hay que abrir todas las llaves de paso de bombonas de gas, de depósitos de aire comprimido de maquinaria diversa, de neveras, de aires acondicionados, de gases medicinales de hospitales, de ventosidades del estómago, todo. Tarde o temprano ellos mismos lo harán. No tiene ningún sentido continuar poniendo trabas a eso que los cosmólogos llaman Expansión del Universo.

No es del todo aconsejable que la cara de la Sábana Santa sea finalmente la de Jesucristo. De ser así, una vez perfectamente escaneada y reconstruida en 3D, el fanatismo religioso, sumado al estético-cirujano, haría que multitud de personas decidieran operarse a fin de tener esa misma cara que es mejor desconocer para que permanezca como un rostro que cambia dentro de cada uno de nuestros rostros y que al mismo tiempo es el mismo rostro. Como un fractal que, en definitiva, se reinventa en la complejidad humana.

«En esta ¿novela? ¿poema? ¿informe?, dejémoslo simplemente en "texto sin glutamatos ni conservantes ni potenciadores del sabor", se renueva el lenguaje agotado de la novela contemporánea. Una maestría de invocación (más que de utilización) de recursos. Un lujo.»
J. S. Simpson, *The Daily Economy*

«Pura mística. La cuadratura del círculo. Pitágoras hubiera disfrutado con ella.»
H. F. Wood, *New Ideas in Architecture*

«La pedantería más vacua y pretenciosa alcanza en esta novela su máxima expresión. ¿A quién quiere engañar el autor?»
R. Santos-González, *Revista Clara de Literatura*

«El primer artefacto propiamente del siglo 21 escrito en lengua española. ¿En qué cajón estaba escondido?»
S. Merz, *Art & Language Today*

«Una tontería. Sólo eso.»
Arcadio de Cortázar, *Letras en Plenitud,*
Buenos Aires Post

«El gran poema de la armonía subyacente bajo la capa superficial de la cultura establecida. Un Internet portátil. Un calambrazo.»
Wang Wei, *Cooking and Taste Bulletin*

«Sin duda, llamada a convertirse en el nuevo icono de la cultura 'indie'.»

C. Walker, *Manchester Music*

«Tras leer este texto usted habrá experimentado la petulancia del autor resuelta en un manojo de harapos pasados por una túrmix y servidos en plato de plástico no reciclable.»

Ignacio Foix-Salat, *El Hilo de La Tinta*

«De repente todas las novelas han envejecido 50 años. No podremos volver a mirar atrás de la misma manera después de leerla.»

J. Hankel, *Microcomputer Studies and Art*

Linda y John acaban de casarse en Reno, ella lleva un vestido corto de pequeñas flores y él una camisa tejana sin lazo. 1982. En ese momento la estación espacial rusa Kirchhoff se desvía de su órbita y al único astronauta que la tripula lo dan por muerto en vida. Como extra, Linda y John se proponen ir a Las Vegas. Jamás lo hubieran imaginado. No son jugadores. Él adquiere un coche en la compra-venta que hay justo frente al juzgado mientras ella va al supermercado de al lado a por algo de comida y unas latas de 7-Up. Conduce Linda. Deglute el paisaje con la vista, excitada ante tanta incertidumbre que gira en torno a 2 anillos. Su hombre duerme, e imagina que es un peluche. Nada más llegar a la ciudad, buscan hospedería y sin comer ni nada ya bajan al casino que hay en la primera planta. En la misma entrada, mucho antes de los juegos de mesa y los reservados de película, una fila inmensa de tragaperras de telefilme la esperan a ella, que comienza a cambiar monedas y a jugárselas mientras John, más cauto, le dice que lo deje, que ya habrá tiempo. Tras las típicas subidas y bajadas de suerte, esos *looping* que los matemáticos tienen de sobra estudiados, ella pierde la totalidad del dinero que lleva en el bolso, que incluye una parte importante de los ahorros de ambos. Se montan en el coche, él le abronca, y ya no se hablan. Van sin rumbo. Entran en el desierto a través de la US50. De pronto John, que ahora conduce, ve un árbol, y gira hasta que detiene el coche bajo sus ramas. Ella sale dando un portazo y se sienta con la espalda contra el tronco. Mira las ramas, el árbol está limpio, sin nidos ni aves y cargado de hojas; piensa ya con nostalgia en el arroz que les tiraron unos contratados a la salida del juzgado. Se desata los zapatos y los pone a un lado. A John, que está de pie, el desierto que se extiende más allá del cerco de la sombra se le figura la representación exacta del futuro que les espera. Comienza a reprender de nuevo a Linda con tal energía que ella le amenaza con regresar a pie a Utah. Entonces él le dice que si quiere regresar tendrá que hacerlo descalza, y le coge los zapatos. Ya me dirás qué vas a hacer con ellos, ¿quemarlos?, dice Linda. John los une atando los cordones, y tomando impulso como si volteara una honda los lanza a la copa del árbol, donde quedan prendidos. Linda abre la boca y así la deja. John arranca el coche y se va en dirección a Carson City. Por el retrovisor ve empequeñecerse la silueta de Linda y la del par de zapatos, aún penduleando en lo más alto. No siente pena.

A 50 años luz de distancia de la Tierra, en la constelación de Centauro se halla el diamante más grande jamás visto. Se trata de la estrella BPM37093, una enana blanca cristalizada, el último estadio al que están condenadas las estrellas de dimensiones parecidas al Sol después de consumir en reacciones nucleares todo su helio e hidrógeno. Dentro de 5.000 millones de años nuestro sol se convertirá en una enana blanca que tras 2.000 millones de años más morirá en forma de otro gigantesco diamante en el corazón de nuestra galaxia. Nadie podrá ver su brillo latir. También todos estaremos muertos.

El día que el interventor del banco, que trabajaba en el periódico local, le encargó a Robert, habida cuenta de su procedencia de la clase culta londinense, que escribiera una pequeña reseña laudatoria sobre la reciente construcción del nuevo campanario de la iglesia de Carson City, sobre los orígenes del estilo local ahí reflejados, las posibles influencias recibidas de la arquitectura contemporánea, los mecanismos de perfecta ingeniería que había tras el inmenso reloj de agujas de neón, la tradicional sustentación del mismo por pilares apoyados en el tambor, los tonos pastel de las cuatro caras, y el pararrayos radiactivo que la culminaba emitiendo partículas alfa a tal efecto coloreadas, ese día, decíamos, nadie supuso que Robert se encerraría en la cabina de su avioneta 3 días y 3 noches, quieto en el silencio metálico del hangar, con las manos sobre los mandos y la vista fijada en el horizonte artificial del panel de control, sin comer y apenas beber, sin admitir visitas y mucho menos sugerencias, para al final no entregar nada a la imprenta, y dirigirse directamente a su ventanilla del banco y decirle al primer cliente de la mañana:

Es cierto, hay algo más terrible que la muerte de una esposa: la carretera de línea discontinua que penetra en un pantano hacia un pueblo sumergido. [PAUSA] La rebaba que dibuja el agua donde termina el asfalto.

No es que el evento posea certeza alguna o clave de una ley universal, de hecho, es un acontecimiento que nunca saldrá en los libros de historia, es solamente la sensación sin probabilidad de equivocación de que en ese momento el mundo no cambió nada, y que en eso consiste la esterilidad humana.

En esta situación se produce el efecto Kuleshov, un experimento de montaje cinematográfico al que el nombre del director se ligó de manera casi exclusiva. Se trataba de una serie de tres breves secuencias, donde el mismo primer plano del actor Mozzuchin era unido, respectivamente, a los planos de un plato de sopa, una mujer muerta y un niño que juega. El efecto producido en el espectador era el de una alteración en la expresión del actor, en realidad idéntica a sí misma; hambre, dolor y ternura eran reconocidos en aquel rostro impasible, según el contexto. El resultado del experimento era el reconocimiento y la confirmación del «enorme poder del montaje». Los años que van de 1918 a 1920 constituyen un período de actividad intensa y variada para el director. Aplicando el método científico a la práctica cinematográfica, funda la identidad del cine en el principio de la yuxtaposición de dos imágenes y permite el *desarrollo* de un *arte nuevo*.

Silvestra Mariniello

Entonces John entró en el primer bar de carretera que encontró, cerca ya de Carson City. Fredda le fue sirviendo cuantas cervezas le pidió hasta que le dijo, ¿No cree que es muy temprano para beber de esta manera? Y él rompe a llorar y confiesa que acaba de dejar a su esposa tirada en mitad de la carretera debajo de un árbol y sin zapatos. Fredda, acostumbrada a tragedias borracheras, intenta convencerle para que vuelva, ¡Si ya empezáis así, qué va a ser de vosotros! Y John va de vuelta con una botella de agua y algo de comer. Cuando llega la encuentra medio dormida. La despierta, parece debilitada, le pide perdón y le da el agua y los alimentos. Ella promete no volver a jugar así a las tragaperras ni a nada, y él a no abandonarla jamás. Si tú estás ahora sin zapatos, le dice él, yo también debo estarlo. Se descalza y los tira al árbol. Esos 2 primeros pares ya nunca bajarían. Linda y John fundaron la felicidad de su relación en ritos simples pero duraderos, así que a los 2 años regresaron: habían tenido su primer hijo y querían tirarle sus primeras botas también a la copa del álamo. A medida que se acercan ven multitud de pares colgando. Se quedan sin habla.

¡Qué pasa, Kenny!, oyó a su espalda justo antes de notar una palmada en el hombro. Visiblemente incomodado, Kenny le devolvió el saludo con un simple, Hola, levantándose del banco en el que leía el periódico; no recordaba su nombre. ¿No te acuerdas de mí? ¡Josep, hombre, Josep! Sí, claro, cómo iba a olvidarte, aclaró tranquilamente. Ya te dije que en 35 días estaría aquí y aquí estoy, una visitita, venga, ¿has comido? Te invito a algo, ¡coño, zapatos nuevos! Qué bien vives aquí, cabrón, pero qué bien vives, ahora te entiendo (jodida inmigración, dijo en voz baja). Pidieron dos platos combinados; los camareros se sorprendieron de ver a Kenny acompañado. Qué tal el viaje, preguntó éste lacónicamente. Muy bien, bueno, no tan bien, pero todo se irá solucionando, los chinos son muy puñeteros, ¿sabes? Oye, ¿te acuerdas que te dije que te contaría una buena historia?, una historia de verdad, una de esas que sería posible escribir. Sí, claro, me acuerdo. ¿Quieres que te la cuente? Verás, ¡es real, eh, me pasó a mí! Porque la que te conté el otro día no te la creerías, ¿no? Bueno, era verdad a medias, es cierto que hice las tapas de alcantarilla para Carson City, pero no tenían ni árboles ni puñetas, la historia se me ocurrió cuando en una carretera cercana, porque aproveché para hacer turismo y llevarle unas cuantas tonterías a la mujer y a los chavales, vi un árbol lleno de zapatos, ahí me di cuenta de cómo es ese país, en nada de lo que hacen van de broma, pero te la tragaste, ¿eh? No, no me la creí (contesta Kenny en seco). Qué listo eres, cabrón, pero ésta sí que es real, palabra de honor, ¿te crees que si no lo fuera iba a venir ex profeso a contártela? Seguro que tú, algún día, con todas las historias que te cuenta la gente, vas y las escribes, si no, de qué vas a vivir cuando seas viejo, ¿eh? Aunque, como te dije, mis padres son catalanes de pura cepa, y yo y mis hijos ya ni te digo, mis abuelos eran de un pueblo de León, la ciudad de las tapas de alcantarilla de la que te hablé el otro día, sí, hombre, la secretamente hermanada con Hong Kong, ya sabes, y en los años 1968 y 69, nos fuimos a vivir a ese pueblo, a la casa de mis abuelos, porque la economía andaba mal, y porque mis abuelos no terminaban de integrarse en Barcelona, por lo del idioma y, bueno, cosas que no hacen al caso, el asunto es que este pueblo de montaña quedaba a desmano de todas partes desde que habían desviado, allá por el 55, la carretera para construir una nueva que ya pasaba bastante lejos, aunque de todas formas había aún muchas casas abiertas y las calles estaban llenas de niños. Una tarde, lo recuerdo muy bien, una de esas de calor en las que ni un alma anda por la calle, llegó un coche muy aparente, un Dodge negro, y aparcó en la plaza, junto al ayuntamiento, y claro, la gente lo observó a través de las persianas, esas que no te ven desde fuera aunque tú sí veas desde dentro, entonces del coche salió un tipo alto y flaco, vestido con un traje oscuro, precisamente de un color parecido a este mío, y se dirigió directamente al ayuntamiento; al alcalde lo pilló roncando, según contaron. El caso es que este hombre era un enviado del Gobierno, o algo así, cuya misión consistía en estar ahí ese gran día porque, como de ahí a un mes el ser humano llegaría a la Luna, el pueblo había sido elegido para acometer en él una serie de pruebas importantes en materia de seguridad de Estado, pruebas que no desveló. Así que el alcalde lo dispuso todo, corrió con todos los gastos, y lo hospedó en la pensión Fondita, la única que quedaba tras que, como te dije, se desviara la carretera allá por el 55. Y el fulano allí se fue; le dieron la mejor habitación. Yo tenía 8 años y, como puedes imaginar, a los niños la llegada de ese personaje nos tenía más intrigados que cualquier otra cosa, allí no había más diversión para nosotros que la radio, el río y las apuestas de a ver cuándo llegarían al pueblo los caramelos Sugus, de los que teníamos conocimiento por un emigrado que mandaba cartas desde Madrid y nos contaba que se deshacían en la boca con sabor a frutas tropicales, así que a partir de ese momento se acabó el cazar mirlos, bañarse en el río, escuchar la radio y soñar con los Sugus, porque toda nuestra concentración era sumida por aquel tipo. Y la suerte era que el hijo de Sabina, la dueña de la fonda, hacía de correa de transmisión y nos contaba que el hombre estaba todo el día en su habitación, como un asceta de ésos, que el desayuno y la comida los mandaba servir también en la habitación, en la que no paraban de oírse ruidos como de máquinas de calcular de aquellas grandes que había antes, y que sólo salía por la noche, a la hora de la cena, cuando bajaba al comedor, bien vestido, eh, con traje y todo, se sentaba aparte, no hablaba con nadie y siempre pedía lo mismo, huevos fritos con chorizo, medio litro de vino y flan de postre, para después regresar a la habitación. Y así un día tras otro. Pero tan intrigados nos tenía a los niños que una noche decidimos hacer una torre humana para que alguno se encaramara a la ventana de la habitación a ver qué se veía, así que tras echarlo a suertes, unos sobre los hombros de los otros, subimos a Sebito, quien, por cierto, después, con los años, fue alcalde, y sólo pudo ver unos pocos segundos lo que se cocía allí dentro porque las piernas flaquearon y nos vinimos abajo, pero aseguró que había algo así como una gran bolsa llena de pequeños dados de colores, imagínate, la intriga fue en aumento, y bien, resumo, hasta que por fin llega el día señalado, y como allí aún no había llegado la tele, pusieron en la plaza una megafonía que estaba directamente conectada a la radio para que así todo el pueblo pudiera disfrutar en reunión de la llegada del hombre a la Luna; por su parte, el forastero dijo que para el estudio que tenía que realizar no necesitaba cosa especial alguna, que él ya lo traía todo. Imagínate, allí nos tienes a todo el pueblo esperando, y el locutor radiando a todo meter, y el del Gobierno que no llega y que hay que enviar para que lo avisen, y allá va Sebito corriendo y antes de llegar a la fonda se cae y se hace sangre. Hasta que por fin salió. Avanzó por la plaza con paso seguro, impresionaba, sabes, impresionaba, su traje impecable, sus botas brillantes, pero de vacío, sí, como lo oyes, de vacío, y se coloca en mitad de la plaza, y se hace un silencio que imagínate, y además se forma un corro en torno a él, y él pide que no cierren el círculo, que necesita una abertura al menos, y hurga en el bolsillo y extrae de una caja como de plomo o metálica, no sé, una bolita, una pequeña bola del tamaño de una canica, de cristal oscuro, y hace un círculo con una tiza en el suelo y con sumo cuidado la posa justo en el centro, y el locutor que seguía dándole, y la gente que comenzaba a murmurar y el alcalde que manda callar, imagínate, impresionante, y cuando el locutor dice que el pie de Armstrong está a punto de tocar la Luna, el tipo concentra su mirada en la bolita, nunca había visto unos ojos tan penetrantes, te lo juro, pensé en ese momento que debía de venir de cenar porque le vi en los labios el amarillo del chorizo, te juro que lo vi, y entonces finalmente el locutor lo anuncia, Armstrong acaba de pisar la Luna, y el hombre levanta la mirada al cielo, se remanga, extiende los brazos y dice, ¡Ufff, salvados! ¡La bolita ni se ha movido, tienen ustedes un pueblo muy seguro! Los niños corrimos detrás del coche tirándole piedras mientras él nos lanzaba por la ventanilla caramelos Sugus que extraía a puñados de una gran bolsa, hasta que dejamos de oír sus potentes carcajadas.

analó

emocional

subjetivo

Cartografía Universo Nocilla

Territorio[1]
Nocilla Dream

códigos:
- ● personas
- ■ objetos
- ⊞ ideas
- ✳ ciudades

bits/dig

ecánico

inmigrante ● muerto

Jorge Rodolfo ●

Ernesto ●
Che Guevara

Cristobal ●
Conurbación ■
Colon

Escalada ▦
Ratas de ■
Gambia

Crónicas ■
Marcianas

racional

Los Pájaros ■
(Hitchkock)

objetivo

Michael ●
Knight

Guy Debord ●

Susan Sontang ●

Michael ●
Landon

Nike ✦

Chicago ✦
Pekin ✦

Poemario
"New Directions" ■

Lucio Fontana ●

Pat Garret ●

Las Vegas ✦

Spiderman ●

Planchado ▦
Extremo

Cementerio ▦
Chino

Sokolov ●

Star ▦
Trek

zen ▦

Cristobal ■
Cañon

haiku ▦

ctrónico

[basado en el sistema de representación "cosmos:n" de Javier Cañada]

Nocilla experience

FORAJIDO: ¿Queréis decirme qué hacemos atravesando un desierto que ni una serpiente se atrevería a cruzar?
GREGORY PECK: Un desierto es un espacio, y un espacio se cruza.

WILLIAM WELLMAN
Cielo amarillo, 1948

WALTER BRENNAN: ¿De dónde viene, forastero?
GARY COOPER: De ningún sitio en particular.
WALTER BRENNAN: ¿Y adónde se dirige?
GARY COOPER: A ningún sitio en particular.

WILLIAM WYLER
El forastero, 1940

En esta vida se puede ser de todo menos coñazo.

MICHI PANERO en
Después de tantos años,
Ricardo Franco, 1993

1

¿Cómo pude ser yo quien desarrollara la Teoría de la Relatividad? Creo que fue por mi desarrollo intelectual retardado.

Albert Einstein

2

Entonces encontraron un cuerpo flotando en el lago, boca arriba, con el ojo derecho, el único que le quedaba, abierto y sin signos de aparente agresión humana. El volumen corporal, debido al agua ingerida, a los agentes químicos en suspensión que abarrotaban el lago y a la diferente fauna y flora que había tomado forma en los intestinos y otros conductos internos del fallecido, se había multiplicado casi por 2. Cuerpo-esponja. Saco de infusión. Cuando estamos vivos absorbemos pasado y aire; cuando morimos, química y organismos, procreación, tiempo futuro, aunque ese futuro ya de nada valga. Y no hay más. Desde la azotea se ven las partes traseras de los coches que bajan la avenida de única dirección que enfila al astillero en el borde del mar. Ninguno puede ni podrá remontarla.

3

Sandra hace el vuelo Londres-Palma de Mallorca. Apenas
1 hora en la que el giro de la Tierra se congela. Hojea la revista *British Airways News.* Reportajes de vinos Ribeiro,
Rioja, las últimas arquitecturas *high-tech* en Berlín, ventas
por correo de perlas Majorica. Sobre una foto de una playa del Caribe le cae una lágrima, pero no por culpa de la
playa, ni del Caribe, ni de la gravitación que les es propia
a las lágrimas. Mira por la ventanilla, lleva los ojos al frente. Ni nubes ni tierra. Constata lo que ya sabía: en los aviones no existe horizonte.

4

Marc estudia con detenimiento el libro que tiene delante, *Guía agrícola Philips 1968;* la encontró entre los trastos viejos de su padre y se la quedó. Observa de reojo la azotea a través de la puerta de su caseta. Vive ahí. Un tinglado, situado en lo alto de un edificio de 8 plantas, que ha ido construyendo con diferentes hojas de latas, bidones, trozos de cartones petroleados y fragmentos de uralitas. Todo ensamblado de tal modo que las 4 paredes configuran un mosaico de palabras e iconos cuarteados de aceite La Giralda, lubricantes Repsol, Beba Pepsi o sanitarios Roca. A veces los mira, y entre todo ese hermanamiento de marcas comerciales intenta descubrir mapas, recorridos, señales latentes de otros territorios artificiales. En la azotea, que ningún vecino ya frecuenta, hay una serie de alambres que van de lado a lado en los que en vez de ropa colgada hay hojas escritas, a mano y por una sola cara, con fórmulas matemáticas; cada una sujeta de una pinza. Cuando sopla el viento [siempre sopla] y se mira de frente el conjunto de hojas, éstas forman una especie de mar de tinta teórico y convulso. Si se ven desde atrás, las caras en blanco de las DIN-A4 parecen la más exacta simbología de un desierto. Las ve aletear y piensa, Es fascinante mi teoría. Cierra la *Guía agrícola Philips 1968,* la deja sobre la mesa, sale y descuelga unas cuantas hojas de los cables número 1, 4 y 7. Antes de volver a entrar se acoda en la barandilla y piensa en el Mundial que nunca hemos ganado, en que lo más plano que existe sobre la Tierra son las vías de los trenes, en que la música de *El acorazado Potemkin,* si te fijas, es el «Purple Haze» de Jimi Hendrix versionado. Después entra en la caseta, que tiembla cuando cierra la puerta de un golpe.

5

Por fin han encontrado las armas de destrucción masiva.
Las tenía el dictador ocultas en su propio cuerpo. Y sólo
era una, cuidadosamente cosida a su estómago. Una cápsula de 1 cm^3 unida a un micromecanismo adjunto que
podría ser activado por él mismo mediante un control remoto mental. En efecto, con tal de concentrarse precisamente en ese punto de su estómago, y dirigir ahí toda la
fuerza de los pulmones e intestinos en virtud de una técnica adquirida por viejos métodos de respiración yoga, el
citado micromecanismo se activaría soltando así un vene-
no que lo haría morir al instante. La destrucción masiva
vendría dada por un *efecto cascada:* la oleada de inmolacio-
nes en cadena que prevé el Corán Tipo-B para estos casos,
a imagen y semejanza de esa otra reacción en cadena que
damos en llamar «nuclear». Cristianismo, budismo, isla-
mismo y tecno-laicismo en un solo relámpago.

6

En la árida estepa marrón situada al suroeste de Rusia, se alza una gigantesca construcción de cristal culminada en una cúpula, destinada a albergar todo cuanto uno pueda llegar a imaginar con tal de que eso que imagina tenga que ver con el juego del parchís. Brilla con fulgor suprafoto- gráfico ese bloque de cristal sólidamente clavado a una tie- rra de nieve inmaculada y piedras sueltas. En apariencia, un espejismo. Espacios para entrenamiento, alojamiento para cursillistas y maestros, salas de videoproyecciones, la- boratorios de programación computacional destinados a pergeñar partidas, gimnasios de relajación y/o concentra- ción orientados a los momentos previos al juego, 1 biblio- teca cuya única temática son las fichas rojas, otra sólo para las amarillas, otra sólo para las azules, otra para las verdes, restaurante y dietas especiales para alumnos, 1 cantina para visitantes y 2 bibliotecas dedicadas a la Historia del parchís. Se halla en las cercanías de la ciudad de Ulan Erge, en la región rusa de Kalmykia, una zona al norte del mar Caspio que tiene forma de lengua estrangulada entre las recientes repúblicas de Ucrania y Kazajstán, donde 300.000 rusos y rusas viven en la pobreza que rodea a ese gran complejo parchístico. En los mismos lindes del pala- cio da arranque una extensión segmentada por caminos semiasfaltados que unirá un horizonte atiborrado de pos- tes de teléfono sin línea. Suele verse por allí alguna mula que se ha perdido; posiblemente duerma en una caseta de antiguos trasformadores eléctricos y paste entre las ante- nas de radio y televisión que fueron plantadas en su día. Esa piel de antenas se dibuja dentro de un círculo de borde irregular de 2 kilómetros de radio en torno al palacio del parchís, pero no tiene nada que ver con el parchís: el gobierno ruso ubicó allí todo ese antenaje debido a las excelentes condiciones que ofrece la región en cuanto a altura, ausencia de interferencias y privilegiada situación fronteriza euroasiática. La idea del palacio había partido del presidente de la región, Iluminizhov, que como fanático jugador de ese deporte invirtió decenas de millones de euros en materializar su fantasía, obtenidos tanto de las arcas del estado como de insólitas alianzas con Gaddafi o Sadam Husein. La zona está tan arruinada que los refugiados de la guerra de Chechenia que pasan por allí se van porque no encuentran agua potable; no pocos hallan ahí la muerte que no encontraron en el campo de batalla. Los pueblos nativos de esa estepa fueron nómadas que aún conservan parte de esa forma de vida. Cuando les echan de algún lugar, o se ven sin recursos, desmontan sus casas, de las que dejan sólo los cimientos, y se van con los ladrillos, ventanas, cocinas y lavabos apilados en furgonetas y carros a otra parte. Pero el palacio del parchís está inmaculado y vacío desde que se construyó, hace ahora 10 años. Ni siquiera nadie lo ha inaugurado, y mucho menos usado o habitado. Dentro sólo se oye el viento que fuera golpea. Los libros están en sus estantes, los ordenadores cargados de programas, los platos de las cocinas limpios y perfectamente superpuestos, la carne intacta en las salas frigoríficas, los tableros de colores en las vitrinas y las fichas y cubiletes encubando teóricas partidas. También hay una radio que un obrero se dejó encendida.

7

Saigón, mierda, aún sigo solo en Saigón. A todas horas creo que me voy a despertar de nuevo en la jungla.

Apocalypse Now, Francis Ford Coppola

Mohamed Smith es un crío de 4 años, concebido y nacido en Basora durante la ocupación norteamericana de Irak. Va todos los días al colegio anglomusulmán, de reciente creación, de la mano de su padre, John Smith, ex marine, quien le cuenta anécdotas de la guerra, como cuando anclaban una cuerda en una azotea y bajaban a *rapell* hasta el piso en el que existía sospecha de la existencia de un grupúsculo suní integrista. Tiraban entonces una granada de baja potencia a través de la ventana y subían de nuevo por la cuerda a toda prisa hasta la azotea, en la que sentían la detonación: durante un par de segundos temblaba levemente el terrazo, un cosquilleo bajo sus pies que los soldados comparaban con la vibración que debe de sentir una hormiga cuando camina por la piel de un tambor apenas golpeado. Era un día de mucho frío, y John había tirado la cuerda fachada abajo, que se desplegó como un laberinto animado. Piso 6, piso 5, piso 4, piso 3, rompió con el arma el cristal y empuñó la granada. Los ojos de una joven irakí que cocinaba en el suelo de una sala de estar se encontraron con los suyos; ni suplicó ni lloró, tan sólo miró al soldado como quien desde un avión no ve ya ni cielo, ni nubes, ni pájaros, ni sol, únicamente esa metálica extensión del cuerpo que es el ala de un Boeing temblando bajo una fuerza que sólo parte de uno mismo porque ahí fuera ya no hay horizonte, ya no hay nada.

Imagina que escuchas una canción por primera vez que inmediatamente te encanta, es fantástica. ¿Qué tiene esa canción para ser perfecta?: Probablemente que sea corta. El single perfecto es de unos 2 minutos y 50 segundos.

Entrevista a Eddie Vedder, líder de Pearl Jam,
El pop después del fin del pop, Pablo Gil,
Ediciones Rockdelux, 2004

Antón es un percebero que vive en el pueblo de Corcubión, La Coruña, España. Su casa no está directamente en el puerto, sino que, aislada, hay que alejarse un par de kilómetros monte arriba para encontrarla. No obstante, Antón ve el mar, e incluso lo escucha cuando de noche el viento aúlla en dirección favorable. Soltero, 37 años. El oficio de percebero es un oficio curioso. Se trata de, en lugares de antemano señalados, donde el mar pega más violentamente, descender por el acantilado sujeto a una cuerda para llegar hasta donde se supone que crían los percebes: el punto justo en el que rompen las olas y esas 2 fases de la materia que son lo sólido y lo líquido se confunden para perder entidad y definición precisas. Cuando menos te lo esperas, donde hace un segundo había roca y molusco ahora hay espuma y aguas vectoriales, pura fuerza. Cada año varios hombres pierden la vida. Pero hay un truco. El compañero que se queda arriba cuenta las olas, y sabe que cada 10 o 15 pequeñas siempre vienen 3 muy grandes y seguidas a las que apodan *las 3 marías,* y entonces da un grito, tira de la cuerda y Antón sube rápidamente a pulso gitano. En Corcubión, y en gran parte de la Costa de la Muerte, a Antón le llaman Profesor Bacterio debido a su alopecia craneal, su larga barba oscura y una rotura de hueso que tiene en mitad de la nariz; también porque ya de pequeño no paraba de hacer experimentos con los percebes, que son seres muy vivos. En efecto, como los nómadas, viven en esa frontera de lo líquido-sólido-gas, sólo que ellos, aferrados a la roca, no se mueven, y es entonces la auténtica frontera del mundo hecha agua la que se vuelve nómada y cada 3 segundos viene a ellos, como si no les afectara que en los límites de la materia no estén ni los bordes ni los vértices sino la antimateria, como si no les afectara que su vecino de enfrente más cercano sea un palo vertical de fresno que en la bahía de Nueva York numera la marea en decimales.

1922. Ante un auditorio japonés, Albert Einstein cuenta cómo, a finales de 1907, se le ocurrió la idea: «Estaba sentado en mi mesa, en la oficina de patentes, cuando, de repente, un pensamiento me vino a la cabeza: *si alguien cae libremente no siente la fuerza de la gravedad; no siente su propio peso.* Me quedé sobrecogido. Esa idea tan simple dejó una profunda huella en mí y fue la que me impulsó hacia una Teoría de la Relatividad General. Fue el pensamiento más afortunado de mi vida». Einstein, a la vez que la creó, borró la gravedad de un plumazo. Crear objetos, procrear, generar masa gravitante, consiste en intentar descubrir, sin éxito, adónde fue a parar toda esa fuerza.

John volvió a ver los ojos de la joven irakí en un mercado
de Basora. Ella compraba comida, él vigilaba desde una
tanqueta, y se bajó en marcha. Cuando ella lo reconoció,
el medio kilo de pimientos rojos recién pagados rodó por el
suelo; tras dar el último giro brilló bajo el sol y ella dijo,
No me hables ahora, estaré esta noche en el Rachid. El
Rachid era un restaurante de las afueras: comida de carretera para los camioneros que hacían la ruta del petróleo
desde el Kurdistán, carreteros ambulantes que vendían
sandías y melones, y gente así. John llegó tarde porque in-
tuía que trabajaba de cocinera, pero llegó tan tarde que
todo estaba a oscuras. Detectó luz bajo una puerta. Daba
a una especie de trastienda con olor a especias donde, ante
3 hombres sentados en una mesa circular sobre la que había varios fajos esparcidos de papeles repletos de fórmulas
incomprensibles para John, gesticulaba ella cuando él entró sin llamar. Unos cuantos PCs clónicos parpadeaban al
fondo. Todos se sorprendieron. Él traía medio kilo de pimientos rojos en una bolsa transparente. Pensó de inmediato que se trataba de algo relacionado con la guerrilla o
la industria militar, pero ella dijo de inmediato, No pien-
ses lo que no es, somos arquitectos. Le explicaron que
pertenecían a una red global denominada Arquitectura
Portátil, cuyo objetivo consistía en diseñar y elaborar viviendas de bajo coste y gran movilidad, pensando sobre
todo en los países en los que hay conflictos armados de
larga duración, donde la población se ve obligada a un
perpetuo nomadismo. Y ella concluyó, Por ejemplo, esta
misma casa prefabricada en la que ahora estamos, viene

un helicóptero, la engancha así, tal como está, y en 5 minutos la deja en donde quieras. 9 meses más tarde, en el hospital de campaña JFK, Basora, nacía Mohamed Smith. Hay personas que se pierden en lugares que a nadie importan.

13

Sandra, original de Palma de Mallorca, España, vive en un piso de la calle Churchill, al lado del Museo de Historia Natural de Londres, en el cual trabaja. Se trasladó cuando le dijeron que para ampliar su estudio del dinosaurio T-Rex debía ir allí donde más saben de él. En el museo ayuda a Clark, director de proyectos, quien le ha tomado afecto por lo bajita que es. No es cierto, ha pensado Sandra, que en Londres siempre llueva, aunque sí hace una temperatura siempre baja que provoca la sensación de vivir en un lugar neutro, químicamente plano; quizá por eso los londinenses sean tan extravagantes e inquietos. Sandra sabe que todas las modas y artes interesantes se originan en Londres aunque luego sean Milán y Nueva York quienes las pulan y divulguen. Ha cambiado en el rastro de Camden Town una diadema de colores de chiringuito que se trajo de Mallorca por una corbata negra *mod* estampada con el logo de Colgate. ¿Te gusta? Bueno, no está mal, responde Jodorkovski tirando de su mano mientras ella se mira en un escaparate. Dentro del Museo de Historia Natural, al lado de las habitaciones donde Sandra lleva a cabo investigaciones, hay una tienda de *souvenirs* en la que venden un llavero con forma de dinosaurio cuyo cerebro es una pequeña brújula. Sandra nunca ha soportado perder el sentido de la orientación, así que cuando viaja en metro saca el llavero del bolso y observa la esfera magnética a fin de saber en qué dirección va el tren en ese momento. La gente al verla piensa que pertenece a una especie de equipo urbano dedicado a buscar objetos escondidos en diferentes puntos de la ciudad. Pero lo que ella busca es una piel perdida hace millones de años. Encontrar huesos, ordenarlos, estudiarlos, es fácil, piensa, no requiere más que un completo peinado de la superficie terrestre; cuestión de tiempo. Lo verdaderamente difícil es encontrar la piel, ahora reducida a partículas y polvo, de aquel dinosaurio, su disuelta frontera con el mundo, el espejo desplegado de todos sus sucesos, la pieza que, en definitiva, conecte las imágenes acumuladas en aquella bestia llamada T-Rex con su ordenador portátil, con el logo de Colgate de su nueva corbata, con las tarjetas de embarque de los vuelos Palma-Londres, con su piel de joven extranjera de 23 años.

14

El término *seguidor cultural* se ha empleado para describir mamíferos, lagartos, aves, insectos y microorganismos que han evolucionado específicamente en relación con las sociedades humanas en todo el mundo. Estos animales han desarrollado pautas de comportamiento que les permiten prosperar en una relativa intimidad con las personas, en un hábitat cada vez más artificial.

Entrevista con un seguidor cultural,
Matthew Buckingham, 1999

Lo que queremos decir es que Mihály trabaja en un hospital cuya edificación data de 1925, radicado en la ciudad de Ulan Erge, suroeste de Rusia, entre Ucrania y Kazajstán. Este hospital en su día llegó a ser un centro de referencia en cirugía pediátrica al que la burocracia estaliniana ladrillo a ladrillo fue desprestigiando, y al que la caída del Muro de Berlín terminó por derribar. Aunque las grandes cristaleras sujetadas por no menos impresionantes pilares de acero sigan en pie, hace tiempo que los pacientes y el personal sanitario no ven en ellos el orgullo de su propio reflejo cuando miran a través, sino únicamente la vasta extensión de una ciudad coloreada por aritméticos grafitis, bloques de edificios de los años 50 y ruedas de bicicleta. Incluso Mihály vio un día la foto del hospital en una página web dedicada a ruinas arquitectónicas del siglo 20, junto a otras estampas de fábricas alimentadas por carbón, centrales nucleares desmanteladas e inoperantes altos hornos. Bajo la foto se leía: «Antiguo almacén de carne de vacuno, Ulan Erge, 1907». Mihály es cirujano de partes blandas, lo que aquí significa *de todo menos de huesos*. Le avisan por megafonía para que acuda inmediatamente al quirófano. Atraviesa a toda prisa pasillos de azulejo. Una simple apendicitis de un adolescente que comió 1 kilo de caramelos en menos de 1 hora, una operación que podría hacer con los ojos cerrados, así que en tanto disecciona recuerda a Maleva, la joven becaria de medicina general a la que conoció hace 3 o 4 años y de la que se enamoró sin ser enteramente correspondido. Habían coincidido en la cola del comedor y él le explicó dónde coger el pan y los platos.

Ella abría el brócoli con los cubiertos como quien abre su propio cerebro. Eso estaba bien. Después, tras varios saludos apresurados en quirófanos y en salas de curas, una tarde-noche que Mihály se había quedado a terminar informes atrasados se dieron de bruces en uno de los antiguos pasillos que ya nadie frecuentaba y que comunicaba [aún comunica] las 2 alas más modernas del complejo hospitalario. Se besaron. A ciegas atravesaron una antigua puerta sobre la que ponía Estudios de Medicina Dialéctica, y apartaron también a ciegas todo tipo de herrumbrosos aparatos metálicos que se apilaban sobre una mesa, para, al final, negarse ella a consumar el acto: lo emplazó a la semana siguiente, en su propia casa. Mihály anotó la dirección en la manga de la bata; lo primero que encontró. Algo nunca visto le trae de súbito del recuerdo de Maleva a la apendicitis que tiene entre sus manos: ha encontrado en el apéndice del muchacho un cofre de plomo del tamaño de un dedal. Lo observan todos detenidamente; lo abren. Dentro hallan una cápsula que tiene adherida una etiqueta en la que pone, *Iodine-125 (^{125}I) Radioactive,* isótopo perfectamente protegido por un envoltorio de parafina que el muchacho intentaba pasar de contrabando de Ucrania a Kazajstán, confesó cuando se despertó de la anestesia.

Por la manera en que trabajas el sonido en texturas, ¿te sientes como un escultor o un arquitecto?: Es una buena analogía. Como un arquitecto, sí, porque para mí las baterías son los cimientos. Una vez que tienes los cimientos, cada planta que añades al edificio es más y más difícil. Añadir más cosas que puedan ayudar, y que formen parte del conjunto, es algo aún más complicado; sería como si construyeses un edificio que se va haciendo más pequeño conforme aumenta la altura.

Entrevista a DJ Shadow,
El pop después del fin del pop, Pablo Gil,
Ediciones Rockdelux, 2004

Saigón, mierda, aún sigo solo en Saigón. A todas horas creo que me voy a despertar de nuevo en la jungla. Cuando estuve en casa durante mi primer permiso, era peor, me despertaba y no había nada, apenas hablé con mi mujer, salvo para decirle «sí» a su petición de divorcio. Cuando estaba aquí quería estar allí, cuando estaba allí no pensaba más que en volver a la jungla.

Apocalypse Now, Francis Ford Coppola

Marc consulta la *Guía agrícola Philips 1968*. En la sección
«Establos para vacas y otras dependencias» hay un apartado en el que se describe cómo improvisar un lavabo para
el aseo antes del ordeño manual. Le da vueltas al croquis
para adaptar ese aseo a su caseta. No es capaz de concentrarse. El asunto que lo distrae es una teoría que hace años
que tiene en marcha, enmarcada en algo más amplio que
él denomina *socio-física teórica*. El radio de acción, el banco de pruebas para su constatación, no pasa de 2 o 3 manzanas en torno a su azotea. En el barrio encuentra todo
cuanto necesita: comestibles, conversaciones banales y
ropa de temporada en tergal. La pretensión de su teoría
consiste en demostrar con términos matemáticos que la
soledad es una propiedad, un estado, connatural a los seres humanos superiores, y para ello se fundamenta en una
evidencia física bien conocida por los científicos: sólo existen en la naturaleza 2 clases de partículas, los fermiones
[electrones y protones, por ejemplo] y los bosones [fotones,
gluones, gravitones, etcétera]. Los fermiones se caracteri-
zan por el hecho, ampliamente demostrado, de que no
puede haber 2 o más en un mismo estado, o lo que es lo
mismo, que no pueden estar juntos. La virtud de los bosones es justamente la contraria: no sólo pueden estar varios
en un mismo estado y juntos, sino que buscan ese apila-
miento, lo necesitan. Así, Marc toma como reflejo y pa-
trón esa clasificación para postular la existencia de personas solitarias que, como los fermiones, no soportan la
presencia de nadie. Son éstas las únicas que le merecen
respeto alguno. Aparte, están las otras, las que como los

bosones se arraciman en cuanto pueden bajo asociaciones, grupos y demás apiñamientos a fin de enmascarar en la masa su genética mediocridad. A estos últimos Marc los desprecia, por eso no es extraño que a él no le importe cómo marcha el mundo, ni si hay pobreza o riqueza, ni si sube o baja el precio de la fruta o el pescado, ni las manifestaciones, colectividades, partidos políticos, religiones u ONGs. Por supuesto, tiene por auténticos modelos de vida elevada, de vida esencialmente *fermiónica,* a Nietzsche, Wittgenstein, Unabomber, Cioran y sobre todo a Henry J. Darger, aquel hombre que jamás salió de su habitación de Chicago. Además, Marc, como todo fermión, hace tiempo que dejó de frecuentar mujeres y amigos. Su única conexión estable con el mundo es la red internauta. Domingo, son más de las 4 de la tarde, la gente está en la playa; él aún no ha comido. Por entre las uralitas de la caseta entra un pincel de luz que incide sobre la tecla 0 del PC. Tiene sonando el CD de Sufjan Stevens, *The Avalanche,* y pone repetidamente la canción «The Vivian Girls are Visited in the Night by Saint Dargarius and his Squadron of Benevolent Butterflies», mientras termina de dar los últimos retoques a una demostración de la cual se siente muy satisfecho. Sale a la azotea con el folio en la mano, y en los tendales que conforman la retícula lo cuelga en la posición, x=10, y=15. No hay nada mejor para comprobar la firmeza de una teoría que airearla antes de propagarla, piensa.

19

Una mujer llamada Cynthia Ferguson, licenciada en Medicina por la Universidad de Columbia, ha escrito el libro *Historia universal de la piel,* un tratado que abarca desde las enfermedades de ese órgano a la antropología, usos y costumbres asociados a ella a lo largo de un amplio abanico de culturas y razas. Cuenta que todo se le ocurrió cuando, en las prácticas de cirugía que ella supervisaba en la universidad, todos los alumnos tenían un miedo impresionante al primer tajo de bisturí, cortar la piel les producía una desazón y grima que incluso algunos no podían soportar. Sin embargo, en cuanto metían las manos dentro de la brecha y tenían que acometer auténticas carnicerías en los órganos internos, ese rechazo desaparecía, y hasta se divertían de la misma manera que los niños cuando juegan con el barro o a las cocinitas. Eso le hizo ver el poder de ese órgano que mide 2 m^2 en un ser humano estándar; el órgano más extenso que existe.

20

Basora. Cada mañana John deja en el colegio a Mohamed, que hoy tiene 2 horas continuas de clase de dibujo. Después se va a trabajar a la cocina del Rashid. A Mohamed y a sus compañeros de aula les dan papel, ceras y rotuladores, y el niño siempre pinta a un hombre que baja por la pared de un edificio con una cuerda; al fondo, pone un horizonte y unas palmeras, pero cuando la profesora le pregunta qué es todo eso, él siempre responde, Medio kilo de pimientos rojos que se han caído al suelo y brillan bajo el sol.

Según cierto filósofo llamado Heráclito, nada es constante, todo muta y no nos bañaremos 2 veces en las mismas aguas de ese río que, en una imagen clásica, viene a ser la vida. En ese sentido, es muy curiosa e ingenua la teoría hinduista de la reencarnación, ya que, en efecto, todo muta y a cada segundo morimos y nos reencarnamos, morimos y nos reencarnamos, morimos y nos reencarnamos, etcétera. [Aparte, hay algo que aún no se entiende: la cuerda, el hilo, gracias a Ariadna, fue lo primero que conocimos como método eficaz para comunicarnos a distancia. Tardamos siglos en desprendernos de él hasta formalizar eficazmente las comunicaciones inalámbricas en antenas, códigos electromagnéticos y satélites inmediatos. Ahora están excavando las calles de todas las ciudades a fin de cablearlas [fibra óptica o equivalentes], y esta vuelta al origen, al hilo de Ariadna, no es sólo simbólica pues constantemente hay que detener las excavaciones al encontrarse restos de conductos antiguos, alcantarillados griegos, calzadas romanas: primigenios cableados. Esto, en cierto modo, sí que constituye una auténtica reencarnación hinduista, pero de lo inorgánico.] [Aunque ya digo, aún no se entiende.]

Hoy a Marc le ha llegado un e-mail de Sandra. Hace mucho tiempo que no se ven. En él le cuenta que Londres es una ciudad increíble, que su investigación paleontológica va viento en popa, pero que lo mejor es el pulso racheado de la ciudad. Ha conocido a Jodorkovski, un artista del Este que «tendrías que verlo, Marc; es un genio». Ella ya se había percatado de la existencia de unos puntos de colores que moteaban las aceras de su barrio, lunares circulares del tamaño de una moneda. Cuanto más se fijaba, más lunares descubría. Unos, perfectamente circulares y de contorno suave, estaban pintados de color negro o blanco, pero los otros, de contorno quebrado e indefinido, representaban en miniatura escenas en color de hombres y mujeres cogidos de la mano, de animales pastando, de casas y palacios, así como coches en movimiento y todo tipo de escenas urbanas. Tan atraída estaba por el fenómeno que una noche se quedó con cualquier excusa en el museo para observar desde la ventana uno de los pocos trozos de acera en los que aún no había lunares. Así, se llevó un termo con café, galletas y un CD de Beta Band, cuyos acordes salían de los pequeños bafles del PC para ser absorbidos por fósiles y salas victorianas. A eso de las 11 separó un haz de cortina y echó un vistazo a la calle; a su espalda T-Rex, en la sala principal, con sus 18 m de largo y 9 de alto, vigilaba una oscuridad prácticamente edificada. Esperó, pero no vio nada. Cansada, a las 3 de la madrugada se quitó la falda para quedarse en pantys, apagó la música, dejó la brújula junto al teclado y se durmió en el colchón que William, un compañero, había llevado por si a alguien le cogía la noche en pleno trabajo. Esta secuencia se repitió hasta el octavo día, en el que una silueta que por momentos iba ganando solidez apareció al fondo de la calle empujando un carrito de la compra; sería la 1 de la madrugada. Se detuvo más o menos delante del museo. Un hombre, corpulento, extrajo del carrito unas cuantas latas de pintura, un pincel y, arrodillado, comenzó a motear la acera. De repente, Sandra, tomada por un insospechado pudor, no se atrevió a continuar mirando, colocó la brújula junto al teclado y se acostó. No se durmió hasta que oyó de nuevo las ruedas del carrito crujir calle abajo. A la mañana siguiente se fijó en la acera y encontró lunares de colores pintados cada uno de un solo color, sin figuraciones de ninguna clase. Pocos días más tarde, de mañana, cuando entraba al museo, se topó con ese hombre en el mismo lugar y se paró a su lado. Él la miró, ¿Te gusta?, le dijo. Bueno, no sé, está bien, ¿qué es? Me molestan los chicles, contestó él sin apartar la vista del suelo, y continuó, Termino el trabajo que dejé inconcluso la otra noche. Ella hizo un silencio y preguntó, ¿Cómo que chicles? Él levantó la vista, que mantuvo unos instantes, antes de decir, Mira, ahí enfrente hay un café, invítame a desayunar y te lo cuento, me llamo Jodorkovski, pero prefiero que me llamen Jota, mi primera letra, Jota. Y ella repitió para sí un par de veces, Jota. Sentados, él, en tono grave, aplomado, le contó que estaba harto de ver tantos chicles pegados en las aceras y que se había decidido a pintarlos. Ella escuchaba las palabras de aquel rubio de ojos claros y dedos como habanos, y le preguntó, Pero ¿por qué los perfectamente redondos los pintas negros o blancos, y los de contorno irregular de colores? ¿Tú sabes lo que es el cáncer?, preguntó él a su vez. Claro, dijo ella. Y él continuó, ¿Y tú sabes lo que es un tipo de cáncer llamado melanoma? Sí, volvió a responder ella, Claro que también lo sé, soy bióloga, es un cáncer que se manifiesta con una especie de lunares en la piel. Exacto, interrumpió él, Pues lo que no sé si sabes es que en los melanomas el contorno del lunar siempre es irregular, por eso yo pinto los chicles irregulares de colores, para embellecer este cáncer londinense que son los pegotes en las aceras. Esa noche no pude terminarlo porque fui al cine, a sesión de madrugada, por eso me acerqué esta mañana a pintar. Ah, vale, contesta Sandra. Se quedan unos segundos en silencio; ella dice, ¿Y qué peli fuiste a ver? Él responde, *Viaje a Italia,* de Rossellini, que la reponen en el Royal Box. «Después supe, Marc, que Jota era de una ciudad llamada Ulan Erge, que está en una región rusa llamada Kalmykia. Te mandaré una foto, es muy guapo. La verdad es que me encanta este tío. Cuéntame algo de cómo te va. Por cierto, ¿escuchaste el CD de Sufjan Stevens que te envié? ¿Sigue aún en pie tu caseta? Escríbeme pronto.»

Dentro sólo se oye el viento que fuera golpea la alambrada. Los libros están en sus estantes, los ordenadores cargados de programas, los platos de las cocinas limpios y perfectamente superpuestos, la carne intacta en las salas frigoríficas, los tableros de colores en las vitrinas y las fichas y cubiletes encubando teóricas partidas. También hay una radio que un obrero se dejó encendida, «... hasta aquí las palabras de Su Majestad el Rey. Y en la ciudad de Lugo, los vecinos se han despertado con la lamentable noticia de que unos desconocidos han pintado en el transcurso de esta noche una línea amarilla a lo largo de toda la muralla romana, original del siglo 3, que rodea la ciudad. No hay indicios de quiénes puedan ser los autores del vandálico acto. Sigue la mañana en Radio Nacional de España, Radio 5, todo noticias...».

Anochece. El encargado ya se ha ido. Ernesto, desde su cabina en lo alto de una grúa del puerto de Downtown, en el bajo Manhattan, sumerge en el agua un contenedor de carga vacío y sin tapa, un contenedor de los del puerto que ha enganchado a la grúa con unas cintas. Espera unos minutos, mira el horizonte, que hoy está algo quebrado, después le da a la palanca que eleva el contenedor y éste emerge lleno de agua hasta el borde como una piscina sucia. Por las juntas y pequeños agujeros de ese cubo metálico comienzan a salir chorros de agua de la manera en que ocurre en un colador y, al final, en el fondo, quedan boyas pinchadas, trozos de madera, latas vacías, maromas rotas, otras clases de objetos, y los peces. Como en los contenedores de carga y descarga siempre quedan restos de mercancía, los peces acuden a ellos en masa; el trigo es lo que menos les gusta; la carne salada de vacuno, lo que más. Agarra unos cuantos que aún saltan, los mete en una bolsa de deporte Atlanta '96, y el resto lo devuelve al mar. Cada 2 o 3 días repite esa operación. Ernesto es original de la isla de Kodiak, sur de Alaska. Sus familiares fueron, en 1957, los primeros puertorriqueños que emigraron a territorio alaskeño para trabajar, inicialmente, como pescadores, y más tarde montar un bar de comida puertorriqueña que no tardó en convertirse en una modesta pero rentable cadena circunscrita a ese territorio polar. Como a la edad de 7 años Ernesto ya mostraba gran interés por el dibujo técnico y las construcciones, se decidió que llegado el momento iría a la Universidad de Columbia, Nueva York, a estudiar Arquitectura. Así las cosas, con 17 años Ernesto se trasladó a Manhattan, donde hizo un par de cursos con resultados bastante buenos, hasta que se cansó y comenzó a trabajar manejando esa grúa en el mismo puerto al que el 17 de abril de 1912 llegaron los supervivientes del *Titanic* a bordo del buque *Carpathia*. Un trabajo muy bien pagado y considerado como privilegiado en los ambientes portuarios. Continúa apasionándole la arquitectura, pero no como obligación sino por puro entretenimiento. Se aloja en un modesto piso de Brooklyn, así que cada día tiene que cruzar el homónimo puente que conecta Manhattan con el Continente. Siempre que lo cruza piensa en el estrecho de Bering. Y en los peces que en la bolsa Atlanta '96 de vez en cuando avisan de su muerte con 2 o 3 coletazos.

En 1998, en el Museo Estatal del Trabajo y la Tecnología de Mannheim, Alemania, se desarrolló una exposición chocante y controvertida llamada Körperwelten, o El Mundo del Cuerpo Humano. En la exposición se exhibieron 200 partes corporales y figuras de tamaño natural. No eran exactamente esculturas ni cuerpos moldeados convencionales. Se trataba de cadáveres humanos de verdad, o de partes de cuerpos reales. El artista, Gunther von Hagens [también médico y profesor de Anatomía en la Universidad de Heidelberg], conservó y preparó los cuerpos mediante un proceso de embalsamado llamado *plastinación,* que proporciona firmeza y plenitud a tejidos y órganos corporales para que puedan exhibirse de manera convincente. Von Hagens dispuso una figura sobrecogedora, con todos sus huesos y órganos a la vista, y su piel arrancada y doblada como un ropaje sobre el brazo. A otro cadáver lo despojó de piel y carne, dejando sólo huesos y músculos. El cuerpo balanceante de un hombre estaba desmembrado, con las diversas partes colgadas de un hilo de nailon. Otro cuerpo pertenecía a una mujer embarazada de 5 meses y revelaba el feto en su interior. Von Hagens continúa *plastinando* cuerpos destinados a exposiciones en el mundo entero.

Lori B. Andrews y Dorothy Nelkin,
«Bio-coleccionables y exhibición corporal»,
revista *Zehar,* n.º 45, 2001

Jota y Sandra suelen quedar a las 7 de la tarde en el pub
que él frecuenta desde que llegó a Londres. Toman un par
de cervezas y charlan con los habituales. Sandra allí se ha
enterado de que en los ambientes artísticos de la ciudad a
Jota se le conoce por el Oncólogo. Una noche que bebieron de más, él se puso nostálgico y le contó que lo que más
le gustaba era jugar al parchís, y que en su región natal había sido profesional. Le habló entonces de un gran palacio
de cristal sólo dedicado a ese deporte, *esa ciencia,* decía él,
construido años atrás en las cercanías de su ciudad. Cuando lo contaba hablaba de una cúpula inmensa indemne al
frío y al calor, algo sublime que, como el vodka, sólo en la
estepa rusa podía darse. Se extendía glosando tipologías de
cubiletes, tableros, fichas, dados, tácticas y psicología apli-
cada, Un mundo complejo, Sandra, para la simplicidad
de 4 colores, le decía, Por eso pinté los chicles de la acera de
la entrada a tu museo de esos 4 colores, los del parchís,
porque el parchís y la evolución de las especies que ahí es-
tudiáis tienen mucho que ver: ambos están basados en 3
o 4 reglas muy simples, y sin embargo son complejos ejer-
cicios de supervivencia, y es que ¿sabes una cosa?, el aje-
drez, por ejemplo, es un deporte muy sencillo porque en
algún sitio todas las partidas están ya escritas, sólo hay que
analizarlas con una computadora, pero el parchís se fundamenta en la tirada de un dado y esa emersión del azar a lo
real es lo más complejo que una persona pueda llegar a
imaginar. Entonces ella alzó la jarra y brindó. Esa noche
pusieron por primera vez el colchón bajo la panza de T-Rex,
costumbre que fueron adquiriendo.

Si dejamos de mirar el paisaje como si fuese el objeto de
una industria podremos descubrir de repente una gran
cantidad de espacios indecisos, desprovistos de función, a
los que resulta difícil darles nombre. Este conjunto no pertenece ni al dominio de la sombra ni al de la luz. Está situado en sus márgenes: en las orillas de los bosques, a lo
largo de las carreteras y de los ríos, en los rincones más ol-
vidados de la cultura, allí donde las máquinas no pueden
llegar. Cubre superficies de dimensiones modestas, tan
dispersas como las esquinas perdidas de un prado [las cu-
netas]. Son unitarios y vastos como las turberas, las landas
y ciertos terrenos yermos surgidos de un desprendimiento
reciente. Entre estos fragmentos de paisaje no existe ninguna similitud de forma. Sólo tienen una cosa en común:
todos ellos constituyen un territorio de refugio para la bio-
diversidad. En todas las demás partes ha sido expulsada.
Propongo el nombre de Tercer Paisaje. Tercer Paisaje remite
a Tercer Estado [no a Tercer Mundo]. Es un espacio que
no expresa ni poder ni sumisión al poder. Se refiere al
panfleto de Sieyès de 1789:
    «Qué es el Tercer Estado?: Todo.
    ¿Qué ha hecho hasta ahora?: Nada.
    ¿Qué aspira a ser?: Algo.»

Manifiesto del Tercer Paisaje, Gilles Clément,
edit. Gustavo Gili, 2007

28

Una mañana de mayo de bastante calor, Marc se encontraba durmiendo cuando oyó cómo se abría la puerta por la que se accedía a la azotea. En un principio no se inmutó, sólo despegó unos centímetros las sábanas del cuerpo en respuesta a un estímulo de alerta. Tras unos instantes, comenzó a oír pasos, pero no avanzaban, sino que parecían caminar de adelante hacia atrás; a veces en círculos. Se levantó y abrió de golpe la puerta. A través de los folios cubiertos de fórmulas que mediaban en los tendales quedaron enfrentadas su figura, enclenque y sólo cubierta con unos calzoncillos, y la de un hombre en el otro extremo de la terraza. Se miraron en silencio. Era alto, muy alto, con barba, y con los ojos separados como los de un pez; se metió las manos en un espeso abrigo de *tweed* y avanzó hacia la puerta de la caseta bajando la cabeza cada vez que pasaba bajo algún cable. Hola, dijo Marc. El hombre no respondió, sólo levantó la mano con un movimiento pesado y desvió un poco su trayectoria para acercarse al borde de la terraza, Qué iguales se ven las cosas desde aquí arriba, dijo como si no se dirigiera a nadie. Marc insistió, Hola, ¿quiere algo? Comprobó que era bastante más alto de lo que inicialmente le había parecido, sobre todo cuando cogió una silla de plástico de jardín que Marc había rescatado del desguace de un chalet y se sentó en ella de la manera en que se sientan los mayores en las sillas de colegio, estreñido. Encendió un cigarrillo, no sin antes ofrecerle uno a Marc, que rehusó, y se quedó mirando fijamente las chapeadas paredes de la caseta. Marc entró, se puso algo de ropa y abrió un cartón de leche al que dio un par de sorbos justo antes de salir apremiado por la voz de aquel hombre, Muchacho, ¿sabes una cosa? Marc, con el cartón de leche en la mano, apoyado en la puerta, dijo, ¿Qué? Pues recuerdo una mañana, en mi casa de París, hablo del año 1961 o por ahí, yo estaba medio sentado en la cama, con la espalda apoyada en la pared, sé que tenía sintonizada una emisora que hablaba de no sé qué, y estaba con la vista fija en la pared de enfrente, en un tablón de madera mal puesto en el que yo había ido clavando con chinchetas fotos que me gustaban, recortes de prensa, entradas usadas de cines y conciertos, ofertas de varias marcas de comida, y cosas así, yo en aquel tiempo era pobre pero no pensaba en el futuro, los exiliados no vivíamos tan mal en París porque nos hacíamos pasar por estudiantes, París siempre fue una ciudad muy hospitalaria con los estudiantes, pero a lo que iba: aquella tarde yo miraba esa pared sin mirar, abstraído, no sé qué estaba pensando, quizá en una mujer, o en nada, y entonces en aquella maraña de fotos y recortes que tenía enfrente descubrí una línea hasta entonces inapreciable que recorría sinuosamente ese *collage* de arriba abajo, pasando por determinadas fotos, letras, fragmentos, de manera que siguiéndola se te revelaba una composición hasta entonces oculta. Y esa imagen suma constituyó el hilo conductor de las que después se convertirían en mis 2 grandes obras maestras, Rayuela A y Rayuela B, o lo que es lo mismo, *Rayuela* y mi Teoría de las Bolas Abiertas. Marc le preguntó de inmediato, ¿Rayuela B, Teoría de las Bolas Abiertas, qué es eso? Pues, contestó, A medida que escribía una obra llamada *Rayuela,* paralelamente elaboraba una teoría que daba cuenta en clave matemática de cada uno de sus fragmentos, lo que después llamé Teoría de las Bolas Abiertas o Rayuela B. Sí, muchacho, partiendo del hecho de que cada persona está constituida, además de por su propio cuerpo, por el espacio esférico inmediato que le rodea, esfera en donde se dan toda clase de flujos empáticos, simpáticos y antipáticos, así como el alcance de la respiración, la intrusión de las respiraciones de otros, los sonidos de quienes hay en su entorno, olores e intuiciones primarias, etcétera, podemos definir a la especie humana como un conjunto de bolas abiertas que a veces se intersecan y otras se repelen. Pero esta Rayuela B me la guardo para mí, muchacho; esto no se enseña. Marc se queda pensativo, el hombre se levanta y le dice señalando con el cigarro el *collage* de las paredes de la caseta, Observa bien, muchacho, hay mucho material ahí, mucho material. Marc, emocionado, echa otro trago al cartón de la leche y le dice, Oiga, ¿y sabe usted lo que es la Soledad Fermiónica? Y el otro, sereno y sin dudar, No fastidies, muchacho, no fastidies. Se fue sorteando los tendales. Antes de desaparecer se subió las solapas del abrigo. Marc se quedó un buen rato mirando las partes traseras de los coches que bajaban la avenida de dirección única que enfila al mar. Pensó que ninguno puede ni podrá remontarla, también pensó en el Mundial que nunca hemos ganado, en que la música de *El acorazado Potemkin* es una versión del «Purple Haze» de Jimi Hendrix. Echó en falta no haberle enseñado la *Guía agrícola Philips 1961,* donde se explica cómo construir casetas con trozos de latas.

Alan Turing, que después participaría en la generación de los primeros ordenadores propiamente dichos, describió los principios de otra máquina tan hipotética como «soltera», sin otra función que una de orden más bien filosófico. Pero, además de plantear interrogantes que siguen vigentes respecto a la inteligencia de las máquinas y al fundamentalismo axiomático de la lógica simbólica, Turing se adelantó a su tiempo al proponer un modelo teórico de lo más simple [basado en decisiones entre *síes* y *noes*, entre *unos* y *ceros*] para una máquina «universal» capaz de emular cualquier otra clase de máquina. Lo que después se ha llamado un «metamedio»: un medio que [sin serlo en sí], según las instrucciones recibidas, puede simular a otros medios anteriores o incluso a medios sin una encarnación física.

Eugeni Bonet, «El cine calculado»,
revista *Zehar,* n.º 45, 2001

A veces los ritmos de tus canciones tienen relación con los ritmos del entorno, ya sea la naturaleza o la ciudad. Otros son muy íntimos y parecen acompañar a los ritmos del cuerpo, del corazón...: Hay algo de eso porque muchas de mis canciones tienen 80 bpm, que es el ritmo del corazón cuando estás caminando. Yo escribo casi todas mis canciones cuando estoy paseando, así que hay algo de eso *[ríe]*. Pero no es una cosa que quiera hacer deliberadamente, que sea consciente.

Entrevista a Björk,
El pop después del fin del pop, Pablo Gil,
Ediciones Rockdelux, 2004

La casa de Maleva se ubica en el centro de la ciudad, tercer piso de un bloque indistinguible de sus adyacentes.
Mihály contempla un instante la cortina de agua que cae
por la fachada de ladrillo vivo antes de tocar el timbre. Se
ajusta el grueso jersey de rombos rojos y verdes que conserva de las partidas que llegaban de la extinta URSS,
siente los pies fríos dentro de las botas recién compradas;
caucho por fuera, borreguillo por dentro. Pensó que para
ser una primera cita, como prueba de fuego, había que ir
vestido de manera normal. Desde aquel primer contacto,
la anterior semana en el cuarto de Estudios de Medicina
Dialéctica, no había vuelto a verla. Insiste en el timbre
pero no hay respuesta. Permanece media hora parapetado
en el portal del edificio de enfrente; piensa que quizá no lo
hubiera oído, quizá estuviera en el váter, quizá arreglándo-
se, quizá hubiera apuntado la dirección mal. Antes de irse
timbra una vez más. Se aprieta el abrigo y regresa a pie al
hospital. Mientras se aleja, cierta clase de intuición ciruja-
na le dice que su primera oportunidad con Maleva ha sido
la última.

Debido a que nada que porte información puede ir más rápido que la velocidad de la luz, existe lo que los cosmólogos llaman *horizonte de sucesos,* el punto más allá del cual no podemos aún conocer lo que ocurre. Señales de luz que se emitieron hace millones de años y de cuya existencia aún tardaremos en saber. Pero ese horizonte no es plano, sino una extensa superficie que esféricamente nos rodea, una bola cerrada e impermeable hasta que indique lo contrario una simple fórmula que liga la velocidad con el tiempo. En ese momento la nada se materializa en todo, e Ingrid Bergman se echa a llorar cuando en el rodaje de *Viaje a Italia* encuentran a una pareja abrazada entre la lava de Pompeya. No estaba en el guión ese *horizonte de sucesos,* pero había alguien allí para filmarlo, traspasarlo, elevarlo a ficción. El artista Damien Hirst le dice a la prensa, «mi obra lo único que demuestra es la imposibilidad física de la muerte en la mente de alguien vivo».

Ernesto, autopostulado en lo alto de su grúa, sumerge el contenedor vacío en las aguas de la bahía. Tras unos minutos de espera lo eleva y baja a toda prisa a buscar la pesca. Hoy ha encontrado también la portada de una Biblia, que guarda en el bolsillo de la parca militar porque le hace gracia. Tras la selección de unos cuantos peces apaga la grúa y echa a andar hacia la parada del bus [*la parada del pez,* como él la llama], situada muy cerca, en Park Row. Sentado bajo la marquesina, el pez no tarda en llegar, sube y se cierran a su espalda 2 puertas hidráulicas que hasta por el sonido le recuerdan a unas agallas. Solos él y el conductor, mientras cruzan el puente de Brooklyn recuerda que siempre pensó en que alguien debería construir un puente que conectara los apenas 100 km que separan Alaska de la antigua URSS a través del estrecho de Bering. Cuando tenía 9 años, Pegg, la primera niña de la que se enamoró, había salido con su padre de pesca y, a pesar de las enérgicas prohibiciones de la Ley de Costas y Aguas Internacionales, llegaron a Providenija, Unión Soviética. Nunca nadie se explicó por qué, pero allí se quedaron. Echa la vista atrás para mirar los altos edificios, los áticos iluminados, y después mira al mar, cuya oscuridad penetra en la del cielo. Al llegar a su portal saluda a la vieja del entresuelo, que sale a tirar una bolsa de basura en la que se apilan sacos arrugados de pienso para cerdos. La vieja vive con uno desde que vio por la tele que los tejidos, y en especial el corazón, de ese animal son los que más se parecen a los del ser humano; en su soledad, dice, el bicho la hace sentirse comprendida. La casa está húmeda, enciende la calefacción, se pone un chándal Atlanta '96 que compró a juego con la bolsa de deporte y comprueba el correo. Tiene un mensaje de sus padres, que si todo va bien, etcétera. Enciende la tele y baja el volumen a cero, le gusta ver pasar esas imágenes mudas, como en una ventanilla de un tren. Desenvuelve uno de los pescados y el resto los congela. Mientras lo desescama nota que en su interior hay algo sólido. Al abrirlo encuentra un dado, un dado de juegos. Es de plástico nacarado y tiene los puntos negros de las cifras 2 y 6 medio borrados. Lo guarda en el bolsillo del pantalón. Fríe el pescado y se pone a cenar ante la tele. De cuando en cuando alza la vista y se detiene en la pantalla sin voz, publicidad de neumáticos, imágenes de los marines en Irak, el anuncio de la reposición de *La Mujer Biónica,* que siempre se la pierde. Después se sienta delante del ordenador y se pone a trabajar en 2 de los proyectos arquitectónicos que se trae entre manos, *remakes* de obras ya conocidas, la Torre para Suicidas y el Museo de la Ruina. Antes de acostarse observa las sábanas de la cama. Las cambia a menudo pero, no sabe por qué, constantemente se ensucian, la huella de su cuerpo queda reducida a una difusa silueta grisácea, magnificada, como el abrigo de *tweed* de un gigante desaparecido. Entonces piensa que tampoco nadie sabe dónde se ubica la exacta frontera entre Rusia y Alaska.

Así que Julio va y escribe, *¿Encontraría a la Maga? Tantas veces me había bastado asomarme, viniendo por la rue de Seine, al arco que da al Quai de Conti, y apenas la luz de ceniza y olivo que flota sobre el río me dejaba distinguir las formas, ya su silueta delgada se inscribía en el Pont des Arts, a veces andando de un lado a otro, a veces detenida en el petril de hierro, inclinada sobre el agua. Y era tan natural cruzar la calle, subir los peldaños del puente, entrar en su delgada cintura y acercarme a la Maga que sonreía sin sorpresa, convencida como yo de que un encuentro casual era lo menos casual en nuestras vidas, y que la gente que se da citas precisas es la misma que necesita papel rayado para escribirse o que aprieta desde abajo el tubo dentífrico. Pero ella no estaba ahora en el puente.*

Y a renglón seguido,

Definición de Bola Cerrada: *Una bola B del espacio R^n es cerrada si su complementaria $(R^n - B)$ es abierta.*

Ambas son consideradas conjuntos disjuntos en ese espacio R^n, aunque puede llegar a definirse un espacio difuso tal que en él ambas bolas se intersequen.

Sandra, ¿sabes una cosa?, le dijo un día Jota, En aquel palacio de cristal dedicado al parchís hay una radio que un obrero por descuido dejó encendida. Me han dicho que los nómadas pasan y una voz extranjera, que reverbera en las estancias vacías, les hace compañía hasta muchos kilómetros más allá, donde la escuchan los días que el viento sopla a favor. No me lo creo, responde Sandra. Pues es verdad; por cierto, he visto que reponen de nuevo *Viaje a Italia* de Rossellini en sesión de madrugada, ¿vamos? Sandra lo piensa unos segundos, y dice, No, me temo que será un rollo.

Marc conoció a Josecho a través de Internet, en una página web de moda. Lo que le atrajo a Marc de Josecho es que, según aseguraba esa web, fuera éste un exponente de una extraña literatura. Investigando un poco más supo que vivía en Madrid, que tenía 35 años, que admiraba a San Juan de la Cruz y a Coco Chanel a partes iguales, que practicaba la soledad con verdadero fanatismo y que también tenía por exponentes de auténticos fermiones [aunque él no los llamaba así], de una vida plena en soledad, a Nietzsche, Wittgenstein y Unabomber, sólo que él en su lista cambiaba a Cioran por Tarzán. Eso sí, del gran Henry J. Darger, aquel hombre que para Marc era el fermión absoluto, Josecho ni hablaba. También supo que observaba en las ciencias a la poética del nuevo siglo, y que, también igual que él, compartía punto por punto los versos de la canción de Astrud, «Qué malos son nuestros poetas». En esa página web también pudo descubrir que practicaba con furor una tendencia estética denominada por él mismo *narrativa transpoética,* consistente en crear artefactos híbridos entre la ciencia y lo que tradicionalmente llamamos *literatura.* Marc fue ganando curiosidad, sólo eso, pero lo que terminó por seducirle de Josecho fue saber que también vivía en una caseta construida en una azotea de un edificio de Madrid. Josecho, por su parte, nada más entrar en contacto con Marc por e-mail, se interesó por la Teoría de la Soledad Fermiónica, la cual consideró como un ejemplo casi en estado puro de *narrativa transpoética.* Marc le fue enviando, con cada mail, un archivo adjunto con las diferentes fases de su teoría. Cuando adquirieron más confianza, Marc le reveló que había conocido a otro transpoeta, un tipo alto y con barba, que en verano vestía un abrigo de *tweed*, que había desarrollado una teoría sumamente interesante denominada por sí mismo Teoría de las Bolas Abiertas o Rayuela B, pero que sólo lo había visto una vez, de pasada, y no sabía ni su nombre ni dónde hallarlo. Con el tiempo, Josecho le desveló varios de sus proyectos, que Marc consideró de suma importancia. El lazo fue estrechándose. Un día Marc no obtuvo más respuestas de Josecho. Insistió, pero nada. Así, desde hace un año.

Saigón, mierda, aún sigo solo en Saigón. A todas horas
creo que me voy a despertar de nuevo en la jungla. Cuando estuve en casa durante mi primer permiso, era peor, me
despertaba y no había nada, apenas hablé con mi mujer,
salvo para decirle «sí» a su petición de divorcio. Cuando
estaba aquí quería estar allí, cuando estaba allí no pensaba más que en volver a la jungla. Llevo aquí una semana,
esperando una misión, desmoralizado.

Apocalypse Now, Francis Ford Coppola

La ciudad de Ulan Erge está pasando por uno de los inviernos más duros que se recuerdan. La nieve alcanza los 8 m y en el hospital Mihály y sus compañeros tienen serias dificultades para abordar las operaciones quirúrgicas sin riesgo. Ayer, sin ir más lejos, una joven de 22 años entró en quirófano para una extirpación de parte del páncreas y salió también sin un trozo de nariz debido a congelaciones. Los albergues no dan más de sí. Mihály piensa a menudo en Maleva, se pregunta qué habrá sido de ella. En las avenidas vacías el frío cuartea la pintura de los grafitis, dándoles un carácter de imposible mapamundi. La ciudad, con la nieve a una altura de 3 pisos, parece más que nunca un embalse a media capacidad en el que despuntaran antenas y azoteas. Los semáforos siguen encendidos bajo el hielo y cambian de color dándole al suelo, sucio pero cristalino, un aire de fiesta vacía. Los fragmentos de edificios y bloques que aún quedan por encima de la nieve han sido cubiertos por unas grandes caperuzas de tela de algodón, construidas con sábanas rescatadas de los antiguos campos de concentración de Siberia y diversos hospicios, cosidas las unas a las otras; como no se lavaron, en esas telas hay de todo. Así que da igual estar bajo el hielo que por encima de él, porque en todo caso el horizonte es vertical y blanco, y nada se ve. La idea de esas caperuzas de algodón había sido de un conductor de autobús llamado Jodorkovski, que hacía una vez al mes la ruta que va de Ulan Erge a Berlín. Allí, en Berlín, año 1994, había asistido a un espectáculo que le había parecido impresionante. Un artista, al parecer muy famoso, llamado Christo, cubría el palacio Reichstag con una gran sábana blanca. Literalmente, lo empaquetaba. Dado que se podía visitar, a Jodorkovski le dio por entrar y comprobó que allí casi no hacía frío, y pensó al instante en esa solución para las bajas temperaturas que alcanzaban los bloques de edificios que simétricamente conformaban su ciudad; además, la tela blanca difundía la luz del exterior de tal manera que las estancias parecían ampliarse y clarear. Cuando hubo regresado lo contó y la emoción de las autoridades locales fue en aumento. Todo se gestionó rápidamente. Mihály toma un café en el *office* que hay junto al quirófano, piensa que quizá Maleva esté ahora en la planta baja de alguna casa, bajo el nivel del hielo, sentada en una silla ante el fuego de una chimenea escuchando una casete de Lou Reed, o quizá más arriba, cubierta por una caperuza blanca, inventando un horizonte. Él tiene suerte, vive en una de las habitaciones del ático del hospital, único edificio que dejan sin cubrir las cuestiones de aireación e higiene. Da el último trago al café y regresa a la sala de operaciones, otro crío con apendicitis. Ya son 15 en lo que va de año. Sabe ya lo que se encontrará, una cápsula de Yodo 125 radiactivo alojada en su apéndice.

Dentro sólo se oye el viento que afuera golpea la alambrada. Los libros están en sus estantes, los ordenadores cargados de programas, los platos de las cocinas limpios y perfectamente apilados, la carne intacta en las salas frigoríficas, los tableros de colores en las vitrinas y las fichas y cubiletes encubando teóricas partidas. Y una radio que un obrero se dejó encendida, «... la sucursal n.º 24 de Caja Madrid ha sido objeto hoy de un atraco, los ladrones se dieron a la fuga con un botín de medio millón de euros. También, en la ciudad de Girona ha sido atracada una joyería. Los ladrones, al parecer de una banda checa que opera en la costa mediterránea, rompieron a plena luz del día el escaparate con unos pesados martillos y se llevaron joyas por un valor de 1.600.000 euros, continúa la mañana en Radio Nacional de España, Radio 5, todo noticias...».

Marc, siempre que va al mercado que hay en los bajos de su edificio, regresa enojado porque quieren venderle productos etiquetados como ecológicos o naturales. A mí, señora, deme usted lo artificial, ¿es que acaso me ve vestido de campesino? ¿No se ha enterado usted aún de lo que es la *síntesis*? Como no tiene lavadora lleva la ropa una vez por semana a una lavandería, que está a un par de manzanas, llamada Pet Shop Boys, cuyo dueño, un gay treintañero que heredó el negocio, tiene todo el día a ese grupo en el hilo musical instalado nada más morirse sus padres. Siempre saluda a Marc con un movimiento de mano y le cuenta que ha pedido unas nuevas lavadoras, muy potentes y baratas, que fabrican en un país del Este cuyo nombre siempre se le escapa. Marc, mientras espera, mira el rodar del tambor, y cada día se sorprende pensando que lo que da vueltas ahí dentro no es ni más ni menos que su propia piel solidificada. Pero hoy ha pensado que esa mezcla de pieles es la destrucción de la Teoría de Conjuntos, la derrota de los órganos de un cuerpo.

Científicos de la Universidad de Southern California, Los Ángeles, han implantado una cámara de vídeo en los ojos dañados de varios ciegos que se prestaron al experimento, y les han devuelto la vista. La resolución de su nueva mirada es de 16 píxeles, suficiente para distinguir un coche, una farola o una papelera. En un principio pensaron que harían falta 1.000 píxeles, así que cuando los ciegos dijeron que veían relativamente bien con sólo 16 la sorpresa fue mayúscula. Los científicos no habían tenido en cuenta un dato: todos tenemos un punto en el ojo denominado «punto ciego», un punto a través del cual no vemos y que el cerebro inconscientemente rellena con lo que se supondría que debería haber ahí; lo inventamos, y solemos acertar. Es lo que nos permite ver la totalidad de una casa aunque nos la tapen parcialmente las ramas de unos árboles, o ver la carrera completa de una persona entre una muchedumbre aunque esa misma muchedumbre nos la oculte por momentos. Por eso a los ciegos les bastó con 16 píxeles: el resto de píxeles los pone la imaginación. En nuestros ojos hay un punto que lo inventa todo, un punto que demuestra que la metáfora es constitutiva al propio cerebro, el punto donde se generan las cosas de orden poético. A ese «punto ciego» debería llamársele «punto poético». De igual manera, en ese gran ojo que vendrían a ser todas y cada una de nuestras vidas hay puntos oscuros, puntos que no vemos, y que reconstruimos imaginariamente con un artefacto que damos en llamar «memoria». Puede que en realidad estén ahí ocultas las otras dimensiones, fantasmas y espectros que no percibimos y que vagan por el planeta Tierra a la espera de emerger como consecuencia de que alguien edifique una metáfora en ese punto ciego.

En el pueblo de Corcubión, como cada segundo domingo
de mes, se ha instalado la feria en la plaza y en calles ale-
dañas. Una estructura como de fractal con envolvente
elíptica en la que, básicamente, trafican los ganaderos y los
tratantes, y que tiene sus horas fuertes entre las 8 y las 11
de la mañana. Al lado se ponen los vendedores de ropa y
zapatos al peso; más lejos, ya en un ramal, los de la maquinaria y la herramienta agrícola, y en el centro de todo el
tinglado se plantan un par de carpas donde comen pulpo,
callos y beben vino visitantes y paisanos que cierran tratos.
Antón anda por entre los puestos y pasa de largo el tende-
rete de los ordenadores de segunda mano, que en ocasiones
frecuenta. Ando mirando de comprar un par de cuerdas para bajar al percebe, le dice a Amalia, que está detrás
del mostrador del esparto y derivados. Tras un breve rega-
teo, cierra la compra de 2 sogas de 15 mm de espesor y se
las carga a la espalda. Tiene los pies congelados. Un rayo
de sol le da en la nuca, curiosea en los puestos de ropa.
Termina comprándole a un peruano un grueso jersey de
rombos rojos y verdes y unas botas de plástico forradas
de borreguillo, ¡Cojonudo!, le dice mientras recibe el cambio. Entonces oye a su espalda, Coño, Bacterio, qué pasa,
vamos a tomar un vino, te convido. Se gira y reconoce a
Anxo, que lleva un gabán de plástico hasta los pies, y contesta, No, gracias, tengo prisa. ¡Pero hombre, tómate algo!
Qué va, es que no puedo, otro día, Anxo, otro día. ¡Pero
qué prisa tienes, Bacterio, no jodas, ¿es que ya andas otra
vez con tu desguace de ordenadores?! No hombre, qué va,
es que he dejado en casa el ordenador encendido, bajando

una peli, y quiero ir a ver cómo va, si llego tarde me entretendré y después tendré que preparar con prisa y mal todo el material para mañana, que salimos al percebe. Anxo posa su bolsa en el suelo y le dice, Ah, faenas mañana, bueno, bueno, pues nada, arranca para casa, pero antes mira, mira qué pelis le he comprado ahí al lado a un negro, una ganga. Y saca un fajo de DVDs de dibujos animados, Son para los críos, todo lo quieren, y tú, ¿qué película te estas bajando? Uff, es tremenda, la vi hace muchos años en la tele, y nunca más, *El último hombre vivo,* se llama, del 71, todos han muerto en Los Ángeles y Charlton Heston es el único que queda vivo, hay una pandilla de zombis que le acosan, pero como sólo salen de noche, durante el día él puede andar por las calles, y entra en las tiendas, que han quedado intactas, y coge lo que quiere, y cuando se le acaba la gasolina pilla otro coche cualquiera y ya está, es tremenda, hay unas imágenes aéreas de la ciudad semidestrozada, llena de papeles y basura, y él en un descapotable por esas grandes avenidas, que parecen como el mar, a toda hostia, sabes, es tremendo. ¡Ah, dice Anxo, Entonces como lo del *Prestige:* el mar deshecho y lleno de mierda! Calla, calla, no me hables, responde Antón, Yo casi te diría que estoy deseando que venga otro desastre; total, la pesca no se ha resentido y han entrado en las casas millones de euros de indemnizaciones. Hombre, claro, asegura Anxo, Tú y todos, bueno, Antón, pues a ver si nos vemos otro día y tomamos un vino. ¡Hecho! Y tira calle arriba hasta llegar al Ford Fiesta, aparcado en la cuneta del arranque del camino del monte que conduce a su casa, una pista forestal que se va cerrando no sólo por causa de la vegetación, sino por la niebla. Ya en casa, se prueba el jersey de rombos y las botas de borreguillo, ¡Cojonudo! Y lo deja todo junto a un montón de carcasas de ordenador apiladas y vacías. Los vecinos más próximos de Antón son Braulio, 200 m al norte, y la familia Quintás, a 150 al este. Entre medias, está el bosque. De unas casas a otras sólo se ve el rojo de las tejas. La ilusión de Antón sería vivir en un cubo de cemento muy cerca del acantilado, casi al pie, pero desde que salió la Ley de Costas ahí no dejan construir. Consulta el Emule; faltan 100 megas para que *El último hombre vivo* esté en su poder.

Desde que Ucrania y Kazajstán se separaron de la Unión Soviética, una franja de territorio ruso ha quedado entre ambas, y con ella, la correspondiente zona de oleoductos subterráneos que abastecían de crudo al sur de la URSS y que formaban parte, a su vez, de una red de rango superior que llegaba hasta Turquía, Irán y las estribaciones de China. Esto equivale a decir que tanto los rusos como los ucranianos y los kazajos han tenido que construir sus propias nuevas redes, y aquellas otras han caído en desuso. Y esto, a su vez, equivale a decir que existen miles de kilómetros bajo tierra de un geométrico laberinto de acero, plástico y hierro, totalmente vacío, con una pendiente mínima, que mide 6 m de diámetro y posee una temperatura constante de 3°C. Un serpentín con forma de manos entrelazadas o tentáculos que agarraran hasta Oriente Medio todo aquel territorio bajo tierra. Existe otro laberinto subterráneo, pero éste está abarrotado. En la frontera entre Francia y Suiza, sepultado a 100 m se halla el CERN, Consejo Europeo para la Investigación Nuclear. Científicos de todo el mundo hacen colisionar chorros de partículas a velocidades próximas a la de la luz para que viajen al pasado, al inicio del Universo, y brillen allí unos segundos antes de que remonten el tiempo trayendo información de aquella visión espectral, fortuita y moralmente neutra, que hemos heredado aunque respecto a ella sólo seamos entes ciegos.

Cuenta Philippe D'Arnot, en su *Historia secreta de la Segunda Guerra Mundial,* que cuando una mañana de enero el ejército ruso entró en Auschwitz, lo primero que hizo fue abrirles las puertas a miles de hombres, mujeres y niños que los nazis, antes de salir huyendo, allí habían abandonado. También cuenta que una vez todo se hubo desalojado, un cabo y un soldado descendieron a un sótano del cual parecía venir un temblor de luz, y encontraron a 4 famélicos sentados en la tierra en la postura del buda. Ensimismados, lanzaban un dado de números semiborrados sobre un tablero de parchís dibujado en el suelo con la punta de sus chapas de identificación.

45

Finales de septiembre, Ernesto llega a su piso en Brooklyn, enciende la tele, baja el volumen a cero. Destacan sobre los ruidos de la ciudad los gruñidos broncos del cerdo de la vecina; lo guarda justo debajo de donde él tiene su estudio; a veces oye cómo le susurra al oído. Se sienta a dar los últimos retoques a uno de sus 2 proyectos más golosos, la Torre para Suicidas. Esta construcción parte de la idea de que los miles de suicidios que al año se consuman en la ciudad de Nueva York, así como las tentativas frustradas, resultan demasiado dramáticos y engorrosos debido a no disponer la urbe de unas instalaciones adecuadas y debidamente organizadas. Así, lo dejan todo hecho un asco; sangre en las aceras, ahorcados a los que se les rompe la cuerda y hay que reanimarlos, cuerpos mutilados al paso de los trenes, y todo con el consiguiente perjuicio psicológico para las verdaderas víctimas, los que se quedan, obligados a contemplar semejantes espectáculos. Su torre consta de un ascensor que eleva al suicida desde una planta baja, donde hay servicio de capellán, cafetería, algo de comida rápida, gabinete psicológico a fin de afrontar el trance en las mejores condiciones mentales posibles, espacio para los familiares y enfermería por si el intento resulta frustrado, hasta la altura de un 8º piso. Y ahí sí que no hay nada: una sala blanca y vacía, y un hueco para el vuelo picado que da a un patio en el que al impactar el suicida contra el suelo se activan unas mangueras que expulsan agua y lavan tanto al defenestrado como el pavimento. También, justo enfrente de ese 8.º piso hay un muro perfectamente blanco para que el candidato no vea horizonte alguno [en encuestas realizadas a suicidas frustrados se ha

comprobado que la visión de un horizonte justo antes de tirarse es lo que les imprime renovadas ganas de vivir y abor-
tar la idea]. En los sótanos, se hallan dependencias destinadas a otro tipo de opciones: camas junto a abundantes botes
de somníferos, cuartos especiales con sogas colgadas de sus
correspondientes vigas, duchas de anhídrido carbónico, y
así. Ernesto está tan orgulloso de su proyecto que piensa en-
viarlo al Concurso de Arquitectura Compleja que anual-
mente se celebra en la ciudad de Los Ángeles, California.
Huele a pescado. En el horno se quema.

La mística tiene mucho que ver con el agua mineral con gas. Microesferas de aire que suben verticalmente a velocidad constante sin que les importe la *curvatura del Universo*. Un ascender que carece de correlato e imagen en el espacio-tiempo. La masa tiende a caer, y todo es masa, y todos somos y seremos masa, y quizá algún día haciendo colisionar 2 chorros de subatómicas partículas encuentren los físicos al fin el ansiado bosón de Higgs que dé cuenta de tanto peso que nos constituye y rodea. Sube a velocidad constante la burbuja de aire, fría y pequeña, aunque en el torrente sanguíneo te mate. Alguien tendría que pensar qué ocurriría si toda la nieve de las estepas fuera agua mineral con gas congelada, qué forma tendría el tiempo detenido en esas microesferas.

Josecho, ante un puñado de ejecutivos de la editorial New Directions y de la firma Chanel, reunidos en la caseta donde éste reside, sita en la azotea de la torre Windsor, Madrid, firma el contrato de edición y difusión que vincula a las 3 partes. Por algún motivo invisible a una coherente respuesta, Josecho, en el momento de la rúbrica, se acuerda de Marc, y de que hace casi un año que no le escribe. Josecho es de ese tipo de personas que se vitaminan tan sólo con mirar desde la azotea los tejados de Madrid, y con imaginar cambios en su geografía, topografía y, como en este caso, en sus vallas publicitarias. Una noche, hacía ahora 2 años, había visto claro lo que sería su próximo *proyecto transpoético*. Se trataba de concebir una novela, más bien un artefacto, hasta entonces nunca visto: tomando únicamente los inicios, los 3 o 4 primeros párrafos, de novelas ya publicadas, tendría que ir poniéndolos unos detrás de otros, haciéndolos encajar, de manera que el resultado final fuera una nueva novela perfectamente coherente y legible. Así, comenzar con las primeras líneas del *Frankenstein* de Shelley, y seguir con el arranque de *Las partículas elementales* de Houllebecq, y a éste, pegarle el primer fragmento de *La ciénaga definitiva* de Manganelli, y a éste, *Atrevida apuesta* de Corín Tellado, y a éste, *Sobre los acantilados de mármol* de Jünger, y a éste, *Mi visión del mundo* de Albert Einstein, y recorrer así más de 200 títulos de la literatura universal, *La Divina Comedia* incluida, para terminar con «en un lugar de La Mancha de cuyo nombre no quiero acordarme». Sabedor de la total falta de iniciativa de las editoriales hispanas, presentó el proyecto a varias norteamericanas, y los de New Directions, Philadelphia, se entusiasmaron nada más leerlo. El segundo paso en la estrategia de Josecho era hacer una campaña de marketing tampoco nunca vista hasta la fecha en la industria editorial. Sugirió a los ejecutivos de New Directions que inundaran el 50% de las vallas publicitarias de una capital occidental, sólo una, por ejemplo Madrid, con el anuncio del libro y una foto de él mismo posando con ropa y estilo típicos de modelo, todo ello esponsorizado por alguna importante marca de moda. La fusión entre narrativa y objeto de pasarela entusiasmó aún más a la editorial: la novedad del fenómeno tendría resonancias planetarias, y las ventas, por efectos puramente mediáticos, estarían más que aseguradas. Consideraron ese montaje como la perfecta obra de arte contemporáneo. Con atacar de forma espectacular en un solo punto de la red socio-informativa, en un solo *nodo,* en una sola ciudad, ya el resto lo harían las televisiones, las radios y el boca a boca. De manera que tras tantear varias firmas, Chanel fue la óptima, que ofertó, además de pagar los gastos de las vallas publicitarias, una colección de ropa troceada, inspirada en el libro, y sus consiguientes complementos: pendientes, broches, perfumes, etcétera. Tras muchas dudas y titubeos, Josecho dio por título al libro *Ayudando a los enfermos.*

El sonido de los pasos se amplifica en el interior del oleoducto vacío, de tal manera que su distancia de atenuación
es de 3 kilómetros aproximadamente en ambas direcciones. La razón es que dentro del tubo circular el sonido rebota casi perfectamente como si fuera la luz en una fibra
óptica, y su propagación resulta casi indefinida. Ayudados
de linternas y un detallado croquis del itinerario, que a
cada kilómetro se bifurca en 3 o 4 ramales distintos, 2 niños de 10 y 11 años caminan a 50 m bajo tierra atravesando el suroeste de Rusia en dirección a Kazajstán. Hace 3
días que partieron de Ucrania. Saben que no deben des-
pistarse, que muchos niños antes que ellos aparecieron en
el norte, en Volgogrado, y allí fueron apresados; otros, extenuados y sin alimentos, emergieron en alguna antigua
central petrolífera de las montañas del Cáucaso, donde
irremediablemente murieron entre altas chimeneas apaga-
das y el rebote de su voz en los silos de petróleo vacíos; incluso saben que en una ocasión unos se extraviaron de tal
manera que, creyendo avanzar, regresaron a Ucrania. En
uno de los cruces, donde la dirección correcta es señalada
por un sistema tipo código binario con la inscripción «Sí»
escrita a spray, se sientan a descansar y a echar un trago.
Tengo hambre, dice el pequeño. Espera un poco, sabes
que no podemos comer hasta llegar, aún quedan 4 o 5
días. Tras 15 minutos se ponen en marcha de nuevo. La
multiplicación del sonido de sus pasos provoca que siempre
les parezca ir acompañados por una turba de gente, por
eso nunca se paran, porque entonces sienten miedo. Tras
una jornada de 14 horas, a oscuras cenan un complejo

vitamínico en estado líquido preparado a tal efecto, se dan
las buenas noches y se tumban a dormir. Fingen la noche
donde siempre todo es noche, una redundante iteración similar a cuando nosotros soñamos que soñamos; pero de
signo justamente contrario.

Y Julio va y escribe, *Pero ella no estaría ahora en el puente. Su fina cara de traslúcida piel se asomaría a viejos portales en el ghetto del Marais, quizá estuviera charlando con una vendedora de papas fritas o comiendo una salchicha caliente en el boulevard de Sébastopol. De todas maneras subí hasta el puente, y la Maga no estaba. Ahora la Maga no estaba en mi camino, y aunque conocíamos nuestros domicilios, cada hueco de nuestras habitaciones de falsos estudiantes en París, cada tarjeta postal abriendo una ventanita Braque o Ghirlandaio o Max Ernst contra las molduras baratas y los papeles chillones, aun así no nos buscaríamos en nuestras casas. Preferíamos encontrarnos en el puente, en la terraza de un café, en un cine-club o agachados junto a un gato en cualquier patio del barrio latino. Andábamos sin buscarnos pero sabiendo que andábamos para encontrarnos.*

Y a renglón seguido,

Definición de Bola Abierta: *Sea «a» un punto de un espacio R^n y sea r un número positivo dado. El conjunto de todos los puntos de ese espacio R^n tales que la distancia entre un x y a es menor que r*

$$|x - a| < r$$

se denomina n-bola abierta de radio r y centro a. Designamos este conjunto por $B(a; r)$, que es aplicable a todo sistema, espacio o persona receptiva a toda búsqueda basada en un aparente azar.

¿Aún eres punk?: Eso creo, sí.

Entrevista a Bobby Gillespie, cantante y letrista
de Primal Scream, *El pop después del fin del pop,*
Pablo Gil, Ediciones Rockdelux, 2004

Mirar desde una azotea es ver todo el acúmulo de tejados y cubiertas planas que desordenadas borbotean en los vértices de cada edificio, papilas sensibles por las que los ciudadanos se conectan al mundo; antenas, cables, pluviómetros, musgos y microorganismos sólo dados en los ecosistemas de azotea. La mutación es lo que importa. Como cuando el mar se cubre de petróleo, y el ADN de la vida regresa al origen de la vida, el líquido del que salimos todos. A Marc le ha llegado esta mañana un apremio de desalojo. Los vecinos del edificio denuncian la ilegalidad de su caseta. Inmediatamente ha pensado en aquel tipo alto con el abrigo que se presentó y le soltó el rollo de Rayuela B y las Bolas Abiertas, Un celador del ayuntamiento con ganas de reírse un rato, piensa, Menudo cabrón. Murmura estas y otras palabras mientras hace un avión con la hoja del apremio y lo lanza al vacío de la gran avenida que va a dar al mar. Toma la *Guía agrícola Philips 1974,* la abre por la página 87, después coge un folio del tendal en el que había una demostración ya obsoleta y en su parte de atrás redacta el recurso-tipo, que copia de la *Guía:*

«En los artículos que van del 334 al 337 del Código Civil, se precisa qué objetos debemos considerar muebles o inmuebles. Al ser mi caseta un objeto *susceptible de ser transportado sin menoscabo de la cosa inmueble a que estuviere unido,* según dice expresamente el artículo 335 del CC, y no estando comprendido en la situación que el artículo 334.3 describe como, *de una manera fija sin que no pueda separase del solar sin quebrantamiento de la materia o deterioro del objeto,* entiendo que mi vivienda es totalmente legal.»

Cuando Mohamed Smith llega del colegio, su madre lo recibe de espaldas a la puerta, sentada ante la pantalla de su ordenador. Lo que más le gusta a Mohamed es el momento en el que él saluda y ella mira hacia atrás y le sonríe. Con el tiempo entenderá que eso es lo más parecido que se pueda asociar al concepto de *madre* o felicidad. Come en una pequeña mesa, a la derecha de ella, que continúa dibujando sus planos o pensando la casa portátil definitiva. Entretanto, John desempeña en la cocina del Rachid el mismo trabajo que antes hacía ella para que de esta manera pueda dedicarse por entero a sus proyectos. Entre cucharada y cucharada Mohamed mira la pantalla del ordenador y piensa en su madre como se piensa en un genio. Esta ingenuidad también con el tiempo entenderá que es lo más parecido que se pueda asociar al concepto de *madre* o felicidad.

Hay que suponer lo siguiente: no hay motivo suficientemente argumentado para sostener que las granjas de cerdos tengan que estar dispuestas en espacios horizontales, y
menos si el emplazamiento está situado en un territorio es-
tepario con un frágil ecosistema a preservar. Así lo argu-
mentó Vartan Oskanyan, joven armenio, granjero autodi-
dacta, quien tras dar vueltas por Europa y Centroamérica
terminó por regresar a su Armenia natal e hizo construir
un edificio de 8 plantas para albergar en él casi 900 cabezas de ganado porcino. Un edificio tal cual lo entendemos: pisos superpuestos con ventanas, portería, escalera de
emergencia, ascensor, montacargas, etcétera, en el que en
las 4 primeras plantas, compartimentadas en pisos convencionales, viven los cerdos que, en el afán de Vartan por
humanizarlos, deambulan por las habitaciones sin restric-
ción alguna. En la mitad superior, las 4 últimas plantas,
están las personas, unas 20 familias producto de campos
de refugiados y de sucesivas guerras desatadas desde me-
diados del siglo 20 en Oriente Medio. Entre todos cons-
truyeron el complejo con sus propias manos gracias a materiales cedidos por el Estado armenio. Las autoridades
armenias no saben que todos esos refugiados se quedaron
a vivir ahí; oficialmente todo en su interior es porcino. Las
cerdas madres están con los lechones y recién nacidos en el
4º piso, y esas crías van pasando a pisos inferiores a medida que van creciendo, hasta que llegan al bajo, donde estarán sólo las 2 o 3 jornadas previas antes de ser conducidos
al matadero. El porqué de todo este invento es meramen-
te pragmático: estando la explotación situada en una re-

gión de intenso frío, una manera óptima de tener casas confortables sin necesidad de electricidad es reconduciendo todo el calor generado por esos animales hacia paneles situados en los pisos de arriba. Por lo demás, con un buen aislamiento el problema de los olores está solucionado. Los gases inflamables producidos por los cerdos en los pisos inferiores se usan para calentar agua y generar luz. Todo ese confort y decente habitabilidad es el pago que Vartan Oskanyan les da a las 20 familias por cuidar del ganado. Además, con lo que sacan de la venta de los animales subsisten perfectamente, incluso les da para de vez en cuando hacer algún viaje por la zona. Vartan se ha reservado el piso más alto. Las noches tranquilas, cuando todos duermen, sólo se ve en toda la llanura la luz de su ático y sobreático, que adquiere entonces una apariencia de faro, los bajones de tensión del rudimentario pero seguro sistema eléctrico le dan un pulso de onda luminosa, y él pone un disco de Chet Baker comprado en una tienda de St. Germain, en la época en la que trabajó de camarero en París, y superpuesto a la trompeta oye el murmullo atenuado de los cerdos de los pisos inferiores, que dan golpes contra las baldosas, o resbalan escaleras abajo, o pegan mordiscos a unos pasamanos de madera ya casi en hierro vivo. A eso de la 1.30 de la madrugada, la luz del ático suele apagarse y sólo permanece encendida la del sobreático, apenas una caseta donde él guarda, colgadas en vertical por los hocicos, más de 3.000 pieles de cerdos rubios perfectamente curtidas. Las ordena por tamaños y tonalidades, las cuenta, las observa. En una esquina, sobre una mesa de dibujo con compases, cartabones, portaminas y un paralex, se entrecruzan varios planos de la zona trazados por él mismo. Ningún vecino sabe de tal acúmulo de pieles.

En el año 1970 moría en su casa de Chicago Henry J.
Darger después de haber escenificado quizá el episodio
más extraño y solitario de la historia de las artes. Se cree
que nació en Brasil en 1892. A los 4 años pierde a su madre, que muere en el parto de una niña que fue dada en
adopción. Henry nunca llegó a conocer a esa hermana.
Poco tiempo más tarde padre e hijo son ingresados en sen-
das instituciones mentales. A él se le diagnosticó una enfermedad que consistía en «tener el corazón en el lugar
equivocado». Nunca más vio a su padre. Durante la adolescencia, huye de la reclusión y aparece en la ciudad de
Chicago. Alquila un piso, y a partir de entonces nada se
sabe de él, salvo que sólo sale de casa para ir a misa, en
ocasiones hasta 5 veces al día, y que las únicas conversaciones que tiene con los vecinos son acerca del tiempo meteorológico, asunto que le obsesionaba desde que de joven,
en 1913, presenciara la destrucción de todo un pueblo en
Illinois por un tornado. Nadie sospechó el secreto que
guardaba aquel hombre vulgar y poco hablador en el estudio de su casa, estudio que abarcaba también parte del salón y la cocina.

55

Un día de septiembre, Harold, médico de profesión, de 32 años de edad, divorciado y sin hijos, natural de Boston pero afincado en Miami tras, precisamente, haberse divorciado y entender que necesitaba un cambio a aires más cálidos, está en su casa de una sola planta desde la que se ve la costa y un mar tan plano que parece mercurio. Juega al tenis con una videoconsola Atari del '79 conectada a la tele. La pantalla, totalmente negra, un punto cuadrado y blanco que hace de bola, y sólo 2 líneas blancas que se mueven de arriba abajo y simulan a cada jugador y su raqueta. Mediodía, la gente duerme o se baña, las persianas bajadas, silencio, y tras cada golpe de raqueta oye el esponjoso *doing* que le recuerda al latido de un corazón. Desde hace 3.5 años no para de jugar y devorar Corn Flakes con leche. Es la 78567 vez que es vencido por la tele. Se dirige a la cocina a por otro tazón de Corn Flakes, y observa que se le han terminado. Va hasta el garaje, donde guarda, tiradas en una esquina, multitud de cajas de cereales sin abrir mezcladas con otras vacías. Revuelve esa pila, se sumerge en ella, pero nada. Para su sorpresa, todas están ya consumidas. Metidas a presión en una de esas cajas vacías encuentra sus viejas zapatillas de deporte Converse. Las toma entre sus manos, huelen a musgo, y tras darles un par de vueltas en torno a sus ojos, se las calza, sale al jardín y se pone a correr al trote calle arriba. Lleva un pantalón chino de pinzas, un polo rojo y una cazadora de estilo aviador. Llega la noche y aún no se ha detenido.

En el Yam Festival de 1963, celebrado el 9 de mayo en New Brunswick [Nueva Jersey], Wolf Vostell organizó un *happening* que mostraba la alegoría de un peculiar funeral donde el muerto era la televisión. Durante el sepelio, Vostell envolvió el aparato de televisión en un alambre de espino y lo enterró «vivo» mientras continuaba emitiendo su programación. «El televisor fue sepultado, mientras que los sonidos de la señal podían ser escuchados durante un buen rato [...] Por un lado hubo visualización y entierro y, por el otro, el trabajo únicamente cerebral consistente en imaginar cómo ese objeto continuaba funcionando de una forma invisible.»

Vídeo: Primera Etapa, Laura Baigorri,
editorial Brumaria, Madrid, 2005

La verdadera culpa de que Josecho escribiera su novela *Ayudando a los enfermos,* y propusiera que el lanzamiento de la misma se hiciera por medio de anuncios en el 50% de las vallas publicitarias de Madrid, y que todo ello lo financiara la firma Chanel, no residía en obtener mayores ventas de lo habitual, ni en codearse con las modelos más deseables del planeta, ni, mucho menos, en pasar a la historia de la literatura, no, la verdadera culpa era de la Vespa 75 cc, color blanco, modelo Primavera, de un solo asiento [así se aseguraba de que siempre viajaría solo]. Era ésta la actividad que más le fascinaba: pasear en Vespa por Madrid pertrechado con una cazadora de plástico Graham Hill, gafas de sol patrulleras, casco con visera forrado de pegatinas y un iPod conectado a los oídos. Por eso, una vez se hubo lanzado el libro, cada día, a eso de la media tarde, cerraba el candado de su caseta en la torre Windsor, bajaba al parking, arrancaba la Vespa, que guardaba de incógnito entre 2 columnas, y salía para ver su rostro en foto presidiendo el día a día de los madrileños. De Orcasitas al Retiro, de San Blas a Chueca, de Moncloa a Carabanchel, de repente, todos los barrios de Madrid se igualaban porque en todos aparecía su cara. Antes de la medianoche regresaba a la caseta, satisfecho, y cenaba un par de lonchas de Pavofrío con pan integral y una lata de Mahou. Los hechos son ésos, pero, de todas maneras, esta explicación a su ansia por aparecer retratado en vallas publicitarias es demasiado superficial, obvia, hasta quizá inverosímil, cuesta creerla. Recientemente se ha propuesto otra: parece ser que fue a tirar una multa de aparcamiento recién puesta a una papelera urbana cuando, una vez metida la mano en el orificio, palpó lo que resultó ser un libro escrito en inglés, que guardó en la mochila para, una vez en la azotea, comprobar que era de una mujer norteamericana de Utah. El libro tenía en la primera hoja una dedicatoria de puño y letra de la propia autora que decía en inglés, «A quien lo haya encontrado. Ahora, si quieres, ya puedes tirarlo. Afectuosamente, la autora, Hannah». Movido por el interés fue traduciendo poema a poema. Se fijó especialmente en éste,

Qué pura es la soledad de los anuncios por palabras
[la valla publicitaria es otra cosa: no hay
    soledad en un mundo ocupado por un solo objeto]
y la de los días del calendario
y la de las fotos de algunos corchos de algunas oficinas
y la de las teclas de los personal computer
y la de los cajones del tocador de una mujer
y la de los elementos de la tabla periódica: recintos
sólo accesibles
                                    [de vez en cuando]
por sus correspondientes isótopos.

Quedó impresionado por los versos: la valla publicitaria es otra cosa: no hay / soledad en un mundo ocupado por un solo objeto, y entendió que era ésa una perfecta vía posible para salir de su monacal encierro, porque [y aquí radica el quid del asunto, el motivo por el cual había dejado de escribir a Marc, aun apreciándolo], en contra de las apariencias, en contra de lo pregonado por él mismo, no amaba la soledad, no, no amaba a Unabomber, ni a Cioran, ni a Wittgenstein, ni a Tarzán, sino que era profundamente infeliz viviendo en una azotea, sin un trabajo normal donde poder relacionarse y saludar por las mañanas, sin un bar en el que tomar café y un croissant y leer el As a diario, sin nadie con quien en verano acudir a las playas de

Alicante, condenado así a quedarse en un Madrid vacío y caluroso, en el que el único pasatiempo estival es ir, cuando cae el sol, a cines también vacíos que proyectan películas fuera de circuito, con esas butacas tan aisladas y frías como esas fotos de los corchos, esos días cuadrados del calendario, esas teclas de los *personal computer,* esos elementos de la tabla periódica, de los que el poema hablaba. Estaba claro que, como decía aquel verso, la valla publicitaria era otra cosa: no podría haber soledad en un mundo ocupado por un solo objeto. Y fue a por ello.

Es un resultado de la Teoría Especial de la Relatividad que en los cuerpos en movimiento el tiempo se dilata, de manera que si alguien sale en una nave a una velocidad próxima a la de la luz, y viaja durante, por ejemplo, un año contado por su reloj, cuando regrese a la Tierra comprobará que aquí han pasado cientos de años. Aquel reloj, la biología del que partió, su velocidad de pensamiento, el rebote de su mirada, todo, habría entonces sufrido un retraso respecto al terrestre en tanto duró el viaje. O la cabeza de la Estatua de la Libertad emergiendo de la arena en una playa donde hace cientos de años se hallaba el puerto de Nueva York, y Charlton Heston gritando, «Yo os maldigo, simios. Yo os maldigo». La fórmula que relaciona los tiempos de los 2 relojes es $T'/T = (1-v^2/c^2)^{-1/2}$. Pero esto, de ser así, conduce a la llamada Paradoja de los Gemelos. Quizá todos seamos desenfocados gemelos de todos, humanos que convivimos desfasados por viajes cercanos a la velocidad de la luz. Cuando esa luz se detiene, mueres.

59

Finales de octubre, Ernesto llega a casa, enciende la tele, baja el volumen a cero y se sienta a dar los últimos retoques a uno de sus 2 proyectos más golosos: el Museo de la Ruina. Convencido como está de que el futuro se halla en la observación del acabamiento, concibe ese museo como un edificio que, por su especial estructura y elementos constructivos, pueda derrumbarse en cualquier momento debido al mínimo peso de las obras que albergue en su interior. La gente podrá pasar por delante y cruzar apuestas de cuándo se caerá, apuestas que gestionaría el ayuntamiento de la ciudad en asociación con un consorcio. El museo tendrá que ser edificado desde fuera, con grúas modificadas a tal efecto y andamios flotantes que en ningún momento tocasen las fachadas. Aparta la vista del ordenador, se mete la mano en el bolsillo y saca el dado nacarado que salió de la barriga de un pez. Lo lanza sobre la mesa y sale un 6 que tiene los puntitos medio borrados, así que es un 1.

El medio ambiente tiene un problema a causa de los 2 animales más extendidos en el planeta: las vacas y los cerdos. Hay países eminentemente agrícolas que incumplen todas las recomendaciones del Protocolo de Kioto. El motivo son las flatulencias producidas por estos animales; puro metano. Una vaca criada no con pienso sino bajo los presupuestos de una alimentación ecológica emite a la atmósfera 90 kilos de metano al año, el equivalente en energía a 120 litros de gasolina. Hace no muchos años, en la década de los 90 del siglo 20, la Tate Modern Gallery de Londres llevó a cabo un estudio para averiguar qué estaba dañando más sus cuadros. El estudio arrojó que no eran los flashes de los nipones, ni las manazas de los niños malcriados, ni siquiera el propio paso del tiempo, sino las ventosidades de los millones de visitantes que acuden cada año. Las emisiones anuales de 10 vacas ecológicas pueden hacer andar un automóvil durante 10.000 kilómetros. *Hay que liberar todos los fluidos, ya sean líquidos o gases, que los humanos hemos ido comprimiendo aquí en la Tierra. Dejar que se expandan. Hay que abrir al mismo tiempo todos los grifos en cada una de nuestras casas, piscinas, pozos y redes de abastecimiento. Hay que abrir todas las llaves de paso de bombonas de gas, de depósitos de aire comprimido de maquinaria diversa, de neveras, de aires acondicionados, de gases medicinales de hospitales, de ventosidades del estómago, todo. Tarde o temprano ellos mismos lo harán. No tiene ningún sentido continuar poniendo trabas a eso que los cosmólogos llaman expansión del Universo.*

Después de casi 8 horas durmiendo, Vladimir, rubio, 11 años, despierta a Rush, su hermano pequeño, acaso su gemelo ya que en realidad ninguno sabe qué edad tiene. En el interior del oleoducto todo está oscuro, el eco de sus propias voces les devuelve una vez más la sensación de tener compañía. El olor a petróleo que aún impregna las paredes los mantiene en un constante estado de atontamiento que, existiendo un objetivo muy definido por alcanzar, se transmuta en la obsesiva necesidad de ir siempre hacia delante. Rush se queja de que le duele la barriga. En tanto desayunan el complejo vitamínico, Vladi le dice, ¿No oyes como unas voces que no son el eco? No, no oigo nada. Sí, Rush, escucha bien. Sí, bueno, oigo algo, pero es un efecto de las orejas, que me duelen. No, no, a ver, apunta con la linterna al techo. Enmarcado dentro del haz de luz ven lo que claramente es una trampilla circular de la que penden unas escaleras plegables, que de inmediato terminan de desplegar subiéndose el uno a los hombros del otro. Vladimir desenrosca la manilla, abre la tapa con suavidad y eleva con cautela sus ojos. Parece el hall de un hotel, grande y vacío. Termina de subir, iza al hermano y ambos enmudecen. Corren hacia las puertas, pero están cerradas; las ventanas, dobles y blindadas, también. Miran a través de los cristales y ven una estepa de tierra marrón y mucha nieve punteada hasta el horizonte por antenas y repetidores de radio y televisión; está amaneciendo. En la misma recepción una radio de bolsillo emite en un idioma que desconocen la voz que débilmente habían oído en el interior del oleoducto. Tardan varias horas en recorrer las zonas principales, salas de proyección de cine, comedores, cocinas, dormitorios y habitaciones insonorizadas en las que tableros de parchís expuestos verticalmente abarrotan estanterías. Al pasar por un lavabo el pequeño dice, Me duele mucho la tripa, voy al váter. Yo también. Tras unos minutos, Vladi primero, y Rush después, salen del lavabo con un cofre de plomo de 1 cm de longitud, que lavan y después abren. Dentro, en una cápsula bicolor leen *Iodine-125 Radioactive*. Sin mediar palabra, se las meten en la boca y ayudados con agua las vuelven a tragar. En la cocina abren botes de carne, leche y confituras de 4 colores que engullen hasta que se hartan, y caen rendidos en el colchón de una habitación con tele y un reloj digital que no entienden. Tras 9 horas les despierta la radio, vuelven a comer, y con prisa abren la trampilla para bajar al oleoducto. Antes de cerrarla por completo y continuar ruta, Vladi echa un vistazo al techo acristalado, en el que ve por última vez sus ojos reflejados. Su hermano, ni siquiera eso.

Entonces tu nombre era sinónimo de rock alternativo. ¿Te sentiste liberado cuando dejaste de «estar de moda»?: En realidad para mí era una aberración que se me vinculara con la mayoría de los grupos de aquella historia, así que no me lo tomaba muy en serio. Por eso tampoco me afectó cuando desapareció. Es como las moscas: pueden resultar irritantes, pero pronto se aburren y se largan a otro sitio.

Entrevista a Steve Albini, productor
y líder de Shellac, *El pop después del fin del pop,*
Pablo Gil, Ediciones Rockdelux, 2004

Harold ya ha ascendido por el estado de Florida para entrar en el de Georgia, traspasarlo, llegar al de Alabama y seguir corriendo. Desde que abandonara su casa prefabricada en Miami y el tenis de videoconsola, sólo corre sin haber aún regresado. Únicamente se detiene para dormir; todo lo demás lo hace en marcha. Cada vez que llega a un cruce se decanta por un ramal al azar, y traza así un camino sinuoso que visto en mapa recuerda al de la carcoma en la pata de una cama con forma de continente americano [recientemente, alguien ha señalado su parecido con las circunvoluciones de un cerebro]. Pantalón de pinzas chino, polo rojo, cazadora como de aviador y las viejas Converse en los pies. Ningún signo le indica que deba ni seguir ni detenerse, adopta aquella neutra solución del Principio de Inercia que ya postulara Newton: en tanto nada lo impida, toda cosa en movimiento continuará su trayectoria a velocidad constante. Ha cerrado su mente de la misma manera que la carne tiende a cerrarse tras una operación quirúrgica. Es ése uno de los secretos que más le atraían cuando en Boston ejercía de médico: ¿por qué el cuerpo, aunque lo sometas a encarnizadas operaciones, siempre tiende a cerrarse, a cicatrizar su herida, a crear de nuevo oscuridad dentro de sí mismo como si la luz, que fuera es signo de vida, allí dentro equivaliera a muerte? Ahora Harold corre, aumenta su masa corporal, y así, cada vez le será más difícil a la luz llegar adentro, al centro del cuerpo que una vez maculado ya no tiene remedio. Muy lejos, una pantalla en blanco y negro de televisor acumula esa luz y miles de partidas de tenis ganadas contra sí misma con un esponjoso *doing*. 3057 km recorridos, y ni un solo recuerdo.

Las caras de Bélmez son un fenómeno [habitualmente calificado como paranormal] que se produce desde 1971 en el
suelo de la casa de calle Real 5, Bélmez de la Moraleda [Jaén,
España]. Es uno de los llamados *fenómenos ocultos* más cono-
cidos de España, que ha dado lugar a una extensa bibliogra-
fía, y uno de los hitos de la sociedad española de finales del
franquismo. Internacionalmente, hay quienes lo han considerado «sin duda, el fenómeno paranormal más importante
del siglo 20».

La primera noticia sobre el fenómeno apareció publi-
cada en un diario local en noviembre de 1971 y fue en lo su-
cesivo tratada profusamente por los medios de comunicación
de la época. Una vecina de Bélmez, María Gómez Cámara,
aseguraba que el 23 de agosto de ese mismo año se había formado de repente, en el suelo de cemento de su cocina, una
gran mancha con forma clara de rostro humano. El esposo de
María Gómez, Juan Pereira, y el hijo de ambos, Miguel, decidieron picar el cemento hasta hacer desaparecer aquel dibujo que atribuían al capricho de la humedad. Sin embargo,
siempre según el relato de los protagonistas, reapareció días
más tarde en la nueva capa de cemento. Era un rostro aparentemente de varón, con los ojos y la boca abiertos y unos largos
trazos oscuros a modo de bigotes. En los días siguientes aparecieron en el suelo de la cocina y el pasillo de la casa nuevos
rostros que se añadieron al inicial, que aparecían y desapare-
cían, se desplazaban o se transformaban en otros, en un continuo movimiento que ha continuado hasta hoy día.

[http://es.wikipedia.org/wiki/Caras_de_Bélmez]

Segundo domingo de mes, Antón va directo al puesto de ordenadores reciclados que sin falta se instala bajo una carpa de la feria. Hombre, Bacterio, otra vez por aquí, cuánto tiempo, le dice el muchacho con una tarjeta de sonido en la mano. Sí, Félix, hacía tiempo, eh, a ver, qué tienes por ahí para mí. Pues precisamente te he guardado este lote de 2 386, 1 Pentium I, y 5 286 que me dieron a buen precio en el Hospital Xeral de Santiago. ¡Pues cojonudo! Me los llevo todos, a ciegas. Monta en el coche y tira monte arriba, hacia una pista cada vez más cerrada porque cada vez sale menos de casa. Además de un pequeño trozo de jersey de rombos rojos y verdes, una montaña de PCs es lo único que se ve dentro del Ford Fiesta. Una vez en casa, e instalado en su taller, desmonta las CPU de los ordenadores, tira las carcasas a un montón y extrae de cada una únicamente el disco duro, una pieza de color negro, compacta y rectangular, del tamaño de una agenda de bolsillo pero con mil millones más de información que una agenda de bolsillo. Toma un taladro de broca fina y atraviesa cada uno de esos discos duros con un agujero, por el que pasa un hilo de pescar, hilo al que, a su vez, le ata en el otro extremo una pequeña piedra. Apoya ese conjunto disco-piedra cuidadosamente sobre una pila de otros iguales en el suelo, al lado de la estufa de keroseno, y repite la operación con los 7 discos duros restantes. Después se sienta ante el PC para ver cómo va la descarga de la película *El último hombre vivo*. No tarda en escuchar bajo su ventana la voz de Eloy, su compañero percebero, ¡Antón, qué haces! ¡Nada, ahora bajo! ¡Venga, coño, deja de hacer el Bac-

terio y vamos a preparar los aperos! De camino a casa de
Eloy, toman un atajo que Antón dice conocer bien, disi-
mulado entre unos tojos que rodean a un puñado de eucaliptos. A los pocos minutos, Mira, mira, dice Antón, Ahí
está el hormiguero del que te hablé. Un pináculo de metro
y medio de altura hecho de finísima tierra deglutida y polvo de maleza. Joder, dice Eloy, Qué mogollón de agujeros
tiene. Coge una piedra y la lanza con fuerza. ¡No, no,
coño!, dice Antón, ¡No lo destruyas! En el momento del
impacto, una ondulante naturaleza hasta ese momento no
revelada se manifiesta en forma de red de puntos negros
que, nerviosos, vibran a velocidad constante. Eloy echa a
andar. Antón se queda unos segundos observando.

Entonces encontraron un cuerpo flotando en el lago, boca arriba, con el ojo derecho, el único que le quedaba, abierto y sin signos de aparente agresión humana. El volumen corporal, debido al agua ingerida, a los agentes químicos en suspensión que abarrotaban el lago y a la diferente fauna y flora que había tomado forma en los intestinos y otros conductos internos del fallecido, se había multiplicado casi por 2; en concreto, 1.87. La monstruosa obesidad de Marlon Brando en una selva vietnamita mientras una colección de mariposas tararea ante sus ojos «This is the end», el Taxi Driver que fracasa porque envía sus naves a luchar no contra los hombres sino precisamente contra los elementos, el *replicante* que al final resultó ser uno de los buenos, la cara de Ingrid Bergman cuando ve que el volcán Stromboli no vomita precisamente caramelo, aquel niño que dijo «en ocasiones veo muertos». Ya encontraron las armas de destrucción masiva, y sólo era una. Estaba alojada en el estómago del dictador.

Un viernes por la tarde Ernesto ve a lo lejos, donde las naves de almacenamiento se solapan con la túnica de la Estatua de la Libertad, un coche marrón oscuro; una silueta dentro. Ya desde que comenzó a anochecer se había fijado en ese coche porque de su interior salía un resplandor elástico, que iba y venía sin nunca llegar a propagarse ni a la extinción. Estaba seguro de que era el encargado, que vigilaba sus movimientos con la grúa, seguramente alertado por el chivatazo de algún compañero, así que ese día no consumó su habitual pesca de contenedor, sino que descendió de la grúa con tranquilidad, se cambió de ropa en la caseta, metió todo en la Atlanta '96 y salió en dirección hacia aquel coche, que le cogía de camino a la parada del bus. Hasta que casi no estuvo a la altura del automóvil no se percató de que no era el encargado quien estaba dentro, sino una desconocida, y de que el vehículo era de madera. Tosco, casi *picapiédrico* y construido sin matiz, tenía un tamaño estándar, quizá un poco alargado, y de lo que parecía ser el motor salía, en efecto, un resplandor. La ocupante, una joven corpulenta aunque bien dibujada, de tez clara y ojos oscuros, abrió la puerta, que cedió levemente en sus bisagras, y le dijo, Perdona que te moleste, ¿podría hacerte una pregunta? Ernesto no dijo nada, y ella continuó, Es que he visto estos días cómo pescabas, y me gustaría probar a mí. Ernesto en un principio no supo reaccionar, sólo dijo, Ah, bueno, vale, pues mejor mañana, ahora tengo prisa. Palabras que salieron de su boca con aplomo, seguro como estaba de que aquella demente al día siguiente no aparecería. Pero sí apareció. Poco antes de terminar el turno, ya se dibujó de nuevo el veteado del automóvil entre las naves de almacenamiento, estático, al ralentí, y el mismo resplandor dentro. Para cortar de cuajo con la broma, se dirigió a ella. La cara de la mujer, un esquema en la oscuridad, ni se inmutó cuando él le dijo, A ver, qué cojones quieres de mí. Y ella sale del coche, y dice, Perdona de nuevo, no quería incomodarte, acabo de llegar de Los Ángeles y no tengo dónde ir, ni nada para comer, y se me ocurrió que quizá podrías darme algo de ese pescado. Ernesto se disculpó de alguna manera y la invitó a acercarse hasta la grúa, a lo que ella dijo, Te llevo hasta allí en coche. ¿Y qué es ese resplandor que sale del motor?, preguntó él antes de meterse y cerrar la puerta. Es fuego, respondió, Es un coche de madera alimentado con madera, todo es madera, madera sobre madera, madera contra madera. Entonces Ernesto se fijó en que, en efecto, las ruedas eran de madera, los asientos, el volante, los colgantes, todo. Las ventanas no tenían cristales sino contraventanas, y en el interior del capó un motor quemaba madera a toda mecha. Lo construí, le dijo mientras ya sumergían el contenedor en el agua, Con tablones de encofrado de una obra, allí en Los Ángeles, por eso verás que tiene aún restos de cemento y de dibujos a lápiz de las cuentas de los albañiles, ¡eh, atento, mira cuántos peces salen! Pero, comenta Ernesto, ¿Quieres decir que has venido con ese trasto desde Los Ángeles? ¡Pues claro!, sí, hombre, créetelo, no es tan difícil, tuve que pilotar trazando una ruta en la que siempre hubiera bosques y aserraderos, un poco sinuosa, pero eso aquí, en Norteamérica, es fácil, al llegar a Nueva York sólo se me ocurrió venir al puerto, en estos sitios siempre suele haber palés de madera que los estibadores te dan para quemar, pero después faltaba por resolver el problema de la comida, me quedé sin dinero hace ya unos días. Ernesto resopló. Bajaron de la grúa e hicieron una selección a bulto. Él cogió 2 piezas pequeñas y ella cargó el triple en la parte trasera del coche. Se despidieron.

Ernesto, mientras se iba, miró hacia atrás. La vio inmóvil, con la vista fija en las llamas. Le gritó, ¡¿No te marchas?! ¡No, duermo en el coche; está calentito!

Saigón, mierda, aún sigo solo en Saigón. A todas horas creo que me voy a despertar de nuevo en la jungla. Cuando estuve en casa durante mi primer permiso, era peor, me despertaba y no había nada, apenas hablé con mi mujer, salvo para decirle «sí» a su petición de divorcio. Cuando estaba aquí quería estar allí, cuando estaba allí no pensaba más que en volver a la jungla. Llevo aquí una semana, esperando una misión, desmoralizado. Cada minuto que paso en este cuarto me hace ser más débil, y cada minuto que pasa, Charlie, como llamamos al Vietcong, se agazapa en la selva, se hace más fuerte.

Apocalypse Now, Francis Ford Coppola

Pero entonces, dice Jota a los 5 amigos y a Sandra, agrupados en torno a unas cervezas, Ocurrió lo que nadie esperaba, en la ciudad de Madrid, una enorme llama olímpica, un rascacielos denominado torre Windsor, comienza a arder a eso de las 11.30 de la noche, los bomberos no pueden hacer nada, la columna de humo se ve desde las ciudades adyacentes, el incendio persiste hasta el mediodía siguiente y miles de habitantes, después de comprar la prensa y el pan, se acercan a ver cómo se consume y retuerce el edificio en aquella soleada mañana dominical de febrero. Simultáneamente se está celebrando en esa misma ciudad la Feria de Arte Contemporáneo, ARCO, ya sabéis, y aquel día la afluencia de público a la feria baja un 50%. A ver, decidme, ¿qué prefirió la gente?, yo mismo os contesto, pues está claro que contemplar el edificio humeante, la verdadera obra de arte. Y si no, haced la prueba: si ahora, aquí, cualquiera encendiera un fósforo, ya veríais como, inconscientemente, todo el mundo dirigiría la vista hacia esa llama. Pero además, hay otro asunto, y cuidado, es un secreto, sé que fue una obra de arte porque la hice yo.

Y Julio escribe, *Oh Maga, en cada mujer parecida a vos se agolpaba como un silencio ensordecedor, una pausa filosa y cristalina que acababa por derrumbarse tristemente, como un paraguas mojado que se cierra. Justamente un paraguas, Maga, te acordarías quizá de aquel paraguas viejo que sacrificamos en un barranco del Parc Montsouris, un atardecer helado de marzo. Lo tiramos porque lo habías encontrado en la Place de la Concorde, ya un poco roto, y lo usaste muchísimo, sobre todo para meterlo en las costillas de la gente en el metro y en los autobuses, siempre torpe y distraída y pensando en pájaros pintos o en un dibujito que hacían dos moscas en el techo del coche, y aquella tarde cayó un chaparrón y vos quisiste abrir orgullosa tu paraguas cuando entrábamos en el parque, y en tu mano se armó una catástrofe de relámpagos fríos y nubes negras, jirones de tela destrozada cayendo entre destellos de varillas desencajadas, y nos reíamos como locos mientras nos empapábamos, pensando que un paraguas encontrado en una plaza debía morir dignamente en un parque.*

Y a renglón seguido,

Definición de punto de acumulación: *Si un conjunto S está contenido en el espacio R^n, y el punto x pertenece a R^n, entonces ese x se llama punto de acumulación de S si cada n-bola abierta centrada en x, B(x), contiene por lo menos un punto de S distinto de x.*

Ejemplo de punto de acumulación son los puntos vértices, telúricos, de los objetos, tales como la punta de un pararrayos o de un paraguas abandonado.

Un hombre mayor pero no anciano que vive en el 6.º piso, 4.ª escalera, bloque P, está sentado a una mesa camilla. Ciudad de Ulan Erge. Mira hacia la ventana. La caperuza de tela de algodón, producto de la unión de infinidad de sábanas, que cubre el edificio le impide ver a través de los cristales. Este invierno, este hombre mayor pero no anciano ha tenido suerte, han coincidido sobre sus cristales bastantes fragmentos de sábanas con manchas sugerentes, alguna que otra frase escrita a tinta, incluso alguna silueta de cabeza y tronco, así como vestigios de residuos orgánicos de aquellos soviéticos que en los campos de concentración con esas sábanas se resguardaron del frío. Como están por fuera del cristal, esa segunda piel ni huele ni incomoda, y resulta un paisaje entretenido para los 6 meses de invierno a falta de la visión a cielo abierto. Es práctica habitual entretenerse en esas composiciones intuidas en las telas y, como cuando se mira una nube, aplicarles formas de objetos comunes, o bien construir historias sobre los hombres y mujeres en función de las manchas y secreciones que en ellas vertieron sus cuerpos, de tal manera que algunos vecinos se van juntando por turnos en los pisos y el anfitrión cuenta la historia de su paisaje señalando sombras, signos, manchas, mientras el resto escucha el relato atentamente ante una taza de agua caliente con vodka y azúcar.

Las gotas de la primera tormenta de otoño golpean contra la uralita de la caseta. Marc, tumbado en la cama, mira al techo. Piensa en Henry J. Darger. A Marc, la obsesión por Henry J. Darger, ese hombre que encerrado en su casa de Chicago había escrito y pintado la obra más extraña de la historia de la literatura, ese hombre a quien Marc tiene por el fermión absoluto, el solitario por antonomasia, le había sobrevenido a raíz de un CD que le había regalado Sandra de Sufjan Stevens, en concreto, *The Avalanche,* y más en concreto, por la canción «The Vivian Girls are Visited in the Night by Saint Dargarius and his Squadron of Benevolent Butterflies». A Sufjan Stevens Sandra no lo conocía hasta que por casualidad lo vio en Londres, en una actuación en directo; presentaba su último disco. El cantante llevaba una camisa de gasolinero de Texaco, pantalón vaquero y unas grandes alas de mariposa a la espalda moteadas de purpurinas y extraños colores, que se movían cuando él rasgaba la guitarra; varios ángeles atados con cuerdas se balanceaban por el escenario con pequeñas arpas mientras él envolvía todo eso en melodías *folk* del Medio Oeste. Cuando al día siguiente fue a comprar el CD, Sandra supo por el título de esa canción que en ella el músico recreaba el universo de Henry J. Darger. Inmediatamente lo metió en un sobre y se lo envió a Marc. Las gotas de la primera tormenta de otoño golpean contra la uralita de la caseta. Marc no hace nada, tumbado en la cama mira al techo. Suena repetidamente la canción «The Vivian Girls are Visited in the Night by Saint Dargarius and his Squadron of Benevolent Butterflies», donde en menos de 2 minutos se recrea el batir de alas de mariposas gigantes de colores pastel y purpurina, y el retoce de niñas semidesnudas adormecidas. Tanto en la canción como en la caseta se hace de noche.

Antón tiene la teoría de que en los discos duros de los ordenadores, toda la información allí escondida y digitalizada en ceros y unos jamás se pierde por mucho que se formatee el disco, sino que por un proceso espontáneo que con los años de desuso del disco convierte lo digital en analógico, puede verse físicamente materializada en una sustancia derivada, espesa y de color azul amarillento, llamada *informatina;* pura química de información con ADN propio. Dado que la información ni se crea ni se destruye, sólo se transforma, y dado también que el percebe es el único ser vivo que crece en una violenta frontera de la que recibe constantemente información del conjunto de todos los procesos naturales [de ahí su musculatura e intenso sabor], el sueño de Antón es poder traspasar toda esa *informatina* de los discos duros al percebe. Se multiplicaría su sabor, piensa, sin perder el aroma original marino, y ganarían en tamaño. Transmutar los ceros y unos de una foto de familia retocada con Photoshop, o de un mal verso esbozado con Word, o de una contabilidad gestionada con Excel, en puro músculo comestible.

Tras varios días sin saber de la mujer del coche de madera, ésta reapareció una tarde de viernes, justo cuando Ernesto había finalizado la pesca. Le saludó efusivamente, traía peor aspecto que el último día. Ernesto se mostró más comunicativo. Supo entonces que se llamaba Kazjana, sacó una botella de vodka del asiento de atrás, se liaron a beber y terminaron cruzando el puente de Brooklyn en el coche de madera en dirección a la casa de Ernesto. Allí prepararon el pescado y continuaron bebiendo hasta las tantas. Ernesto le contó por encima sus proyectos arquitectónicos, y ella que era artista, chechena, muy bien considerada en Europa. Había venido a Norteamérica a hacer un documental, se trataba de una película en la que lo significativo era recoger la reacción de las personas cuando la vieran pasar con el coche de madera, tenía todo el documento en vídeo, aseguró. El holandés Joost Conijn ya lo hizo en Europa, le dijo, Y yo quería probarlo aquí, en América la gente es diferente, será interesante comparar las 2 películas, pero el caso es que ya he terminado el dinero y no estoy muy satisfecha con el resultado; además, la fundación para la que hago el trabajo hace más de un mes que no sabe nada de mí, en fin, ¿conoces a Joost Conijn? No, jamás he oído hablar de él, comenta Ernesto mientras muerde la cola de un pescado que había quedado intacta en el plato. Continuaron bebiendo, pero ella más. Tragaba el licor y le decía a Ernesto cosas como, «es que a mí el licor no me va al estómago, sino a otro conducto que sólo los chechenos tenemos; ponme otra». Cuando al día siguiente se despertaron brillaba un sol frío de enero; fuera había nieve. La luz fileteó la cara de Ernesto cuando miró a través de las láminas de la persiana. Entre un Chrysler y un Pontiac, la nieve cubría el coche de madera, parecía que le habían robado una rueda. Kazjana dormía aún en el sofá, y él aprovechó para bajar a comprar donuts y café para el desayuno. Cuando una hora más tarde ella se sentó en la mesa y el humo de la taza le enmascaraba la cara, se partió de risa en el momento en que Ernesto fue por detrás hasta su silla e intentó hacerle lo que no había tenido valor de hacer la noche anterior, bajarle el tirante de la camiseta. Entonces ella le dio un manotazo que lo tiró y después le habló de un estrecho de Bering hecho de agujas de coser en vez de agua, y de un barco allí, en medio de olas de metal.

En las suaves llanuras de matorral que rodean a la explotación porcina de Vartan, sólo una carretera perfectamente asfaltada comunica el edificio con las tierras de Azerbaiyán, pasando antes por el Alto de Karabaj. A esa silueta de oscurísimo asfalto y líneas blancas discontinuas, las 20 familias que cuidan de los cerdos la llaman «la escuela», ya que fue en ella donde los ejércitos azerbaiyanos en sus coches 4x4 aprendieron a disparar en movimiento a los civiles que recogían matorrales utilizados para hacer fuego y tumbar sobre ellos al ganado. Los soldados cruzaban apuestas a ver quién podía acertar a las dianas humanas yendo más rápido. Tras la guerra, sin poblaciones ni soldados que le den vida, por esa carretera no pasa nadie. Las 20 familias a veces salen juntas a recorrer la carretera a pie, se arman de comida de cerdo en salazón, pan y vino, y se sientan a merendar en algún lugar siempre nuevo pero que es como si siempre fuera el mismo, ya que esa llanura es la exacta repetición de un paisaje euclídeo. Tras comer, cantan y bailan. A lo lejos, en ocasiones, se ve un burro caminando por una vía de tren en desuso. Incluso a veces han llegado hasta el Alto de Karabaj, donde hay una pequeña ciudad cosida a balas y sin habitantes, en la que sólo se conserva una sucursal de mensajería UPS con un solo empleado. Allí, Arkadi, el más viejo del grupo, se fijó un día en un cartel de una fachada de esas casas, en el que se leía la frase, escrita a brocha, «se vende sebo», pero estaba tachada, y justo debajo, «se vende lavadora», pero también estaba tachada, y justo abajo, sin tachar, «se vende casa». Ahora a toda esa zona la han clasificado parque natural.

Fue precisamente el viejo Arkadi quien, en una de esas excursiones, mientras el resto encendía el fuego para asar patatas y panceta, se tumbó a dormir en un lugar un poco apartado, sobre unos matorrales de una especie catalogada como protegida, y cuando despertó notó algo duro bajo su cabeza. Apartó las ramas con torpeza y encontró la carátula de un disco. Era el *Sargent Pepper's Lonely Hearts Club Band* en no muy buen estado. Dentro, ni disco, ni lombrices, ni tierra, ni *corazones solitarios* ni nada; vacía. Después de la merienda-cena regresaron, como siempre, entonando canciones y guiados por el sobreático de Vartan, punto luminoso que fluctuaba suavemente como una esponja de luz que los absorbiera. A veces los rebasaba un camión cargado de pieles de cerdo curtidas, guiado por esa misma luz.

Una característica clave de este tipo de posthumanismo es que, como su nombre indica, es una forma especial de humanismo. Como lo explica la Declaración Transhumanista del Extropy Institute: «Los transhumanistas llevan el humanismo más allá, al desafiar los límites humanos por medio de la ciencia y la tecnología, combinadas con el pensamiento crítico y creativo. Desafiamos a la inevitabilidad del envejecer y de la muerte, y buscamos continuar aumentando nuestras capacidades intelectuales, nuestras capacidades físicas y nuestro desarrollo emocional. Vemos a la humanidad como una fase transitoria dentro del desarrollo evolutivo de la inteligencia. Abogamos por utilizar la ciencia para acelerar nuestro desplazamiento de una condición humana a otra transhumana».

Eugene Thacker, «Datos hechos carne»,
revista *Zehar*, n.º 45, 2001

Steve es cocinero, administrador, ideólogo y regente del Steve's Restaurant, en Orange Street, Brooklyn, espacio que funciona como una especie de laboratorio de ideas. Polly, su mujer, sirve y limpia las mesas. En origen era un tugurio, y estéticamente lo sigue siendo, pero con el tiempo ha ido ganando fama y hoy por hoy hay lista de espera de hasta 3 y 4 meses para encargar mesa. Es habitual ver a Steve, corpulento y barrigón, entre los fogones con un abrigo de astracán casi hasta los pies que cubre sólo unos calzoncillos, dando voces a ninguna parte en tanto los clientes aguardan. Ni hay carta de platos ni se puede pedir. El cliente se sienta en una mesa de mantel de cuadros con unas vinagreras en el centro, sal, pimienta y una lamparita, y los platos van llegando. Los que más se sirven, según el humor de Steve, son: fotografías polaroid hechas furtivamente al cliente a través de un agujero practicado en la pared de la cocina, fritas y rebozadas en huevo, de tal manera que al retirar ese huevo aparecen los objetos y los rostros transformados. Otro muy servido son cables eléctricos, de los clásicos 3 colores [positivo, negativo y tierra], sumergidos en aceite con ajo del Líbano. Otro es libro de bolsillo en almíbar, que se presenta enroscado como un tubo dentro de un frasco, sumergido en el almíbar, donde el azúcar se adhiere sólo a la tinta de las letras para después cristalizar en relieves. Y por último, carpaccio de hojas de obra literaria maceradas a la pimienta, que pueden ser, según lo que Steve encuentre en el mercado de segunda mano: 1) *On the Road* de un tal Kerouac, o 2) la Constitución de los Estados Unidos de América, o 3) *Don Quijote de la Mancha* de Miguel de Cervantes.

También, ahora está ensayando CDs vírgenes al horno, que se arrugan y ampollan como una oreja de cerdo chamuscada, y se los sirve a los musulmanes que, por representación simbólica del mal, quieran entrar exorcizados de una vez por todas en el siglo 21. Todos los platos los presenta el propio Steve, que sale de la cocina con ellos en alto, a grito pelado. Unos acuden por contemplar lo que, aseguran, es una maravilla de la cocina teórica; otros, los más, por simple curiosidad, y no vuelven; y un grupo más reducido por considerar que allí se realizan obras de arte en tiempo real. Una vez al año, organizan una jornada de puertas abiertas, que consiste en que todo el quiera puede traer su propio plato teórico y presentarlo, y se dan premios y nominaciones. Las 12.30 de la noche, han cerrado. Polly está dentro de la barra tomando una ginebra con naranja, Steve se desabrocha el abrigo y se sienta en un taburete frente a ella, que le pasa la mano por el pelo. Hoy estoy roto, dice él mientras se deja atusar. El astracán del abrigo, entreabierto, se confunde con el pelaje del pecho. Venga, pequeño oso, vamos a dormir, dice ella. Él hace como que no oye. ¿Sabes, Polly, lo que me gustaría hacer de verdad? Dime. Ahora cocinamos objetos, pequeñas cosas que hay por ahí, pero ¿no te apetecería cocinar, por ejemplo, un barco, o un avión, o la ciudad de Nueva York, o un rayo de luz, o mejor aún, el horizonte? ¿Te imaginas cocinar el horizonte? Sí, Steve, claro que me lo imagino, tú podrías hacerlo, desde el primer día que te vi ya supe que tú puedes cocinarlo todo. Apagaron las luces y subieron al piso de arriba, donde se ubica su vivienda. Al día siguiente, lo primero que le dijo Steve a Polly cuando se despertó fue, Lo he visto, ya lo sé, lo tengo claro, ya sé cómo cocinar el horizonte.

¿Qué es lo más importante que has hecho con tu música?: Lo más importante es lo que dejas en la gente. La gente escribe cartas personales donde explican su relación con la música o con las canciones, cartas donde hablan de un período de su vida, de lo que hacían, de lo que les pasaba; y en ese tiempo salió tal disco, y todas sus vivencias y recuerdos están relacionados con ese disco. Se vuelven como grabaciones caseras de vídeo para la gente, algo que escuchan y que se llevan a la tumba. Eso es sin duda lo más importante, absolutamente, porque es lo que yo también obtuve de la música. La primera vez que escuchas un disco que te impresiona es una sensación que guardas toda la vida, es la experiencia más profunda que has tenido nunca.

Entrevista a Thom Yorke, líder y cantante
de Radiohead, *El pop después del fin del pop,*
Pablo Gil, Ediciones Rockdelux, 2004

79

Desde 1965 se sabe que el Universo se halla en expansión, ahora se ha descubierto que además se está acelerando, como si a grandes distancias existiera una antigravedad que, en vez de atraerlas, repeliera a las masas. Nadie sabe a qué se debe, por lo que esa antigravedad ha sido bautizada con el nombre de Energía Oscura. Lanzar una piedra al aire y que nunca regrese. Un anciano que cuanto más anciano menos arrugas tuviera. La lógica del náufrago y el mensaje en la botella, que se lanza para que no vuelva. Además, están los cuerpos que crecen indefinidamente, las parabólicas, las azoteas.

Jota se mudó pronto al apartamento de Sandra. Sólo una maleta. En aquella época, él le hizo unas cuantas observaciones que le fueron de bastante ayuda para su investigación; no eran datos técnicos, pero sí ideas tangenciales que ella reinterpretó a su propio lenguaje. Un viernes, cuando Sandra regresaba del Museo de Historia Natural, se encontró los arabescos de la pared empapelada del dormitorio dibujados con colores, diagramas, flechas y cosas así. A Sandra le hizo gracia, y le dijo que lo invitaba esa noche al concierto de Deerhoof, en la Sala Garage, pero él replicó, Es que precisamente hoy, por la mañana, he ido a la Tate a la exposición de Vik Muniz, la del vídeo de que te hablé; estaba llena de gente, así que me senté en el suelo, y al cabo de un rato un tipo se sentó a mi lado y comenzó a hacerme comentarios de las imágenes. Al principio me incomodó mucho, pero hizo unas cuantas observaciones absolutamente interesantes, y yo también me animé, así que estuvimos súper bien charlando. Se fue antes de que acabara la proyección, pero me dio su dirección y dijo que pasara cuando quisiera. Había pensado que podíamos ir esta noche; me apetece mucho. Sandra no pudo sino consentir el capricho de Jota. Dejó en el armario el menú que había pensado para el concierto y se puso una falda de paño, zapatos de medio tacón y las gafas de ver de cerca. Él, como siempre, el mono azul salpicado de pintura. La casa en cuestión estaba muy cerca del metro de Picadilly, el 6.º piso de un magnífico edificio neoclásico. El ascensor sólo tenía hasta el 5.º, donde se bajaron para subir después unas escaleras que les condujeron directamente a una única puerta sobre la que ponía 6.º. Abrieron y encontraron una azotea relativamente bien iluminada, y una caseta al fondo, de unos 20 m² con forma de L, y un hombre dentro, sentado de espaldas. 4 o 5 calzoncillos goteaban agua colgados de unas cuerdas; también de esas cuerdas colgaban, perfectamente ordenados y prendidos por pinzas, muchos folios escritos a máquina. Hola, medio gritaron. El hombre se revolvió, ¿Quién es? Soy yo, el de la mañana, el de la Tate. ¡Ah! Pasa, pasa. Era un tipo mayor, tirando a anciano y corpulento, vestido con un grueso abrigo. Se rascó la barba antes de estrecharles la mano. Tomó un par de banquetas y les conminó a que se sentaran. Casi nada cubría las paredes, levantadas con un ensamblado de latas y chapas. Hizo unos cafés. Charlaron animadamente en torno a una mesa, que era lo único que casi había allí salvo un camping gas, un par de platos, un colchón bastante nuevo, un libro que ponía en el lomo *Guía agrícola Philips 1971* y una radio. En un inglés impecable, les contó que había sido escritor y que, tras vivir en París, a partir de 1984 había deambulado por ahí hasta fijar su residencia en Londres. También les preguntó por sus trabajos y mostró mucho interés por ambos muchachos. Sacó algo de comida y vino y bebieron de más y lo pasaron bien. Antes de que se fueran les contó que su obra cumbre era una novela llamada *Rayuela,* pero que existía también una Rayuela B o Teoría de las Bolas Abiertas, que paralelamente había escrito y que guardaba para sí. Cuando se fueron, ya en la calle, miraron hacia arriba y él les saludó con la mano desde el muro barandilla. Instintivamente, al girar la esquina, Sandra y Jota se miraron, y ella le dijo que durante toda la noche había estado pensando que, en realidad, todo, incluso ellos mismos, eran hormigas bajo tierra, y que la ubicación de la verdadera superficie terrestre estaba aún por determinar.

Walter H. Halloran, uno de los jesuitas que colaboraron
en el exorcismo de un niño en San Luis [historia en la que
se basaron el libro *El exorcista,* de William Peter Blatty, y
la película de William Friedkin], falleció el pasado 1 de
marzo, a los 83 años, en Wisconsin, Estados Unidos. Halloran era un seminarista de 28 años en enero de 1949,
cuando asistió, junto a otros 4 sacerdotes, al padre William S. Bowdern, de la iglesia de San Francisco Javier, en
San Luis, durante el exorcismo de un niño de 11 años llamado Robbie. El niño tenía problemas de conducta extre-
madamente agresiva y sus padres le habían llevado a médicos y psiquiatras, pero todo había sido inútil. Pensando
que su hijo estaba *poseído* por el demonio, recurrieron al
arzobispado católico de Maryland y éste les remitió al padre William Bowdern. Las sesiones de exorcismo duraron
3 meses. Robbie se recuperó e hizo una vida normal, no
guardó recuerdos de la experiencia ni tuvo posteriormente síntomas de desequilibrio psíquico. La Iglesia católica
no reconoció que se tratara de un exorcismo genuino y el
caso llegó a deliberarse entre médicos y expertos, que llegaron a la conclusión de que había sufrido una enfermedad mental. Halloran mantuvo silencio sobre el exorcismo
hasta hace pocos años, cuando era ayudante del párroco
de la iglesia de Saint Martin of Tours, en San Diego. Recordaba vívidamente el caso y afirmaba que habían ocurrido sucesos inexplicables en el transcurso del ritual y que
el niño reaccionaba con agitación al agua bendita, a la co-
munión y al oír los nombres de Jesús, Dios y la Virgen
María. Señaló que el exorcismo de Robbie le había servido

para reafirmar su fe en la Iglesia católica. Reconoció también que había acudido con William Bowdern a ver la película, pero no les había gustado nada. Les pareció un típico producto de la factoría Hollywood, un filme de terror para hacer aullar a muchos de los espectadores.

Necrológicas, *El País,* 14-03-05

Dentro sólo se oye el viento que fuera golpea la alambrada. Los libros están en sus estantes, los ordenadores cargados de programas, los platos de las cocinas limpios y perfectamente apilados, la carne intacta en las salas frigoríficas, los tableros de colores en las vitrinas y las fichas y cubiletes encubando teóricas partidas. También una radio que un obrero se dejó encendida, «... y en internacional, millones de personas continúan haciendo cola para ver los restos mortales de Juan Pablo II. En Berlín, ante una gran expectación por parte de público y prensa, el conocido grupo de escritores británico The No Syndicate ha presentado la que es su quinta obra colectiva anglo-hispana, titulada *Heidi Street [El Regreso];* como ya es habitual en sus presentaciones, los miembros, que mantienen el anonimato, leyeron varios fragmentos y contestaron a algunas preguntas con unos pasamontañas negros que les cubrían el rostro, continúa la mañana en Radio Nacional de España, Radio 5, todo noticias...».

El modo en que encontraron, en 1972, el cuerpo sin vida de Henry J. Darger, en su apartamento de Chicago, tras haber estado prácticamente toda su vida sin salir salvo para ir a misa, en ocasiones hasta 5 veces al día, fue de una manera tan vulgar como en apariencia lo había sido su existencia. El casero vio que por primera vez en 47 años se retrasaba en el pago de la mensualidad. Se acercó hasta la calle Ford T e, inquieto, comprobó que Henry no contestaba al timbre. Como nunca había tenido que usar su llave en esos 47 años, la había perdido, así que fue la policía quien tuvo que abrir a patadas la gruesa puerta de roble. Lo que allí descubrieron tardaron años en poder describirlo: el cuerpo de Henry, sentado en un sillón de orejeras, orientado a un televisor encendido, con un libro entre sus manos y una Coca-Cola de litro abierta y sin gas, apoyada en el suelo junto a sus gafas. En su estudio, que abarcaba también parte del salón y de la cocina, hallaron una de las obras más obsesivas, voluminosas y completas de la historia de la literatura, de la pintura, de la música y hasta del cómic. Un manuscrito de más de 15.000 páginas mecanografiadas a un solo espacio, más de 300 acuarelas de colores pastel y dimensiones gigantescas, imágenes de santos, recortes de periódicos y un imposible dietario en el que anotó y comentó cada día sin excepción durante 10 años el parte meteorológico de la ciudad de Chicago, al cual se tomó la molestia de titular *The Book of Weather Reports,* lo que da una idea de que para él toda su vida era en sí una obra. Su novela se titulaba *The Story of Vivian Girls, in What is Known as the Realms of the Unreal, of the Glandeco-*

*Angelinnian War Storm, Caused by the Child Slave Rebe-
llion,* y las 300 acuarelas supuestamente la ilustraban. Un
relato épico en el que 7 niñas princesas del reino de Ab-
biennia, las Vivian Girls, luchan en un planeta imaginario
contra ejércitos de adultos glandelinians que esclavizan y
torturan a niños. En las acuarelas se combinan escenas de
una violencia extrema, niñas empaladas con las tripas fuera, o niñas en postura de tortura, con niñas desnudas y dis-
traídas correteando por campos de flores, armadas con
gigantescas alas de mariposa de color pastel y ribetes dora-
dos. Algo que llama la atención es que esas niñas están do-
tadas de un pequeño pene, van desnudas y únicamente llevan cubiertos los pies, con zapatos de charol y calcetines
bordados. Una de las teorías que intentan explicar ese detalle es que Henry J. Darger jamás había tenido relaciones
íntimas con una mujer por un obsesivo miedo a que fuera
su hermana, aquella que había sido dada en adopción y
nunca llegó a conocer. Otra teoría es que se inspiraba directamente en el cuerpo del Niño Jesús. Su obsesión por las
descripciones hacía que relatara exactamente en el libro
todas las batallas, que pusiera nombre a todos los cientos de
soldados, que describiera y dibujara los uniformes, las banderas, los caballos, las mariposas, y que hasta compusiera
las canciones de los himnos de los diferentes países y tro-
pas. Cuando lo hallaron muerto, sentado en su sillón de
orejeras, con una botella de litro de Coca-Cola sin gas apoyada en el suelo junto a sus gafas, el libro abierto que tenía
entre sus manos llevaba por título *Hagakure. El libro del
samurái.* En la tele, encendida, un Michael Jackson muy
niño le decía a un entrevistador que lo que le gustaba, mucho más que cantar, era tener amigos.

¿Cómo ha afectado a tu música haberte criado en una aldea?:
Vivir en un lugar bastante remoto me animó a usar mi
imaginación desde muy pequeña. Había pocos estímulos
exteriores al margen del campo, de manera que tenía que
crear mi propio lugar de juegos, mi propio entorno y hacerlo suceder en mi cabeza.

Entrevista a PJ Harvey,
El pop después del fin del pop, Pablo Gil,
Ediciones Rockdelux, 2004

El viejo Arkadi desayuna leche con azúcar y vodka en un cuenco, al cual echa también unos trozos de pan y sebo de cerdo para espesar. Agarra el tazón con las 2 manos, y con el rostro metido en ellas, sorbe. Piensa que le hubiera gustado haber tenido algún anillo en los dedos para que hiciera *clinc* al chocar con las cosas; una manera de limitar o dar forma al mundo. Salvo sus sorbos, todo es silencio en la cocina. Pronto los cerdos empezarán a pedir su ración a gritos. A la izquierda de los fogones, junto a un Cristo y unas fotos de sus padres, tiene colgada en la pared la carátula del *Sargent Pepper's Lonely Hearts Club Band*. Le ha puesto un marco que le dio Vartan, es dorado y tiene unos angelotes que miran en todas las direcciones. Son los que vigilan, le había dicho cuando se lo regaló. En esos 15 minutos que tarda el sol en salir, Arkadi suele mirar detenidamente los rostros que se arraciman en la carátula del disco. Le había tachado la cara a Karl Marx, el único a quien conoce, pero después le pegó encima el rostro, sacado de una foto, de su difunta esposa. La mira. Nunca se habían podido pagar el anillo de boda.

El horizonte no existió hasta que una persona se interpuso entre él y el siguiente horizonte; la silueta humana vertical sobre la horizontal definió la primera encrucijada, el elemental cruce de caminos que persiguen el cocinero al tirar las croquetas al aceite hirviendo, 2 hombres de negocios que se estrechan la mano y cierran un trato, el matemático que ensaya un signo igual entre dos ecuaciones. Hasta ese momento el horizonte era atemporal, ingenuo y neutro, por eso los aviones, que carecen de él, cuando vuelan parece que no pesan y van derechos de una nada a otra nada, en un tiempo sin imagen en su correspondiente espacio, por eso las burbujas del agua mineral inauguran su propio horizonte en su ascender vertical hasta que el agua se congela y en estado fósil quedan atrapadas.

La forma en que se conocieron Steve y Polly siempre les pareció a ambos muy peculiar. Ella circulaba por la autopista que une la ciudad de Nueva York con Long Island, cuando la retuvo un atasco; al parecer, un aparatoso accidente. Los coches avanzaban en un continuo parpadeo de acelerones y frenazos, y cuando Polly miró a su derecha observó que había un desguace de chatarra. Allí, un hombre vestido con un abrigo de astracán hasta los pies pegaba saltos encima del capó de un coche; a su lado, una pequeña multitud le escuchaba atentamente. Al día siguiente Polly leyó en las páginas de cocina de *The New York Times* un pequeño artículo en el que se decía que un cocinero llamado Steve Road había elegido un desguace de automóviles para presentar su último libro, *Prontuario de cocina para motor de coche*. Consistía, según el periodista, en una serie de recetas expresamente ideadas para cocinar, como el propio título indicaba, en el motor del coche, útiles para cuando se va de viaje y se quiere comer alimentos de calidad calientes sin tener que andar buscando restaurantes de comida rápida. Los alimentos, siempre allí se decía, una vez bien envueltos en papel aluminio, se colocan en una zona del motor que, según marcas y modelos, se detalla en el libro. Los tiempos de cocinado se cuentan por kilometraje recorrido, y hay hasta 53 recetas elaboradas con ingredientes básicos y fáciles de usar como patatas, zanahorias, pollo, vacuno, huevos [que han de meterse con cáscara], varios tipos de pescados de *corte* como atún y pez espada, y todo con el aliciente de que se cocina sin grasa ni salsas añadidas, resultando de esta manera una comida saludable. Al final del artículo también se decía que el cocinero en cuestión tenía un restaurante de *comida teórica* en la calle Orange, Brooklyn, llamado Steve's Restaurant. Al día siguiente Polly llamó para reservar mesa.

Harold ya ha ascendido por el estado de Florida para entrar en el de Georgia, traspasarlo, llegar al de Alabama, seguir corriendo hacia Kansas, Colorado, Dakota, Montana, y llegar a Canadá. 108.007 km y aún no se ha detenido. Comienza a constituirse en un fenómeno mediático. Los reporteros que quieren entrevistarlo tienen que hacerlo en marcha, porque mientras descansa, por las noches, ni admite preguntas ni quiere ser molestado. Existen muchas especulaciones acerca de cuándo se detendrá. Diferentes gremios se lo rifan: los comentaristas deportivos afirman tenerlo como el más importante *ultramaratón man* de la historia del deporte; los artistas dicen que nada tiene que ver con el deporte y que es el más genial renovador del Land Art; los ecologistas, que ni una cosa ni otra porque en sus pretensiones ni alberga batir marca alguna ni registrar en documento gráfico su carrera, sino que es un canto al desplazamiento no contaminante. Por su parte, la facción ecologista de Al-Qaeda dice ser la legítima representante de Harold en el mundo entero y anda en trámites para comprar sus derechos de imagen ya que este corredor no participa de la tecnofilia occidental, viaja con lo puesto y, sobre todo, en su frenética carrera hay una clara intención de huida de los Estados Unidos de América, origen del Mal por antonomasia. Ahora, tras 3 años corriendo a razón de 40 km diarios, ha llegado a Alaska, donde no le quedará más remedio que dar media vuelta y tirar de nuevo hacia el sur. Desde el coche de una televisión local le preguntan el porqué de tal carrera, y él responde, Cuando me divorcié me quedé hecho polvo, dejé la medicina y me largué a vivir a Miami. A los pocos días de instalarme fui al supermercado y compré una caja de Corn Flakes, la tradicional, y cuando llegué a casa vi que la fecha de caducidad de esa caja era exactamente la del cumpleaños de mi ex esposa. Volví al súper y pedí todas las cajas de Corn Flakes que tuvieran en *stock* con esa fecha de caducidad. Aparecieron al día siguiente con medio camión. Las acumulé en el garaje y llegué a la conclusión de que tendría que comérmelas todas a fin de expiar el fantasma de mi mujer: si me comía todas las cajas que caducaban el día de su nacimiento era como si sólo al terminarlas pudiera darse por finalizada nuestra relación, y sólo así todo apego melancólico y sentimental se esfumaría. Cada vez que masticaba destruía una caricia, un gesto, una agresión, todo: actos que en otro tiempo habían consolidado lazos entre ella y yo. Y me puse a jugar al tenis de videoconsola y a comer sin parar, hasta que un día, tras 3 años y medio, las cajas se terminaron y comprendí que era libre.

2 niños caminan por un territorio que desconocen. Llevan 2 días sin comer ni ver persona alguna. Ascienden una carretera de montaña, muy virada hasta donde les deja ver el círculo de niebla que les rodea. Empapados, pisan nieve. Es mediodía pero apenas hay luz. Buscan un refugio de pastores, una cueva donde guarecerse. A su espalda oyen el rugido de un motor, que precede unos segundos a los faros de un coche. Se detiene a su lado. Es un taxi blanco, un Mercedes, no antiguo pero sí anticuado. Dentro, 2 hombres; el que conduce y otro en el asiento de atrás. El taxista quiere continuar pero el otro, a quien el taxista llama *Señor A,* le obliga a frenar con un gesto de mano. Se apea, Pero ¿qué hacéis aquí, niños? ¿Adónde vais? No lo sabemos, estábamos de excursión y nos perdimos. El hombre, bajo, corpulento, rostro ancho, de aspecto anglosajón, les dice que suban. El taxista, entretanto, ha abierto su puerta, y sentado con las piernas fuera bebe vodka directamente de una botella. El taxi arranca, patina en la nieve. Los niños le preguntan que adónde van. El hombre les cuenta que es director de cine, griego, pero que hace muchos años que vive en América y que ha vuelto a Europa a encontrar una mirada perdida, a buscar 3 cintas de cine muy antiguas, de los también griegos hermanos Manakis, quizá las más antiguas filmaciones europeas que se conocen. Estuve hace poco en Sarajevo, les dice, Pero me di cuenta de que tenía que venir hacia el Este, hacia Ucrania, como si fuera el viaje de Ulises, ¿sabéis quién era Ulises? Los niños no abren la boca. El taxista tampoco. Él saca unos caramelos del bolsillo y se los ofrece; a pesar de

estar muertos de hambre, no los aceptan, Es que nos duele mucho el vientre, le dice uno, Sobre todo a mi hermano. El taxista pone la radio. Lo importante de una cámara de cine es que el ojo del que filma no se refleja en el
cristal del objetivo que separa los 2 mundos, el que se filma y el filmado. Al contrario que cuando miras un escaparate y te ves en el vidrio reflejado. La piel de un adulto
tiene un espesor aproximadamente igual al de una película de 16 mm, la de un niño al de una película de Super 8.
El taxista, con una mano en el volante, la otra en la palanca
del cambio y la botella sujeta en la entrepierna, pregunta,
Señor A, ¿a la derecha o a la izquierda? El Señor A no responde. A los niños los encontraron días más tarde, en un
camión que iba hacia el Oeste, metidos en los tambores de
unas lavadoras industriales que viajaban, entre otros destinos, a una isla del Mediterráneo. Después dijeron que estaban tan acostumbrados a los oleoductos que pensaron
en esos tambores de lavadoras industriales como en el lugar perfecto para dejarse llevar.

No deben los espejos estar en otra posición que no sea la vertical, no deben reflejar otro mundo que no sea el que se alza elevado en paralelo a las líneas de fuerza gravitatorias. Qué monstruosidad concebiría un espejo en el suelo, horizontal, que reflejara únicamente el vacío del cielo y su ausencia de horizonte, el espejo plano de los nadadores que por el rabillo del ojo sólo ven techos falsos. Pero, aún más, qué monstruosidad concebiría un espejo pegado al techo, copiándonos sin descanso a vista de pájaro, todos convertidos en mapas, en meros croquis andantes que flotan por encima del centro de la Tierra, todos convertidos en luz atrapada, desmineralizada. Pero los espejos ya no importan, a nadie interesan ya las copias, el *morphing* [tratamiento informático de los rostros que distorsiona las facciones sin llegar a desfigurarlas del todo] arrasa. Lo dijo Artaud, «el rostro humano es una fuerza vacía, un espacio de muerte [...], esto significa que el semblante humano no ha hallado aún su cara [...], es cierto que el rostro humano habla y respira desde hace miles de años, pero nos sigue dando la impresión de que aún no ha empezado a decir lo que es y lo que sabe». Así, hasta la fecha, Frankenstein, Tetsuo, Mr. Spock, Mortadelo, Barón Ashler no son más que tímidas emulsiones de lo que vendrá. En ese momento la luz se detendrá en cada uno de nuestros rostros y no hará falta ninguna imagen especular. Unos científicos de Berkeley acaban de anunciar en *Nature* que esa luz ya la han detenido.

Contra todo pronóstico, el mar está en calma, y Antón llega a la escollera cargado con 2 bolsas de Zara, de las grandes, repletas de discos duros unidos cada uno a una piedra mediante un hilo de plástico tipo sedal. Se aproxima al acantilado. La cabeza mondada, la barba y la nariz rota, considerablemente grandes, tapan el sol. Coloca los pies en un punto [desde hace años lo tiene señalado], extiende el brazo en exacto ángulo de 90° con su cuerpo y deja caer verticalmente al mar uno de los discos duros que tiene en la mano, que se sumerge llevado por el peso de la piedra. Y después otro, y otro, y así hasta vaciar las 2 bolsas. Años realizando esta operación. Cada vez que la repite oye el eco del impacto cada vez más cercano y sólido en el fondo de las aguas. Espera que algún día comience a sobresalir levemente del nivel del mar una masa compacta hecha de discos duros, piedras y percebes ultramusculados con la *informatina* transferida a su código genético; una red de líquenes dará solidez a esa nueva naturaleza. Pliega las bolsas y regresa a casa a ver si ya están los 0.2 megas que le faltan por descargar de *El último hombre vivo*. Antes, pasará por el bosque a contemplar cómo evoluciona su hormiguero.

¿Hay excesiva obsesión con la idea de «novedad»?: No lo creo. La novedad es lo que hace que el pop avance, lo que tira del pop. Es bueno ser consciente de la historia de la música popular, pero siempre es refrescante escuchar a alguien que llega con algo nuevo.

Entrevista a David Gedge, líder de The Wedding Present y Cinerama, *El pop después del fin del pop,* Pablo Gil, Ediciones Rockdelux, 2004

Cualquiera que esté al tanto del mercado de motocicletas sabe que la Vespa 75 cc Primavera constituye un prodigio en lo que se refiere a mecánica, precio y prestaciones. Casco con visera, gafas oscuras, el depósito lleno, en el iPod suena Astrud y Josecho pasa los últimos complejos urbanísticos de la zona sur de Madrid, los bloques de ladrillo de Usera, las manzanas de Orcasitas, y más allá de la M40, devora carreteras de poblados amontonados [de esos que si giras la foto y los ves boca abajo no te das cuenta de que están boca abajo], mientras graba el horizonte en una videocámara fijada al casco con cinta aislante. Acompañando al runrún del motor, van pasando niños que juegan al balón, tendales sin casi ropa, perros atados a una cuerda, pequeños campos de fútbol entre huertas, casetas culminadas con parabólicas, vertederos clandestinos, coches desmantelados con chicos dentro, y entonces para el motor y se baja cuando, ya muy lejos del núcleo urbano, inopinadamente llega a una valla en la que lee sobre la fotografía de su cara, AYUDANDO A LOS ENFERMOS. YA A LA VENTA. Sin quitarse el casco ni las gafas, salta unas estacas unidas con espinos y recorre a pie el escaso trecho que separa la cuneta de la valla publicitaria, sujeta a un armazón de hierro clavado en una tierra en la que crece una plantación de alcachofas, o de algo parecido que no reconoce. Mira alrededor, no detecta presencia animal ni humana, lleva la vista hacia arriba y desde esa perspectiva se ve bastante feo en la foto, pero por primera vez la valla publicitaria le hace sentirse indemne a la soledad. En ese momento en el iPod sonaba «Qué malos son nuestros poetas», canción que le estremeció ya que, estando a punto de irse, observó que a sus pies, oculta entre las plantas, sobresalía no más de un palmo sobre la tierra una placa de hierro oxidada fijada a un adoquín de cemento, en la que leyó la inscripción: *Aquí cayó fusilado el falangista Miguel Redondo Villacastín (1902-1937), poeta e hijo ilustre del poblado de San Jerónimo. Tus amigos no te olvidan. Septiembre, 1976.* Josecho comprueba que, en efecto, de las 6 vigas que sujetan la valla en la que se exhibe su foto, una no es metálica, sino un tronco de roble viejo muy tocado por muescas de bala. Atardecía. Antes de irse volvió a mirar alrededor. No había nadie. Cuando llegó a su azotea en el Windsor, con un bocadillo de Pavofrío entre las manos y una Mahou vio repetidamente el vídeo de lo grabado durante el día, especialmente el tramo de aquella última parada; seguía sin haber nadie. Después se durmió.

Entonces encontraron un cuerpo flotando en el lago, boca arriba, con el ojo derecho, el único que le quedaba, abierto y sin signos de aparente agresión humana. El volumen corporal, debido al agua ingerida, a los agentes químicos en suspensión que abarrotaban el lago y a la diferente fauna y flora que había tomado forma en los intestinos y otros conductos internos del fallecido, se había multiplicado casi por 2; en concreto, 1.87. Se sabe que en una cafetería de Nueva York hay un bar que aún tiene una máquina expendedora de chicles de bola de 4 colores, se sabe que hubo un hombre que dijo que la lista de humanos de la cual se habla en el Apocalipsis eran las Páginas Amarillas de su ciudad, se sabe que por fin ya están sacando vida orgánica de su equivalente inorgánica, se sabe que Ramón Sampedro fingía y que Aviador Dro cantó «ella es de plexiglás y por eso me gusta más», se sabe que vas a la compra y cuando vuelves ya no está tu coche, se sabe que la Cabeza Borradora era puro plástico y que un hombre desde atrás la movía, se sabe que ya han encontrado las armas de destrucción masiva, y que sólo era una, dentro del cuerpo del dictador que flotaba boca arriba, con el ojo derecho, el único que le quedaba, abierto y sin aparentes indicios de agresión humana, se sabe que fue encontrado en el mismo lago de Alaska en el que hace ahora 28 años se halló el cuerpo sin vida de Félix Rodríguez de la Fuente.

Mira, Sandra, ¿te gusta?, y Jota extiende un paquete rectangular sobre la cama. ¿Un regalo?, dice ella. Sí, responde Jota, Hoy hace 6 meses que estamos juntos, ¿no? Sandra lo toma entre sus manos. Desgarra el papel y aparece un pesado volumen titulado *La Biblia en Manga*. ¡Joder! Qué chulo, Jota, ¿qué es? Pues es vuestra Biblia, pero dibujada con estética de cómic japonés, e incluso con insertos de personajes de los cómics Manga, un buen tocho, acaba de publicarse. Sandra pasa al vuelo las viñetas de colores llenas de hombres y mujeres de grandes ojos, y esa noche, para celebrarlo, compra huevas de trucha escandinava y una botella de champán La Viuda de Clicquot, que devoran y beben metidos en la cama mientras se ríen viendo la lucha libre americana en una pequeña tele portátil que ella tiene al fondo, sobre una silla de formica. Después Jota se pone unas bragas rojas por encima del apretado pantalón de su esquijama, un pasamontañas de colores peruano y una toalla atada al cuello por capa, y se tira muchas veces sobre Sandra [que se defiende bastante bien], al grito de ¡Superjota al ataque!, en el cuadrilátero improvisado de la cama. Esa noche hicieron el amor con profundidad, y se durmieron con la tele en marcha. A eso de las 7 de la mañana, a Sandra le despierta el zumbido de la tele y, desvelada, se prepara un café. El cuerpo parecía encogérsele de frío bajo la bata, ve por la ventana de la cocina despuntar el sol tras el tejado de la Tate Modern Gallery, regresa con la taza a la cama y allí, medio sentada y con la almohada entre la espalda y la pared, coge entre sus manos *La Biblia en Manga* que, desplazada por la lucha libre americana, había quedado tirada en el suelo, y pasa las hojas con detenimiento. Encuentra en varias viñetas del Nuevo Testamento lo que, seguro, es el dibujo de su propio rostro: sus gestos más llamativos, incluso su ropa, el bolso de Vuitton, las mismas gafas de sol con el anagrama 212 en la patilla, sus tenis All Star. La representación consistía en una mujer que ayudaba a completar el Vía Crucis a Jesucristo ofreciéndole agua aun a riesgo de que un macarra, claramente sacado de *Akira* 2.ª parte, acabara con su vida. Un poco más adelante encuentra a Jota entre una multitud, vestido de romano. Echa un trago al café. Escucha la lenta respiración de Jota a su lado, pone la mano sobre el cuello de él y nota el latir de la arteria principal entrecruzada con las líneas de la mano. Permanece mirando la nieve del televisor un buen rato, hasta que se introduce más adentro en las sábanas; aún huelen a semen. Deja la Biblia en el suelo. Cae profundamente dormida sobre su espalda.

Hace ya un par de meses que Vartan Oskanyan, con las
últimas luces del día, más o menos a la hora en que los cerdos están más alborotados y chillan con un sonido que sin
vuelta de eco atraviesa la estepa armenia, ve la silueta de
un hombre en las inmediaciones del edificio. Suele seguir
la misma pauta: ni se acerca ni se aleja, da paseos como en
círculos mal hechos, a veces se sienta entre los matorrales
y sólo se le ve la cabeza y no hace otra cosa más que estar
ahí, quieto, mirando en ocasiones el edificio y otras veces
el horizonte. También a la misma hora, sentado, come lo
que parece ser un bocadillo e ingiere algún tipo de líquido que Vartan es incapaz de identificar. Siempre lo suficientemente lejos como para no ser más que una mancha
que se desplaza, un borrón, una cara de Bélmez sin pared.
El viejo Arkadi le ha sugerido a Vartan que quizá sea por
su culpa, por haber traído a la explotación ganadera la
portada de ese disco con tanta gente medio viva y medio
muerta. Charlan durante un buen rato sobre esa hipótesis.

Una mañana, y después otra, y otra y así hasta 15 seguidas, se ve por fin el sol en la ciudad de Ulan Erge. Comienza el deshielo. La gente sale a la calle; los ciclomotores circulan. La ligera pendiente que posee el terreno sobre el que se asienta la ciudad provoca que el agua del deshielo corra hacia una especie de depresión, en la cual hay un sumidero que la conducirá bajo tierra. Aunque desaparezca la nieve, no deja de hacer un frío intenso ni de soplar el viento de la estepa. El hombre mayor pero no anciano, del 6.º piso, 4.ª escalera, bloque P, no quiere que este año le quiten al edificio la caperuza de tela, dice que afuera no hay nada que ver y que él se queda con su galería de manchas. Nadie en el bloque P comparte esa idea; hay polémica. Es habitual que bastantes ciudadanos, en estos días primeros de deshielo, se acerquen al sumidero y coloquen allí una red para recoger todo lo que permaneció bajo el suelo y ahora es arrastrado; se entiende que una vez termina el invierno ya es otra *era,* y en justa correspondencia lo que reaparece carece de dueño. Encuentran muñecos, bolígrafos de 4 colores, botas, hierros que después se venden al peso, algún vídeo que si hay suerte es porno. El día que los operarios del ayuntamiento retiraron por fin las caperuzas de los edificios, el hombre mayor pero no viejo del 6.º piso, 4.ª escalera, bloque P pensó que si la gente se diera cuenta de que una de las moléculas de la piedra que lleva en el riñón perteneció quizá al ojo de algún dinosaurio, o de que ese fragmento de cinc que ahora corre por el torrente sanguíneo de su vecino estuvo en la orina de Alejandro Magno, o de que una partícula del suero de la leche que fermenta ahora en sus estómagos la mamó antes un cordero en las montañas del Sahara, no le quitarían ahora a él su galería de huellas humanas.

No es fácil llegar a saber en qué punto hay que abrir un agujero para provocar un flujo de energía y luz que nos atraviese. Aún es más difícil llegar a averiguar, tener la certera intuición de sobre qué objeto material o ente hay que practicar ese agujero que operará el milagro que traiga aire nuevo y, en ocasiones, cambie nuestras vidas. Para algunos consiste en encender la pantalla del ordenador, o en hacer un viaje inesperado, o, como aquel anacoreta que salía en una peli, tirar botellas con mensajes por el váter de tu propia casa, o besar en el lugar y momento exactos, o como hizo Marc, abrir una ventana en la pared posterior de su caseta, justo en el cuadrado en el que se ubicaba un tablero de parchís metálico que había rescatado del desmantelado Club Juvenil del barrio. Allí, vertical en la pared, está el tablero, bien remachado a un trozo de lata de aceite Cepsa y a otro de 250 salchichas Frankfurt. Después de sopesar a conciencia los pros y los contras de practicar justamente ahí el agujero, había llegado a la convicción de que todas aquellas latas de objetos de consumo que conformaban su pared ya eran de por sí ventanas que le conectaban con el complejo mundo de los humanos, porque tras cada marca comercial se desarrolla en cascada toda la vasta y rica genealogía antropológica de las sociedades desarrolladas, pero tras un tablero de parchís no hay más que una cruz de 4 colores, un croquis, algo así como el plano de una simétrica ciudad que a él, es cierto, le atrae por su perfecta soledad al mismo tiempo que le provoca la repulsión propia de quien reconoce en esa gélida soledad el vicio que, seguro, lo destruirá. Así que cogió una sierra y abrió

el boquete por el que ahora mira de vez en cuando los coches que bajan la avenida de sentido único que enfila
directamente al mar; sabe que ninguno puede ni podrá remontarla. Él tampoco podrá remontar ese agujero.

Saigón, mierda, aún sigo solo en Saigón. A todas horas creo que me voy a despertar de nuevo en la jungla. Cuando estuve en casa durante mi primer permiso, era peor, me despertaba y no había nada, apenas hablé con mi mujer, salvo para decirle «sí» a su petición de divorcio. Cuando estaba aquí quería estar allí, cuando estaba allí no pensaba más que en volver a la jungla. Llevo aquí una semana, esperando una misión, desmoralizado. Cada minuto que paso en este cuarto me hace ser más débil, y cada minuto que pasa, Charlie, como llamamos al Vietcong, se agazapa en la selva, se hace más fuerte. Al mirar a mi alrededor las paredes se estrechan más. Todos consiguen lo que desean, y yo quería una misión, y por mis pecados me dieron una.

Apocalypse Now, Francis Ford Coppola

Los días que siguieron a aquella noche en la que Ernesto cruzó el puente de Brooklyn con Kazjana en coche de madera y a la mañana siguiente bajó a comprar pan y café para desayunar e intentó sin éxito bajarle el tirante de la camiseta, y después ella se fue para no verla más, aquellos días siguientes a todos esos acontecimientos, no se pudo quitar de la cabeza que mientras el humo del café subía por aquel soviético rostro, mientras partía rebanadas de pan que literalmente devoraba, le confesó que no era chechena sino alaskeña, y que de pequeña se había perdido con su padre, pescador de altura, mientras faenaban en el estrecho de Bering, para amanecer en la costa de lo que entonces era la Unión Soviética y quedarse allí para siempre. Tampoco se pudo quitar de la cabeza, en aquellos días siguientes, que la había dejado irse sin decir ni preguntar nada al respecto, que dejó que se despidiera con 3 besos, para ver luego desde la ventana cómo el automóvil de madera cruzaba la última catenaria del puente de Brooklyn. Casi inmediatamente había sacado una ración de pescado para descongelar porque ya eran las 12. Entonces pensó que la vida es un anuncio de teletienda al que le han eliminado el producto anunciado. Ése parece ser el paisaje.

Unos tipos fueron a Woolsthorpe, condado de Lincoln-
shire, Inglaterra, donde se ubica la casa que fuera de Isaac
Newton, y se colaron en su jardín. Allí localizaron el man-
zano [de la variedad Flower of Kent] del que cayó la manzana, el cual se encuentra vallado y señalizado como el árbol
más importante del mundo, y tomaron una pequeña muestra de él. Una vez en los laboratorios BioArt & Co., lo clo-
naron, y esa réplica exacta está ahora en el Museo de las
Ciencias de la ciudad de La Coruña, Galicia, España.
Cualquiera que lo observe no puede dejar de preguntarse
por qué ése y no otro fue el árbol que hace cientos de años
condujo a Newton a hacerse la pregunta «¿por qué esta
manzana cae y la Luna no?». Uno toca el tronco con sus
manos y no puede dejar de pensar si, en estado sólido, habrá ahí partículas de sudor de la mano del genio. Los sis-
mógrafos del programa Apolo están revelando que en la
Luna hay actividad sísmica, terremotos, temblores que se
producen entre 800 y 1.200 km de profundidad, a medio
camino de la superficie y el centro de ese satélite. Una profundidad muy superior a la de cualquier terremoto conocido en la Tierra. Parece que en la Luna todo lo extraño e
importante ocurre muy cerca de su centro, bajo la piel
fría y gris que vemos al telescopio. También cae la manzana y rompe contra el suelo y se desvela un interior en cuyo
centro hay un corazón que da cuenta de su procreación, de
su clonaje. Lo extraño es que se ha comprobado que esos
terremotos no se dan en la cara oculta de la Luna, sino
únicamente en la visible.

La videoconsola del '79 conectada a la tele. La pantalla totalmente negra, un punto cuadrado blanco que hace de bola, 2 líneas blancas verticales que se mueven de arriba abajo y simulan a cada jugador. Silencio de mediodía, la gente duerme o se baña, las persianas bajadas, y tras cada golpe de raqueta se oye un esponjoso *doing*. Después de haber llegado al mar de Alaska y tener que dar la vuelta tras 5 años corriendo sin descanso, Harold descendió Canadá, entró en USA con su pantalón de pinzas chino, su polo rojo y su cazadora tipo aviador, y el estricto azar de su errática trayectoria aún tardó otros 3 años en llevarlo de nuevo hasta la puerta de su casa. Nadie había entrado. Ni el más mínimo saqueo. Ni una carta en el buzón. Todo intacto. El mar, al fondo, una piel de mercurio, la videoconsola conectada, en la pantalla miles de partidas perdidas. Encargó de nuevo todas las existencias de Corn Flakes con aquella fecha de caducidad porque entendió que ya no podía vivir sin aquel recuerdo, sin aquella huida, sin aquel recuerdo, sin aquella huida. Como quien escuchara el trueno al mismo tiempo que ve su correspondiente relámpago.

Sin embargo se ha extendido la idea de que tu combinación de estilos es el resultado de un proceso caótico e imprevisible, cuando en realidad en tus discos o conciertos están pensados hasta los errores: Están organizados, sí, muy pensados. Hay accidentes ocasionales, pero funcionan. Controlar el caos es una buena definición de lo que hago, quizá por el deseo consciente de crear música tridimensional. La mayoría de las grabaciones son muy planas, así que si introduces más elementos en el sonido puedes llevar esa canción pop a un nivel diferente. Y ésa es el área que me atrae, que me excita. Por eso la gente que suele escuchar música pop tradicional puede encontrar mi música caótica o «estropeada», pero fue escrita de ese modo.

Entrevista a Beck,
El pop después del fin del pop, Pablo Gil,
Ediciones Rockdelux, 2004

2 meses más tarde de haber leído la reseña en *The New York Times,* una templada noche de abril, Polly ya estaba sentada por primera vez en una mesa de mantel a cuadros, vinagreras y lamparita. El local, abarrotado. Un ruidoso hilo musical sostenía los acordes de George Gershwin. Steve salió de la cocina dando aullidos a través de un megáfono, ¡Muñeco Spiderman hervido en caldo corto de zanahoria y puerro, con su traje decolorado y en pelotas para la rubia solitaria de la mesa 7! Polly se vio ruborizada y bajó la cabeza; no obstante, permaneció en el local, observando, hasta que se hubieron ido todos los clientes. A través del ojo de buey de la puerta veía cómo Steve terminaba de recoger la cocina; con aquel abrigo de astracán le pareció a Polly un perfecto animal para mandar de una patada al horno. Entonces él sale, se sienta en la mesa y le dice, Qué, qué tal. Muy bien, responde Polly, Guardaré muy bien este Spiderman derretido, nunca había visto al superhéroe en pelotas. Él apoya los codos en el mantel, mete un poco la cabeza entre ellos y dice, Chica, estoy rendido, pero qué, ¿cómo te llamas, tomas algo? Pues sí, ginebra con naranja; lo primero que se le ocurrió. Steve se acerca a la barra y regresa con 2 copas. No bebieron más pero hablaron hasta entrada la noche. Ella le contó que era representante de joyería para todo el estado de Nueva York de una importante firma, que estaba soltera y que vivía en la parte alta de Manhattan. A eso de las 4 Steve le dice, Vente, Polly, si me dejas, te cocinaré a ti esta noche. Un astracán gigante y una mujer menuda se fueron agarrados escaleras arriba. El neón de Steve's Restaurant esa noche permaneció encendido.

Malcolm Gladwell comienza su nuevo libro, *Blink: The Power of Thinking Without Thinking,* con la historia de un *kouros,* una estatua de un joven de la antigua Grecia, que llegó al mercado de arte y estuvo a punto de ser adquirida por el Museo Getty de California. Era una obra magníficamente conservada y su precio era de unos 7.6 millones de euros. Tras 14 meses de investigación, el personal de Getty llegó a la conclusión de que la estatua era auténtica y prosiguió con la compra. Pero llevaron a un historiador del arte llamado Federico Zeri a ver la estatua, y nada más verla dictaminó que era falsa. Otro historiador del arte percibió que, aunque tenía la forma de una estatua clásica auténtica, de algún modo carecía de ese espíritu. Un tercero sintió una «repulsión intuitiva» cuando la contempló por primera vez. Se realizaron más investigaciones, y finalmente se resolvió la intriga. La estatua había sido esculpida por falsificadores de Roma a principios de la década de los 80. Los equipos de analistas que investigaron durante 14 meses se equivocaron. Los historiadores que confiaron en sus corazonadas iniciales estaban en lo cierto. Gladwell afirma que en nuestro cerebro se da un proceso subconsciente que mueve grandes cantidades de información y llega a conclusiones con sorprendente rapidez, incluso a los pocos segundos de ver algo.

David Brooks, «Un sabroso alegato en pro de la precisión intuitiva», *The New York Times,* 3-2-2005

Debe de resultar muy extraño ver cómo tu cara se quema en una valla publicitaria al mismo tiempo que también arde la propiamente tuya. Aquella noche de febrero, Josecho, en su caseta del edificio Windsor, tras haber estado trabajando en un nuevo *proyecto transpoético* durante toda la tarde, basado en las cintas de vídeo que grababa cuando salía en Vespa, se encontraba escribiéndole a Marc por primera vez en año y pico, dándole explicaciones del porqué de su silencio, contándole que, en realidad, no quería ser un solitario, sino un tipo normal, cuando comenzó a oler a quemado. Levantó la vista del monitor, vio hilos de humo que se colaban entre la superposición de las uralitas de las paredes y salió de inmediato a la azotea. Corrió entre la multitud de parabólicas y pararrayos hasta llegar al muro que hacía de barandilla. De repente, un haz de llamaradas emergente del último piso le alcanzó la cara. En ese momento, enfrente, una de las gigantescas fotos que por todo Madrid anunciaban su libro también era alcanzada. Vio perfectamente cómo a aquel rostro que le sonreía se le quemaba la montura de las gafas mientras sentía que en su piel se derretía el plástico de las suyas.

Vuelo Londres-Palma de Mallorca. Sandra hojea la revista *British Airways News*. Reportajes de vinos Ribeiro y Rioja, las últimas arquitecturas *high-tech* en Berlín, ventas por correo de perlas Majorica. Sobre unas fotos de playas del Caribe le cae una lágrima, pero no por culpa de las playas, ni del Caribe, ni de la gravitación que le es propia a las lágrimas. Mira por la ventanilla y lleva los ojos al frente; ni nubes ni tierra; constata lo que ya sabía: en los aviones no existe horizonte. Mete la mano en el bolsillo del pantalón y saca las llaves de su apartamento de la calle Churchill, unidas a un llavero con forma de dinosaurio en cuya cabeza titubea también la punta de una brújula. *En el verano de 1993, el paleontólogo estadounidense Michael Novacek dejaba en Nueva York su tranquilo despacho del Museo Americano de Historia Natural para ponerse al frente de una expedición científica por el inhóspito desierto del Gobi, Mongolia, un territorio donde los termómetros pasan de los 45 grados bajo cero a los 50 sobre cero. Este antiguo guitarrista de rock se ríe aún al recordar cómo fue un camión atrapado en la arena del desierto el que les obligó a parar delante de unas colinas. «Fuimos a explorarlas y de pronto el viaje terminó allí.» Acababan de hallar el yacimiento más rico del mundo de dinosaurios y mamíferos del Cretácico, una mina de fósiles extraordinarios de hace 80 millones de años, 15 millones antes de que impactase contra la tierra el asteroide que se cree que exterminó a los dinosaurios. Pregunta: ¿Qué sucedió en la gran extinción del Cretácico? Respuesta: No estamos seguros de lo que pasó exactamente. Sabemos que hubo una devastación que causó la desaparición del 70%*

*de todas las especies terrestres y marinas. Y tenemos eviden-
cias de que justo en ese momento un enorme objeto espacial
impactó contra la tierra en el Caribe, cerca de la actual costa
este de México. El choque provocó una enorme destrucción y
cambió la atmósfera muy drásticamente haciéndola muy caliente, lo que literalmente coció a muchos organismos y gene-
ró incendios por todo el planeta. Pero no me interesan tanto
los dinosaurios como los mamíferos. Los dinosaurios son el pasado, los mamíferos el futuro, pues ocuparon el hueco dejado
por ellos tras su extinción.*

Entrevista a Michael Novacek,
El País, Clemente Álvarez, 16-03-05

Con el tiempo, el mundo de la joyería dejó paso al restaurante de Steve, que llenó a partir de entonces cada segundo de la vida de Polly. Ella entró a trabajar sirviendo las mesas, hasta entonces coto privado de Steve, ejerciendo de eficaz ayudanta. También llegó lo de la jornada de puertas abiertas, el concurso que ella ideó a imagen y semejanza de los que se dan en las convenciones de joyería artesanal. Otras cosas que acontecieron fueron la llegada al local de cierto sector acomodado de la ciudad, atraído por Polly debido a sus numerosos contactos, y también el día en que Steve concibió la idea de cocinar el horizonte, y el día en que ante el asombro de todos los concursantes y presentes en la 3.ª Jornada de Puertas Abiertas, dijo, ¡Venid, voy a cocinar el horizonte! Y los montó en un bus que Polly había alquilado, y se pararon en el aparcadero que hay a la entrada del puente de Brooklyn, y él se puso a caminar por la pasarela del lado izquierdo, y todos en fila le siguieron, hasta que se detuvo a mitad del puente y les dijo, Mirad, mirad el horizonte. El sol, a punto de esconderse, ardía sobre aquella horizontal, quemándola. ¡Ahí lo tenéis!, gritó. Todos observaron en total silencio, extasiados por semejante visión, y al final se puso el sol y aplaudieron y brindaron con vino tinto. Los coches pasaban y miraban. La prensa se hizo eco del evento. En el turno de preguntas, la de *Cooking Today* le dijo, Pero ¿cuál es su secreto? Y él contestó, Mi secreto está en olvidarme de los interiores de las cosas, en cocinar las pieles, sólo pieles; la piel de cualquier objeto, animal, cosa o idea es susceptible de ser cocinada, y eso tiene que ver sólo con la luz, sólo con los lugares donde llega la luz. Podría decirse que mi cocina es el siguiente paso lógico a la difusión de la luz solar en la superficie terrestre, mi cocina es el punto en el que la luz solar provoca mutaciones, se hace total en la superficie de las cosas. Entonces se abotonó el abrigo de astracán y se fue trincando a Polly por la cintura. Esa noche, como tenían por costumbre siempre que querían celebrar algo especial en la intimidad, fueron a aquel desguace en el que Polly por primera vez lo había visto dando saltos sobre el capó de un coche. Solían llevar un poco de comida y se sentaban en unas ruedas o en un asiento trasero que andaba por ahí suelto sin carrocería, abrían unas Pepsi y ella le hablaba del tallado de diamantes y él de las ventajas de los abrigos de astracán sobre los de piel de conejo. A veces, se les acercaba un hombre, alto y corpulento, con unas manos como pulpos, que frecuentaba la chatarrería a esas horas, y al que apodaron Franky, pero no por Frank, sino por Frankenstein, y se sentaba con ellos. Envuelto en un abrigo de *tweed,* les contaba que, en otra época de su vida, había escrito una novela llamada *Rayuela,* pero que la buena era otra secreta, Rayuela B o Teoría de las Bolas Abiertas, como él mismo la denominaba, y ellos le invitaban a comida, Pepsi y cosas así. Esa noche, Steve le dijo a Franky, Oye, por cierto, cojonudo todo eso que me dijiste de que cocino los lugares donde sólo llega la luz, y también lo de la piel, no sabía qué responder a los jodidos periodistas y de repente me acordé. Ah, nada, hombre, contesta Franky, Me alegro de que te haya servido, la idea me la dio un tipo que encontré un día en una estepa de Armenia, un país cercano a Rusia, un tipo que, por cierto, criaba cerdos en un edificio de 8 plantas únicamente con la idea de hacer una alfombra de pieles de cerdo que se extendiera desde la puerta de ese edificio hasta la zona de glaciares de Pakistán, quería así matar 2 pájaros de un tiro: primero, con ese manto de piel preservar la temperatura del planeta, y segundo, evitar ataques de los turco-musulmanes, con la idea de que para éstos el cerdo es intocable y así ni se atreverían a pisar ese territorio cubierto de pieles de estos animales..., pásame el sándwich, Polly. Ella se lo acerca y le pregunta, Y tú ¿qué hacías allí? Y él, masticando un gran pedazo, No, nada, buscaba alguna pared a la que adherirme y me perdí. Deambulé por aquellos páramos varios meses, y entonces un día oí a lo lejos la trompeta de Chet Baker, inconfundible, era la misma grabación que yo tenía cuando vivía en París, se mezclaba en pavorosa armonía con los gruñidos y lamentos de aquellos cerdos. Me quedé y rondé la zona hasta que el gobierno armenio desmanteló todo aquello, Polly, tengo sed, pásame la Pepsi.

Existe la posibilidad de la existencia de un dado de juegos en el cual los agujeros circulares de sus caras dejaran ver un interior vacío. Un dado no sólo hueco, sino también abierto al flujo de luz y de aire que lo traspase a través de esos agujeros de la suerte. La cara en la que hay 6 perforaciones, diríamos entonces, es más permeable a la entrada de variados elementos externos, de vida, que aquella en la que hay, por ejemplo, un 1, pero también más permeable a la destrucción de aquello que hace al dado un objeto mágico: la impredecibilidad de la tirada. Porque en un dado hueco y agujereado todo el azar que incubaba ha sido ya desvelado, y si no lo ha sido, es un azar seco y aburrido; un azar sin fuerza ni materia. Mientras desayuna, un niño lee la nota que aparece escrita en el pesado *brick* de leche que acaba de abrir:

> ¿Piensas que Bell inventó
> el teléfono y se quedó junto al
> aparato esperando a que alguien
> le llamara? No,
> salió a la calle e hizo
> cuanto pudo para vender
> su idea y para que hubiera miles
> de teléfonos como el suyo.
> ¿Eres un joven inventor? ¿Tienes
> alguna idea que creas
> revolucionaria? Ponte
> en contacto con nosotros.
> ¡HAY CIENTOS DE PREMIOS!

Green Milk Company, 161,
William Street, Miami,
Florida, 010001.
XXI Concurso de Jóvenes Inventores.
¡LEE LAS BASES AL DORSO!

Al muchacho le surgen miles de ideas prometedoras que irán palideciendo a medida que pase la semana y el *brick* de leche se vaya quedando vacío, momento en el que lo estrujará con el pie para probar suerte en la canasta del cubo de la basura. También está escrito que los vértices y aristas de los dados han de ser de contorno suave para que su rodar, duradero, tienda a infinito.

Cuando el *Señor A* regresó a Norteamérica sin haber encontrado las cintas de cine perdidas de los hermanos Manakis, habiendo incluso llegado en su intento hasta el mismísimo Azerbaiyán, supuso la segura destrucción de éstas en alguna guerra tribal, y volvió a su rutina como director de cine. Un día, en el estudio, ante una taza de café, mientras montaba su última película, ocurrió un accidente: la película se oía perfectamente pero la parte superior de los fotogramas, más o menos 1/3 de cada imagen, estaba cortada. Así, quienes hablaban eran unos actores con cuerpo pero sin rostro, decapitados. Entonces el *Señor A* comprobó que aquello le producía una sensación que nada tenía que ver con el cine, sino con la que se tiene al leer un libro. Aquello ya no era cine sino literatura en estado puro. Entendió entonces que el libro, la lectura del futuro, no era el hipertexto en Internet ni otras derivaciones tecnológicas, sino eso, ver *películas decapitadas*. Entonces el *Señor A* comenzó a cortarle el tercio superior a todas las cosas que encontró. Cogió unas tijeras, buscó todas las fotos que halló en su casa y tras ejecutarles esa amputación del tercio superior se hacían mucho más anchas que altas, de repente eran un horizonte, cobraban una amplitud desconocida hasta entonces, un alma de paisaje. De esta manera, fuera lo que fuera lo allí fotografiado: una calle abarrotada de Sarajevo, una mesa con platos y copas, 2 niños de rostro infalible que había encontrado perdidos en una carretera, los dientes mellados de un taxista borracho griego, una nevera, o la ventana de su sala de estar desde la que se veía el letrero luminoso de un restaurante llamado Steve's Restaurant, todo, de repente, mutaba en paisaje de un nuevo planeta, con lo que, siguiendo una especie de ascenso vertical que le llevaba ya a pergeñar un nuevo mundo, entendió que esas fotos sesgadas constituían el hábitat natural de la nueva literatura producto de un cine sin cabezas. Con el tiempo entendió que aquellas 3 cintas perdidas de los hermanos Manakis, aquella mirada primigenia que él no había encontrado en tierras balcánicas, hoy por hoy eran eso precisamente, una mirada sin rostro, la decapitación definitiva, y así, las postuló como el exponente más radical de esa nueva literatura. La noche en que enunció semejante certeza se acostó pensando que cada noche es una trampa, algo así como un día nublado en el que la lluvia no se decidiera a caer, incubada ahí arriba, en una especie de troposfera.

Dentro sólo se oye el viento que fuera golpea la alambrada. Los libros están en sus estantes, los ordenadores cargados de programas, los platos de las cocinas limpios y perfectamente apilados, la carne intacta en las salas frigoríficas, los tableros de colores en las vitrinas y las fichas y cubiletes encubando teóricas partidas. También una radio que un obrero dejó encendida, «... el presidente del Gobierno anuncia que en el próximo año se crearán 3.000 kilómetros de autovías con fondos comunitarios. En la crónica internacional, hay que señalar que en la ciudad de Basora, un hombre aún sin identificar, de origen occidental, su mujer irakí y el hijo de ambos, al parecer llamado Mohamed Smith, han muerto ayer en su casa víctimas de un ataque sorpresa del ejército norteamericano circunscrito en el contexto de la respuesta a los últimos ataques perpetrados por suníes suicidas a campamentos americanos. La familia, que se encontraba cenando, se vio sorprendida por un marine que descendiendo a *rapell* llegó hasta la ventana de la vivienda, un 4.º piso de una céntrica barriada, y arrojó una granada de moderada potencia en su interior tras romper el cristal. En el ámbito deportivo, el futbolista Zidane se retira de la competición profesional debido a la cadena de lesiones sufridas en los últimos 2 años, y en la Tercera División, el Endesa y el Ponferradina se juegan hoy su pase a la Segunda División B, continúa la mañana en Radio Nacional de España, Radio 5, todo noticias...».

Epílogo

Chicho llegó a la frontera en El Paso, Texas, en un coche de segunda mano rojo pálido, adquirido días atrás en Cancún, y atendió sin rechistar al gesto que el oficial le hizo con un movimiento de dedos para que orillara el coche a la derecha,

—¿Algo que declarar?

—No, nada, agente.

—A ver, baje del coche y abra el maletero.

En ese momento fue consciente de la película de sudor que descendía por su piel bajo el traje color beige, maleado y sin corbata. 34 °C según el termómetro de la caseta del guarda.

Sabía que lo que más cuenta en estos casos es la cara, los agentes lo saben todo por la cara que pones; el gesto es lo que te arruina o salva.

Tan sólo una bolsa de deporte y una maleta atada con un cinturón de cuero marrón en el que ponía «Recuerdo de México»,

—Vale, puede continuar.

Chicho, 182 cm de altura, complexión atlética, rubio; como Robert Palmer pero con barba. Aproximadamente, 55 años de edad; bien llevados.

Pasa de largo San Diego, un poco más allá de Santa Ana para a repostar y a tomar un agua con gas, y al llegar a Los Ángeles se instala en Palm Beach, en el primer [y último] piso de una casa que ya traía apalabrada. Delante, una serie de avenidas pintadas con líneas amarillas dibuja una extensa cuadrícula entre edificios bajos y chalets hasta la misma rebaba de la playa. Enciende el aire acondicionado. Con la tele como sintonía se da una ducha y, acostumbrado a la profusión de colores con que decoran sus casas los mexicanos, no se extraña de las cortinas verde oliva de la ducha, ni de las piezas de lavabo rosas, ni de la pared de la sala empapelada con geometrías azul pastel; le parecieron pirámides mayas vistas desde el cielo.

Abre la maleta, tira la ropa por ahí, y de un falso fondo extrae un recipiente dentro del cual se apelotonan, en una colección de bolas, gran cantidad de lombrices de unos 10 cm de longitud, casi transparentes; sólo un fino hilillo gris las atraviesa de la boca al ano en lo que se supone que es su primitivo aparato digestivo. Desarma varias macetas que cuelgan del balcón y utiliza esa misma tierra para llenar un frasco de cristal, grande, al que también van a parar, mezcladas con la tierra, las lombrices. Pincha en esa tierra un termómetro, un higrómetro, y lo riega todo con una solución de agua y minerales que prepara en una jarra milimetrada traída a tal efecto. Con cuidado, deja el frasco de cristal en el suelo de la terraza.

Se sirve un agua mineral con gas. Se sienta en el pequeño balcón a mirar las familias que, apiladas en los coches, regresan de la playa y pitan cuando pasan bajo la valla publicitaria, *Nike, Just Do It,* que está en una curva muy cerrada.

Las bermudas le aprietan a la altura de la entrepierna. Cierra los ojos, anochece, se queda en esa posición.

El camino del samurái se encuentra en la muerte. Se debe meditar sobre la muerte inevitable, cada día, con el cuerpo y la mente en paz. Se debe pensar en ser despedazado por flechas, lanzas y espadas, en ser arrastrado a rugientes olas, en ser arrojado al corazón del fuego, en ser fulminado por un rayo. Y cada día, sin excepción, uno debe considerarse muerto. El samurái nace para morir. La muerte, pues, no es una maldición a evitar, sino el fin natural de toda vida. Es ésta, y no otra, la esencia del camino del samurái.

Pasadena, inmediaciones de Los Ángeles, Jack trabaja como animador y comentarista en el club de carretera One Way in Love todas las noches menos el lunes, que libra y se va a la caravana que tiene instalada en una pequeña parcela en el desierto de Mojave, adquirida con el dinero heredado tras la muerte de su esposa Carol. Hay que aclarar que lo que adquirió con el dinero de la herencia tras la muerte de su esposa Carol fueron las 2 cosas, la caravana y la parcela. Su trabajo, básicamente, consiste en, cada vez que sale una chica a bailar, anunciarla por megafonía, y una vez que ella entra en pista adornar sus movimientos con comentarios escuetos y sintéticos que magnifiquen las radiaciones eróticas que ya de por sí emite la bailarina. Una noche, en el camerino, después del espectáculo, Carol le había dicho mientras se ponía el sujetador, Si algún día me muero, prométeme que con el dinero que te deje comprarás una casa de madera en Palm Beach, junto a la playa, y que no guardarás mis cenizas, sino que las tirarás al mar. Y Jack le dijo, Claro que sí, Carol. Eso haré.

Es malo que una cosa tenga dos significados. No se debe buscar nada más en el camino del samurái. Lo mismo puede decirse de cualquier otro camino. Si se comprende que esto es así, se pueden conocer todos los caminos, y ser más consecuente con el propio.

Lo primero que hizo Chicho a la mañana siguiente de llegar a Palm Beach fue ir a comprar una calculadora. En vez de ver la tele, escuchar la radio, o leer las páginas deportivas, él tenía esa manía: calcularlo todo. Por ejemplo, dado que usa una talla 43 de pie, determinar qué cantidad de superficie terrestre ha pisado ese día, u otro día, o en toda su vida. O cuántas monedas de 5 centavos hacen falta para recubrir un cuerpo totalmente con ellas, y cosas de ese estilo. Eligió una Texas Instruments, un cacharro voluminoso y muy fiable, con los dígitos en tipografía primitiva, como a él le gustaban. Fue después, y sólo después, cuando, a pie, se encaminó hacia la tienda de Benny Harper a comprar el revólver; si la memoria no le fallaba estaba en la esquina de la 87 con Easy Road. Cuando llegó, lo que encontró fue una agencia de viajes, y pensó, Bueno, ya que estoy..., y entró y compró 2 billetes de avión para Milán, Italia. Antes de irse, la dependienta le dijo,

— ¿Sabe a quién se me parece usted?

Y él,

— ¡Sí, sí, ya lo sé! ¡A Robert Palmer!

Se aflojó el nudo de la corbata, y cerró con suavidad la puerta antes de irse.

Entre las máximas escritas en el muro de Naoshige hay una que dice, «los asuntos serios deben tratarse con ligereza». El maestro Ittei comentó, «los asuntos leves deben tratarse con mayor seriedad».

Carol y Jack se habían conocido en el One Way in Love, cuando ella entró a trabajar para fregar copas. Dado que estaba realmente buena, y a pesar de un vicio en los ojos que le daba un aspecto tristón, pronto se decidió que sería una buena candidata a *stripper*. Una mañana, ante el dueño y su mujer, y con Jack como tercer miembro del jurado, bailó con el pecho desnudo la «Simply irresistible» de Robert Palmer; pasó la prueba con nota. Esa misma mañana ya se fueron ambos, Carol y Jack, a comer juntos, y terminaron en la casa de ella entre sábanas estampadas con dibujos de la pantera rosa. Fue allí donde ella le confesó que su mayor ilusión sería ser modelo,

—¿De pasarela? —preguntó él.

Y ella, mirando al techo,

—No, hombre, ¿estás loco? Eso no lo ve nadie. De Teletienda.

Ese día cogieron el coche e hicieron millas tierra adentro hasta que llegaron al desierto de Mojave. La carretera terminaba en un embalse que, orillándolo por una pista alunarada por vestigios de asfalto, conducía a un acueducto semivacío: un socavón de cemento bastante hondo, pero con las paredes tan inclinadamente suaves que casi se podían bajar andando hasta la superficie del agua que corría allí abajo y no levantaba más de 2 palmos de profundidad. Más allá del acueducto comenzaba propiamente el desierto. Vieron un cartel en el que se anunciaban parcelas en venta, y Jack pensó, Qué chulo sería poder vivir aquí; y ella, Con este tipo me gustaría tener un hijo.

El sol acaba de ponerse en el Pacífico, Chicho sale a la terraza, se sirve un agua mineral con gas y se sienta en la tumbona a ver la gente que regresa de la playa y pita bajo el letrero *Nike, Just Do It*. Observa cómo las lombrices dentro del frasco de vidrio que tiene en el suelo comienzan a moverse con su típica lentitud de noche de verano. Se desabrocha la camisa y echa un trago; vibra el móvil en el bolsillo,

—Hola, cariño, ¿cómo estás?

—Muy bien, llegué bien, en la frontera ni se enteraron.

—Bueno, ya sabes, no te derrumbes.

—Sí, querida, no temas. ¿Sabes una cosa? Esto está casi igual que siempre. Hoy pasé por aquellos grandes almacenes a los que íbamos con María, ¿te acuerdas?

—Claro. Se volvía loca con tanto juguete. ¿Te acuerdas cuando le compraste aquellos prismáticos?

—Ah, sí, qué bueno, que enfocaba con ellos a la tele para, decía, descubrir más cosas en la pantalla.

—Sí, y si salía algún bosque te decía, Papá, ven, ven a la tele, a ver si con los prismáticos vemos algún oso entre la maleza.

—Pues ahí continúan esos almacenes.

—Bueno, venga, que la llamada a esta hora es muy cara. Ve con cuidado, ¿eh?

—Sí, descuida. Ya te llamaré para contarte cómo va todo. Un beso. Te quiero.

—Yo también.

Es bueno llevar algo de maquillaje en la manga. Puede ocu-
rrir que después de haber bebido, o al despertar, la tez del
samurái sea pobre. En esos momentos es bueno sacar el ma-
quillaje y aplicárselo.

Jack entra en la caravana. Es metálica, de color aluminio y contornos redondeados. La compró porque le recordaba a Carol, también fuerte y suave. Abre las pequeñas escotillas y deja la puerta abierta, así penetra un neto haz de luz que le hace compañía mientras se sienta en la zona en penumbra. Al lado de la cama plegable tiene un trozo del decorado de *Corazonada,* la película de Coppola, que pilló en una subasta en Palo Alto, un pedazo de cartón piedra bastante roto en el que está un automóvil de los 70 y un horizonte desértico en tonos pastel sobre el que hay un cisne gigante, una rueda rota de bicicleta y una fuente de neón de la que nunca para de salir agua. Traía los cables pelados pero consiguió arreglarla. Ahora enciende la radio, limpia un poco la cocinilla, ordena, lee un rato *Moby Dick,* el único libro que tiene. Después, cuando el sol declina, sale a sentarse fuera. Suele pensar entonces que cuando Carol desapareció del planeta Tierra, alguien bondadoso de ahí arriba tendría que estar calculando que justo en ese momento la cantidad de bien dispendiado por ella en esta vida era igual en cifra a la cantidad de mal que también había infligido a sus semejantes, y que el sentido de la vida consiste en eso, en arrojar al final un saldo igual a cero. Otras veces, también por la noche, enciende la fuente de neón de la que nunca para de salir agua y se sienta fuera a ver el resplandor. Después, suele quedarse dormido con un güisqui en la mano.

Es bueno ver el mundo como si fuera un sueño. Si tienes una pesadilla, te despiertas y te dices que sólo ha sido un sueño. Dicen que el mundo en el que vivimos no es muy distinto a esto.

Al quinto día de llegar a Palm Beach, Chicho extrajo del frasco un trozo de tierra, separó una pelota de lombrices, que pesó en una pequeña báscula de platillos, y la metió en una bolsa con tierra húmeda. Cerró el conjunto y lo introdujo en un maletín, por lo demás vacío.

El coche tiraba de maravilla, y no paró hasta llegar al letrero que anunciaba la entrada a la ciudad de Pasadena. Existía allí por aquel entonces una burger caravana con mesas y sombrillas, donde tomó asiento y pidió un agua con gas bien fría y un mapa callejero de la ciudad. Se aflojó el nudo de la corbata. Hacía años que no pisaba Pasadena, pero no tardó en encontrar en el mapa la nueva dirección de Daniel The Boy, su contacto.

Entrabas por una planta baja de una casa del barrio alto, detrás había una especie de antiguo jardín degenerado en huerto, y llegabas a una construcción pequeña en la que se hallaba un tipo que te dejaba pasar sí o no, según viera.

—Soy Chicho de Cancún, he quedado con el Sr. The Boy.

Y Chicho accede a una estancia sin otra ventilación que la propia puerta. No ve a nadie. De detrás de una mesa emerge Daniel The Boy,

—¡Hombre, Chicho, años sin verte! Perdona un momento, es que he perdido el pin —y se agacha de nuevo unos segundos—. Aquí está, ¿te gusta? —dice mientras se lo prende en la solapa.

—Sí, está muy bien, es Pixie, ¿no?

—No, joder, es Dixie.

—¡Ah!

—Me lo regaló mi nieta en mi cumpleaños. Es una niña muy buena, y guapa como mi hija, ahora ya tiene todos los dientes, ya puede morder, como su abuelo —y se echa a reír—. Bueno, vamos a lo nuestro, qué me traes.

—Unos 20 gramos, más o menos.

—En este negocio no hay «más o menos», Chicho, ¿es que ya lo has olvidado?

Abre el maletín y coge la bolsa. The Boy se pone las gafas de aumento, guantes de látex, la observa y dice,

—¿Son auténticas?

—Claro, Sr. The Boy. Primera calidad.

—Mmmm, a ver —abre la bolsa con cuidado, extrae una lombriz con unas pinzas que saca del bolsillo interior de la chaqueta y la pesa en una báscula digital—, es para luego, si me convence, sumarla al peso total —le aclara.

La huele pasándosela por delante de las fosas nasales con un movimiento circular, se la mete en la boca, paladea, le da vueltas, la lleva hasta el final de la lengua, la devuelve a la punta de los dientes, la hace girar de nuevo y finalmente la escupe en un tambor de detergente vacío situado en un lado de la mesa.

—Correcto, Chicho. Es muy buena. Pon ahí, que las pesamos todas, a 52 dólares el gramo. Últimamente la cosa no anda bien, han mezclado razas, y los laboratorios se quejan de que el estómago de estas nuevas razas cada vez es menos útil para fabricar los cosméticos.

—Cuando veo ese estómago finísimo, Sr. The Boy, que apenas se ve, no entiendo cómo pueden llegar a dirimir si es apto o no apto.

—Cosas de expertos, Chicho, ni a ti ni a mí nos importa eso.

—Eso es, Sr. The Boy, cosas de expertos.

La definición, en pocas palabras, de la condición de samurái es dedicarse ante todo y en cuerpo y alma al maestro. No olvidar a su maestro es lo más importante en un siervo.

Aún hoy, hay noches en las que, cuando se echa la verja en el One Way in Love y todos se han ido, sin ya luces de colores, Jack se queda a beber un trago, y pone la «Simply irresistible», y sale a la pista con el micro, Caballeros, un aplauso para nuestra dulce Carol, la más perversa de todas las chicas de la Costa Oeste, así se contonea nuestra nena, excitante como fuego sobre hielo, vean, caballeros, mis chicos malos, imaginen lo que puede llegar a hacerles nuestra pequeña Carol... Y bebe durante horas. De camino a casa, va pensando en lo orgullosa que estaría ella si ahora viera cómo ha mejorado.

La tienda, muy céntrica, estaba vacía.

—¿No me recuerdas, Harper?

—Lo siento, pero no.

—Soy Chicho, el Mexicano. 1968, 1.ª División de Caballería.

Benny Harper cierra los ojos, en actitud pensativa.

—Chicho..., Chicho..., espera, ya caigo... ¡Ah, sí, el Mexicano! —y se abrazan—. Cuánto tiempo, cómo tú otra vez por aquí.

—Pues mira, quiero un revólver; mejor corto.

—Pero ¿no habías dejado los trabajos?

—Sí, sí, ahora me gano la vida con lo de las lombrices, allí en Cancún.

—Joder, quién lo iba a decir, Chicho el Mexicano, el Robert Palmer de la jungla. Cuánto tiempo, joder, cuánto tiempo. Qué alegría. Mira, voy a cerrar dentro de 10 minutos y tengo que hacer un par de llamadas, si quieres espérame en la cervecería de ahí enfrente, y me cuentas. Ya te llevo yo el revólver.

Con seguridad no hay nada más que el objetivo del tiempo presente. La vida del hombre es una sucesión de momentos tras momentos. Si comprendes el momento presente no tendrás nada más que hacer, ni nada más que perseguir.

Lunes por la tarde, Jack barre la tierra en torno a la caravana, formándose así un círculo que incrementa la sensación de territorio propio. Se mira, deformado, en la chapa aluminizada; barba emergente, los ojos caídos, Como los de Carol, se dice, un pantalón de tergal, unas Adidas Saigón de 2.ª mano. Se mete dentro y enciende la radio. Habla un hombre que asegura tener más de 1.000 tatuajes en el cuerpo, y Jack se dice, Uff, qué asco. Cuando el sol ya no pega fuerte suele poner una silla en el borde del acueducto, y tira el sedal a los 2 palmos de agua. Ve pasar a los peces, grandes y gordos, que no prestan atención al cebo. Al final suele sacar 1 o 2, que luego hace a la plancha fuera, en la barbacoa, pero siempre dentro del círculo marcado. Mientras los fríe piensa en una historia que leyó hace tiempo en el *Reader's Digest:* si a una persona le dicen que detrás de las 5 puertas que tiene ante sí hay un *tigre sorpresa,* y que ha de adivinar detrás de cuál de ellas está ese tigre, entonces sabrá que detrás de la última no podrá estar, porque una vez llegado hasta esa puerta sin haber encontrado al tigre, ya sabría seguro que estaría detrás, y en ese caso ya no sería un *tigre sorpresa,* así que la última puerta está descartada. Y tampoco estará detrás de la penúltima, porque sabiendo ya que en la última no puede estar, entonces sabría, con toda seguridad, que ha de estar en la penúltima, y en ese caso tampoco sería ya un *tigre sorpresa,* así que en la penúltima, descartado. Pero en la antepenúltima tampoco, porque sabiendo que no puede estar ni en la última ni en la penúltima, entonces tendría que estar justo ahí, en la antepenúltima, y entonces ya tampoco sería sorpresa, y así va descartando todas hasta que se da cuenta de que el tigre no puede estar en ninguna, y que precisamente era ésa la *sorpresa,* y para demostrarlo va abriendo las puertas una por una hasta que en una de ellas, da lo mismo cuál, el tigre le salta al cuello y lo mata, y Jack piensa que eso mismo pasa en la vida con lo que se planea y lo que en efecto al final ocurre. No es que la teoría y la vida estén mal, es que no tienen nada que ver, como tampoco tienen nada que ver los pensamientos del pez que baja aleteando con los del cabrón que tira el anzuelo y arriba espera.

Pide un agua con gas. A los 10 minutos aparece Harper, que se decide por una cerveza.

—No, verás, Harper, ¿te acuerdas de mi hija?

—Sí, María, ¿no?

—Eso es. Pues poco antes de irnos mi mujer y yo a México, ella se fue de casa, tenía 18 recién cumplidos. No dio más señales de vida. Un día nos llegó una llamada desde aquí, Los Ángeles, era un hombre diciendo que María estaba bien, que no nos preocupáramos y que ella sólo quería que lo supiéramos. Pero Lucía, ya sabes, mi mujer —Harper le interrumpe,

—Pero ¿no se llamaba Shandy?

—No, ésa era mi primera mujer. Me divorcié.

—Ah, sí, cuando te dieron aquel permiso de un mes y te viniste. Ya me acuerdo.

—Eso es, eso es. A María, mi hija, la tuve con mi segunda mujer, Lucía.

—Ah. Vale. Hace tanto tiempo que me confundo.

—Bueno, pues como te decía, mi segunda mujer, Lucía, y yo estamos seguros de que pasa algo. Es imposible que María nos pueda hacer esto a nosotros, dejarnos así. Estamos seguros de que algún cabrón la tiene por ahí haciendo de puta, o medio raptada.

—O en alguna mafia, que ahora hay a montones, Chicho, y las chicas mexicanas están muy solicitadas.

—Pues eso. He venido a buscarla y a pegarle 2 tiros al cabrón que nos la tiene. Como lo oyes. Lo de los 2 tiros, claro está, no lo sabe Lucía.

—Joder, vas a necesitar suerte, ¿tienes dinero? Te puedo prestar.

—Qué va, gracias. He traído bastantes lombrices. Suficientes como para tirar 5 o 6 meses.

—Vale. Por cierto. Aquí tienes el revólver. Bonito, ¿eh?

—Una maravilla.

Según lo dicho por un anciano, matar a un enemigo en el campo de batalla es como un halcón que mata a un pájaro. Aunque haya una bandada de 1.000 pájaros, no presta atención a ninguno que no sea aquel que ha señalado.

En el One Way in Love están recogiendo, las chicas ya se han ido a sus casas, Jack le pide a Donna, la mujer del jefe, que le ponga un güisqui, ella responde que le acompaña en el trago, pero que rápido, que hay que cerrar. Ella coge los 2 vasos vacíos del escurridor, se los pone en los ojos como si fueran 2 catalejos, y Jack sonríe y le dice que ésa era una de las bromas que más le hacía Carol, mirar con 2 vasos como si fueran prismáticos. Donna, sin inmutarse, traga de penalti y le dice,

—¿Sabes cuál es la gran y única putada de la vida, Jack? ¿Lo sabes?

Jack dice no con la cabeza.

—Pues que los que se van no vuelven.

—¿Eh?

—Sí, no vuelven para contar qué hay allí, cómo se vive, si allí hay más güisqui que cerveza o viceversa, si hay luz natural o por el contrario bombillas, si allí fueron los *japos* quienes ganaron la 2.ª Guerra Mundial y no nosotros, y todo eso.

—Sí, sí, está claro, Donna. Ésa es la putada. Ni que hablar.

Bajan la persiana metálica,

—Bueno, Jack, hasta el martes; ¿qué haces mañana?

—Me voy hoy a la caravana, así mañana aprovecho allí el día.

—Vale, buena pesca.

Él tira hacia la izquierda; ella a la derecha.

Cuando se ha decidido matar a alguien, aunque resulte difícil lograrlo yendo directamente al grano, no se debe pensar en conseguirlo dando rodeos. El camino del samurái es el camino de la inmediatez, y lo mejor es ir directo a por lo que quieres.

Cansado de preguntar en todos los tugurios de Palm Beach, la segunda ocasión en que Chicho acudió a Pasadena fue a ver a Daniel The Boy para, dadas sus influencias y conocimiento en negocios de todo tipo, pedirle ayuda para dar con su hija. Se lo encontró buceando debajo de la mesa.

—Un momento, Chicho, estoy buscando el jodido pin, que se me ha caído.

Emergió con él en la mano,

—¿Puedes ponérmelo tú en la solapa, a ver si tienes más maña que yo?

En la cercanía, Chicho percibió el olor a tierra húmeda en torno al cuello, y el aliento ácido que despiden los intestinos de lombriz paladeados. Hasta que Dixie no estuvo bien prendido en el ojal, no dejaron de sudarle las manos.

—Vale. Gracias. Bueno, qué, ¿más lombrices?

—No, Sr. The Boy, vengo por otra cosa —y fue directo al asunto.

La conversación terminó con únicamente una declaración de buenas intenciones por parte de The Boy, que remató,

—No te ofendas, amigo, pero con las muchachas mexicanas nunca se sabe.

Hay algo que se puede aprender de una tormenta. Al encontrarte con un chaparrón repentino, intentas no mojarte y te pones a correr. Aunque corras por debajo de las cornisas de las casas, sigues mojándote. Si lo tienes claro desde el principio no habrá sorpresas, aunque te mojarás igual. Este concepto se puede aplicar a todas las cosas.

Jack riega las flores del tarro de cenizas de Carol, que preside la mesa sobre un microondas General Electric ahora estropeado, frente al decorado roto de *Corazonada,* y sale de la caravana. Tira el anzuelo al acueducto; se sienta. Más allá del embalse se extiende, intuida, una cadena montañosa. Recuerda que en una ocasión que pasaban en coche cerca de una montaña, camino de Reno para unirse en matrimonio, Carol le dijo,

—Cuál es tu imagen extraña preferida.

Él lo pensó un poco,

—No sé, quizá una carretera que se pierde monte arriba en la niebla mientras abajo hace sol. ¿Y para ti?

—Entras en un portal vacío, un ascensor baja, pero dentro tampoco hay nadie.

—No está mal —dice él—, anda, pásame un cigarro.

En palabras de los antiguos, uno debería tomar sus decisiones en el espacio de 7 inspiraciones. Es una cuestión de determinación, y de tener el espíritu adiestrado para llegar directamente al otro lado.

Una vez finalizada la entrevista con The Boy, antes de regresar a Palm Beach, Chicho decidió dar una vuelta por Pasadena, observar su transformación tras tantos años de ausencia. Pasó el día comprando ropa en las tiendas a pie de calle, comiendo helados y recordando su antigua vida allí como en postales, hasta que por la tarde echó a rodar hacia las afueras de la ciudad y continuó hasta llegar a un embalse. Apagó el motor, miró el leve rizado de las aguas por la acción del viento. Se bajó del coche. Comenzó a andar por una pista que bordeaba un acueducto casi tan seco como su garganta, que sintió forrada de polvo, hasta que se detuvo al ver a lo lejos brillar un objeto plateado, Joder, se dijo, El monolito de 2001. Y se acercó hasta lo que resultó ser una caravana. Estaba totalmente cerrada; fuera, sólo una parrilla de barbacoa y unos restos de pescado rebozados en tierra. Entonces se abrió la puerta y apareció un hombre con un ejemplar de *Moby Dick* en la mano,

—Esto es propiedad privada. Qué se le ofrece.

—Ah, lo siento, como no está señalado...

—Pues sí, y el radio de los 4.27 m que rodean a mi caravana también son míos.

—Bueno, ya me voy, amigo, sólo paseaba —dijo Chicho mientras rotaba sobre sus pies para irse.

—En breve voy a preparar la cena, ¿quiere quedarse?

—¿Me toma el pelo? ¿No me estaba echando?

—No pasa mucha gente por aquí, ¿sabe? Y parece de fiar. Pero en fin, como quiera.

—Gracias, pero no, hoy ya es tarde, aunque, bueno, si me da un vaso de agua..., tengo la garganta llena de polvo.

—Claro —dijo el hombre mientras extendía la mano con firmeza para estrecharla—, Jack, me llamo Jack.

—Yo Chicho.

Sacó una jarra de agua fría, y Chicho se sentó en una silla de tijera apoyando la espalda contra la chapa de la caravana. Aún estaba caliente. Jack, de pie a su lado, observó en la cintura de Chicho el asomo de la culata de un revólver bajo la chaqueta del traje y dijo,

—¿Y qué le ha traído hasta el desierto?

—No, nada, fui a Pasadena, de compras, y jamás había venido hasta aquí.

—Está muy bien esta zona.

—Sí, sí lo está. ¿Me da más agua? No tendrá con gas, ¿no?

—Pues sí. Está de suerte, andan por ahí unas cuantas botellas, eran de Carol.

—¿Su hija?

—No, no, mi difunta esposa.

—Vaya, lo siento. Yo ando buscando a mi hija, y no la encuentro. Es como si también estuviera difunta. No sabe lo doloroso que es perder a una hija. Y lo jodido es que seguro que la tiene por ahí algún chulo de putas. Si lo agarro lo mato.

—Se lo tendría merecido; mucho cabrón suelto en Pasadena.

Jack entra en la caravana, Chicho oye que rebusca.

—Ah, mire, aquí hay una botella, por suerte el agua no caduca.

Sale y le da el abrechapas. Se sienta a su lado. Ambos miran el acueducto; más al fondo, el embalse.

—Mi hija, María, se parecía mucho a mí. Le gustaba calcularlo todo. ¿Sabe, Jack, cuál es el hormiguero conocido más grande del mundo?

—Ni idea.

—Uno que parte del mismo centro de Milán, en Italia, y llega hasta la costa atlántica de España, a un pueblucho llamado Corcubión. Si tiras una piedra en uno de los extremos, el calambrazo se transmite hasta el otro en pocos segundos. Es un hormiguero famoso entre los calculistas. Mi María estaba fascinada con él, el último día que la vi le había prometido que la llevaría a Milán, a ver el origen de esa maravilla. Mire, no miento, precisamente el otro día compré los billetes a fecha abierta, por si la encuentro —y extrae los cartones, muy maleados, del bolsillo interior del traje, y se los pasa.

Jack observa detenidamente esos destinos entre sus dedos sucios de cebo de pesca y dice en voz baja,

—Buff, joder, qué bueno, qué bueno es viajar. Yo nunca he salido de California.

—¿No?

—Bueno, sólo una vez que fui a Reno, con Carol, a casarnos, solos, sólo nosotros. Fue una bendición encontrar a Carol. Tenía que ver cómo bailaba, una serpiente, pero en dulce, sí, fue una bendición encontrarla.

—Sí, hay mujeres que lo vuelven loco a uno.

—Es que trabajaba conmigo, en el local de *striptease*, en la ciudad. Yo animo la sesión por megafonía, ya sabe. Después nos íbamos a su piso, en la 45 con la 7.ª, y poníamos la tele, y tomábamos cervezas mientras veíamos los anuncios de Teletienda y ella los imitaba francamente bien, y si había anuncios de coches o de colonias y salía algún paisaje montañoso, cogía unos prismáticos que guardaba desde que era pequeña, un regalo de su padre, enfocaba a la pantalla y me decía, «venga, Jack, a ver si vemos algún oso entre esos árboles», era una bromista tremenda. Éramos felices, así es, muy felices, y el puto cáncer en 2 meses se la llevó. Mire, ahí dentro están sus cenizas, siempre con flores —y señaló con el dedo el microondas.

Tras un breve silencio en el que a Chicho se le humedecieron los ojos, dijo,

—Gracias por el agua —se levantó.

Ya era de noche. Jack, sentado, vio desdibujarse el traje de Chicho hasta que desapareció muy pronto.

Antes de subir al coche, a ciegas tiró con fuerza el revólver al embalse, que apenas movió la piel del agua. Saigón, mierda, aún sigo solo en Saigón. A todas horas creo que me voy a despertar de nuevo en la jungla. Cuando estuve en casa durante mi primer permiso, era peor, me despertaba y no había nada, apenas hablé con mi mujer, salvo para decirle «sí» a su petición de divorcio. Cuando estaba aquí quería estar allí, cuando estaba allí no pensaba más que en volver a la jungla. Llevo aquí una semana, esperando una misión, desmoralizado. Cada minuto que paso en este cuarto me hace ser más débil, y cada minuto que pasa, Charlie, como llamamos al Vietcong, se agazapa en la selva, se hace más fuerte. Al mirar a mi alrededor las paredes se estrechan más. Todos consiguen lo que desean, y yo quería una misión, y por mis pecados me dieron una. Era una misión para elegidos, y cuando se acabara, nunca más querría otra.

¡A ver, Jota, di algo para acabar! Pues no se me ocurre nada... Di lo que tú quieras... ¡Ah sí!, parafraseando a Woody Allen en el final de *Annie Hall:* ya saben, en el arte siempre estamos procurando que las cosas salgan perfectas, porque en la vida real es muy difícil. Sin embargo, volví a ver a Sandra. Ocurrió en la parte alta de Londres, vivía con un tipo cerca de la Tate, y cuando me la encontré, para colmo, lo estaba arrastrando a ver *Viaje a Italia,* de Rossellini, así que lo consideré como un triunfo personal. Sandra y yo almorzamos juntos unos días más tarde, y recordamos los viejos tiempos, cuando le compré la corbata de Colgate, y lo baja que me había parecido el día que me habló por primera vez mientras yo pintaba chicles, o el día en que nos liamos bajo la panza de T-Rex, y cuando le contaba mis triunfos soviéticos al parchís y ella me miraba con ojos crédulos, y aquella vez que yo dibujé un cuadro sobre el empapelado de la pared de su habitación, y a ella le gustó tanto que cuando se fue lo arrancó entero y se lo llevó, y la cogorza que nos cogimos con aquel viejo gaucho loco que vivía en aquella azotea y nos hablaba de las Bolas Abiertas, o cuando veíamos la lucha libre americana entre las sábanas, en su tele portátil, y yo me vestía de superhéroe y me tiraba sobre ella. En fin, después se nos hizo tarde. Los 2 teníamos que irnos, pero fue magnífico ver de nuevo a Sandra. Comprendí que era una persona estupenda, y lo agradable que había sido conocerla. Y me acordé de aquel viejo chiste, ya saben, el del tipo que va al psiquiatra y le dice, «doctor, mi hermano se ha vuelto loco, se cree una gallina». Y el médico contesta, «bueno, ¿y por qué no hace que lo encierren?». Y el tipo le replica, «lo haría, pero es que necesito los huevos». Y, en fin, creo que eso expresa muy bien lo que pienso sobre las relaciones personales, ¿saben? Son completamente irracionales, disparatadas, absurdas, pero las seguimos manteniendo porque la mayoría de nosotros necesitamos los huevos.

¿Hemos terminado? ¿Puedo irme?

Nocilla lab

Hay ruido en todas partes. A cualquier temperatura por encima de cero absoluto los átomos se agitan con energía termal. Esto pone en marcha un zumbido de fondo que impregna toda la materia.

Masa crítica
PHILIP BALL, TURNER-FCE, 2008

Como en un documental,
era esto nuestro parte de un mismo documental.

Con las vainas olvidadas
SR. CHINARRO

Parte 1

MOTOR AUTOMÁTICO DE BÚSQUEDA

Hay una historia real, además de muy significativa: un hombre regresa a la ciudad abandonada de Prípiat, en Chernóbil, tras haber huido 5 años atrás con el resto de la población, cuando ocurriera la explosión de la Central Nuclear, recorre las calles absolutamente vacías, los edificios en pie y en perfecto estado le van recordando la vida en esa ciudad, no en vano fue uno de los obreros que contribuyó, en la década de los 70, a su construcción, llega a su calle, busca las ventanas de su piso en el conjunto de bloques de edificios, observa las fachadas detenidamente un par de segundos, 7 segundos, 15 segundos, 1 minuto, y dice dirigiéndose a la cámara, No estoy seguro, no estoy seguro de que aquí estuviera mi casa, vuelve a detener la mirada en el bosque de ventanas e insiste, sin ya mirar a cámara, No lo sé, no lo sé, quizá sea ése, o aquel de allí, no lo sé, y este hombre ni llora ni muestra afectación alguna, ni siquiera perplejidad, ésta es una historia importante en lo que se refiere a la existencia de parecidos entre cosas, yo podría haberle seguido la pista a este hombre, haber investigado su pasado, sus condiciones de vida actuales, sus fiestas patronales y dramas domésticos, la cantidad de *milisieverts* que recibió su organismo años atrás en forma de radiación gamma, alfa y beta, incluso las mutaciones de sus tejidos internos, o qué clase de involuntario afán por borrar sus pasos le lleva ahora a no saber dónde vivía, a no querer entrar en su casa para ver allí todas sus cosas, el filete de vaca rusa en la sartén, la mesa puesta, la cama deshecha, la tele apagada pero con el botón en posición ON, el reloj despertador funcionando porque usaba alcalinas, las colillas en un cenicero con forma de contenedor de residuos nucleares, todo tal como hace 5 años lo dejó, sí, podría seguirle la pista a ese hombre, pero no, en realidad, siempre me he apartado de toda clase de hombres, sólo me interesan las mujeres, en todos los sentidos que se le pueda dar a la palabra «mujer», los únicos hombres que me han interesado son aquellos a los que consideré totalmente diferentes a mí pero simultáneamente superiores a mí, a los que consideré «casos», «casos clínicos», como decía un escritor llamado Cioran para referirse a cierta clase de personas patológicamente brillantes, y en este sentido, como «caso clínico», siempre he aspirado a hallar en alguien la diferencia del Replicante, el ente perfecto y situado en los márgenes del ser humano, ni más allá, ni más acá, justo en la biológica frontera, este tipo de pensamientos son bastante absurdos dado que al final todos somos más o menos idénticos, no idénticos de la misma manera en que, por ejemplo, son idénticos 2 fotones, que se le revelan a la física como *indistinguibles,* sino en el sentido de «muy parecidos», por eso aspirar a la diferencia, al «caso clínico», resulta un posicionamiento infantil, lo que no impide que cierta ilusión de divergencia respecto al mundo te ayude a actuar, a progresar, a entrar en estrés y ansiedad, a estar vivo en contra de lo que entienden por «estar vivo» las blandas filosofías orientales, el estrés ayuda a generar entropía, desorden, vida, uno viaja por diferentes países y ve cosas muy distintas en cuanto a vegetación, animales, costumbres o rasgos que definen razas y culturas, y sin embargo tarde o temprano termina por enunciar una ley cierta: todo, visto con el suficiente detalle, es idéntico a su homólogo del lugar más alejado de la Tierra: vista bien de cerca, una hoja de una garriga de Cerdeña es igual a la de un pino de Alaska, o los poros de la piel de un sudanés son idénticos a los de un esquimal, o una representación de un Buda en Bangkok a la de un Jesucristo de Despeñaperros, y así con todo, porque existe otra ley igualmente general y cierta: el turista recorre países y siente empatía por lo que allí descubre debido únicamente a que todo le recuerda a algo que ya existe en otros lugares que ha conocido, algo que sin ser exactamente igual a lo que ya ha visto, es en cierto modo igual, el Replicante de *Blade Runner,* y todo esto tiene mucho que ver con lo que entendemos por frontera, por solapamiento de dos superficies, porque hallar una novedad absoluta sería monstruoso, insoportable, una pesadilla, en la misma medida que también lo sería la identidad absoluta, y entonces buscamos argumentos para pasar por alto esa paradoja, me encantan las paradojas, no es que me encanten, decirlo así es una tontería, es que, simplemente, sin ellas no existiría la vida y el planeta sería un yermo, así que, sencillamente, las paradojas *son,* existen, y punto, son ellas quienes crean conflictos entre 2 o más sistemas, ya sean sistemas vivos, mecánicos o simbólicos, y eso, según un eminente científico llamado Prigogine, es lo que da lugar a lo que entendemos por vida, lugares donde no hay equilibrio: la paradoja es también una forma de desequilibrio, estábamos en un puerto de una pequeña isla al sur de otra isla llamada Cerdeña, el corazón del Mediterráneo, un pueblo marinero donde habíamos llegado tras meses de continuo peregrinaje, continua búsqueda del lugar apropiado para erigir el Proyecto, nuestro Proyecto, como nos gustaba llamarlo, algo colosal que desde hacía años nos tenía más que ocupados, abducidos, y de repente, aquel lugar de aquella isla al sur de otra isla llamada Cerdeña, me pareció un pueblo de pescadores portugués, un pueblo cualquiera, pero portugués, atlántico, casas bajas, ligeramente ornamentadas con motivos barrocos y pintadas de azules y naranjas, había un bar-pizzería con aspecto de taberna, construido junto al muelle en madera oscura, y en cuyo letrero de neón se dibujaba un galeón del siglo 19 tipo el de *Moby Dick,* batiéndose en una tormenta, uno de esos galeones que destilan una épica tal que ya sabes que saldrá con éxito de la contienda, y ella y yo entramos en ese bar-pizzería a tomar algo, a ver pasar los barcos, a ver rodar los papeles entre los coches aparcados en el muelle, a nada, nos sentamos en unas mesas que eran tablones amplios y corridos para albergar lo menos a 20 personas, banderas de barcos llenaban las paredes, así como instrumentos varios de navegación, extraños para mí, para ambos, artefactos sin otro cometido que una ornamentación sólo comprensible a especialistas, órganos extirpados a antiguos galeones, y le dije en ese momento a ella, justo en el preciso momento en que tomábamos asiento en el tablón de pino barnizado y ella apartaba ligeramente un vaso para apoyar su paquete de Marlboro, Acabo de tener la sensación de estar en las Azores, y ella se sorprendió mucho, no se quitó las gafas de sol, no pude observar su sorpresa en la dilatación de sus pupilas, pero sé que se sorprendió mucho, los mediterráneos como ella tienen muy arraigado el mito de que su mar es incomparable a cualquier otro porque en él nació lo que entendemos por belleza civilizada, Occidente, pero lo cierto es que aun siendo verdad que el Mediterráneo fue el cableado Internet de antiguas civilizaciones, aun estando ese dato perfectamente consignado, es un mar muy sobrevalorado, pero de esa sobrevaloración no hablamos en aquel momento ella y yo, cuando nos sentamos a comer en aquel bar de una isla al sur de Cerdeña, sino de mi frase: «Acabo de tener la sensación de estar en las Azores», aunque en realidad tampoco hablamos de lo que implicaba esa frase porque ella sólo asintió con un escueto, Sí, y aunque ella nunca había estado en las Azores supo que el símil era cierto, preciso, yo tampoco había estado nunca en las Azores, pero es que en aquel momento, justo en aquel momento en aquel bar de una pequeña isla al sur de Cerdeña al que habíamos entrado a tomar algo, a ver pasar los barcos, a seguir con la mirada el rodar de los papeles en el muelle, a nada, me vino a la cabeza un artículo de un escritor llamado Enrique Vila-Matas, un breve artículo que había leído hacía muchos años en un periódico, en el que este escritor hablaba de un bar de un puerto de las Azores, y lo asocié inmediatamente a ese en el que ahora ella y yo estábamos, un bar quizá también de madera, no sé, un bar en el que aquel escritor contaba que los marineros que cruzaban el Atlántico se dejaban mensajes en un tablón de corcho de la entrada o esculpidos con una navaja en la pared cuando el corcho estaba ya repleto, y cuyos destinatarios no eran los lugareños sino otros marineros que, sabían, pasarían por aquel bar de las Azores tarde o temprano, en ocasiones incluso años después de haberse escrito el mensaje, como si el verdadero destinatario de todas esas palabras no fueran las personas sino, cartero inmóvil, el propio océano Atlántico, que en tiempo real las emite, recibe y custodia, eso había pensado yo cuando leí aquel artículo en aquel periódico escrito por un hombre llamado Enrique Vila-Matas, una historia y un bar de las Azores que, casualmente, hacía poco tiempo había vuelto a recordar a raíz de que un amigo que estaba llevando a sueldo un velero del Caribe a Mallorca nos había llamado al llegar a las Azores para anunciarnos que ya estaba allí, que la travesía había salido bien «hasta el momento», recalcó, era la primera vez que este amigo hacía esa ruta, es más, era la primera vez que salía mucho más allá de la bahía de Palma de Mallorca, recuerdo que la comunicación telefónica aquel día era pésima, yo le pregunté por el bar, el bar aquel del que tenía referencia por un artículo de un escritor llamado Enrique Vila-Matas y en el cual se decía que la gente se dejaba mensajes en un corcho que tardaban un año en llegar, y me dijo que el bar había desaparecido producto de un golpe de mar, nos quedamos unos segundos en silencio, colgados de los auriculares, no entiendo muy bien por qué se hizo aquel silencio antes de seguir hablando de los pequeños detalles de su aventura náutica, pero ese silencio exis-

tió, aseguro que existió, aún no me lo explico, cuando
colgué pensé en los mensajes tallados en la propia pared
de aquel bar de las Azores y que en ese momento estaban
ya en el fondo del mar, pero pensé con más inquietud en
los mensajes de papel clavados en el gran tablón de corcho, imaginé que primero la tinta de las palabras, y después el propio papel estarían en ese momento diluyéndose, y que ahora sí cobrarían sentido todas las letras allí
escritas cuyo destino final sería por fin el propio océano,
revelándoseme todo aquello, todo aquel tablón de letras y
corcho, con otro significado, con un significado que estaba ahí pero que no veíamos, un significado que atraviesa
la frontera de lo que no tiene un sentido especial cuando
está entre nosotros y de repente emerge como imprescindible una vez desaparecido, una línea de separación im-
perceptible pero honda: sin ir más lejos, ese día en aquel
pueblo de aquella isla al sur de Cerdeña, el recuerdo de
aquel artículo que años atrás yo había leído y que hablaba
de un bar de las Azores, bar que según nuestro amigo
navegante ya no existía producto de un golpe de mar,
inmortalizó, singularizó, diríamos, para siempre un bar-
pizzería de una isla al sur de Cerdeña al que habíamos entrado a comer algo, a ver los papeles en el muelle rodar, a
nada, porque hay objetos, cosas, que actúan de polo magnético para otras lejanas de manera que las dotan de sentido, lo decía Italo Calvino: hay que tener mucho cuidado con los objetos que se introducen en un texto porque
actúan de polo magnético en la narración, atraen al argumento, se vuelven objetivos potenciales de nuestra atención, en la vida pasa lo mismo, como, por ejemplo, cuando vas a un país y una rama de un árbol te recuerda a otra
de un lugar muy lejano, o cuando miras detenidamente
los poros de la piel de un sudanés que va frente a ti en el
bus y te parecen idénticos a los de un esquimal que te
pasó la sal en una espaguetería de San Francisco, porque
al final todo, humanos incluidos, está hecho de electro-

nes, de quarks, de amorales fuerzas que nos mantienen unidos, y nada más, pero aquel día, el día en que ella y yo entramos en aquel bar de aquella isla al sur de Cerdeña a comer algo, a ver los barcos pasar, a ver rodar los papeles en la calle llevados por el viento, a nada, ocurrió otra cosa, algo importante: cuando casi habíamos terminado el segundo plato, una ensalada de atún de la zona que a mí ya me parecía atún de las Azores, cocinado de 7 formas diferentes con judías, tomate y pan seco en picatostes, vibró mi teléfono en el bolsillo, era un amigo al que habíamos dejado al cuidado y riego de las plantas de nuestro piso, y al cuidado también de la gata, animal al que iba a ponerle un plato de pienso cada 2 días, su llamada tenía un objeto muy definido, anunciarnos que esa misma mañana, cuando entró en el piso, se había encontrado a nuestra gata muerta delante de la puerta del cuarto de baño, entonces yo disimulé como si hablara con él de otra cosa, y colgué, no sabía cómo decírselo a ella, la verdadera propietaria de la gata, una gata que la había acompañado los últimos 15 años de su vida, lo pensé un rato y al final creí que lo mejor era comunicárselo sin patetismos ni excesos, Ha ocurrido un problema con la gata, le dije, un problema irremediable, lo siento, ha muerto, ésas fueron mis palabras, ella permaneció todo aquel día en silencio, y aunque a mí aquella gata nunca me había caído especialmente bien, también lo sentí, nunca me ha gustado interferir más de lo justo en la trayectoria de los animales, me gusta observarlos, sin más, y dejar que sigan su curso, aunque algún día habría que entrar a examinar de una vez por todas qué significan frases como «observarlos sin más», o «seguir su curso», pero sí sentí pena y me sorprendí a mí mismo llevado por reflexiones sobre el sentido de la muerte en general, de mi futura muerte, de la muerte de la gente a la que aprecio, y por añadidura sobre los pensadores que alguna vez habían reflexionado y dejado por escrito algo sobre la muerte, incluso pensé en el destino del Universo, menuda tontería, pensar en el destino del Universo, y todo recuerdo de la gata, sus gestos, su expresión al correr detrás de una mosca, las patadas que le daba al cuenco del agua antes de beber para ver si allí había agua, o una foto que un día le hice por equivocación queriendo retratar la ventana rota de la cocina para dar parte al seguro, todo cobró un sentido especial, por primera vez la gata había pasado a convertirse en un ente con su personalidad, con un estilo de vida propio [es importante construir un estilo de vida propio], en un cosmos autónomo, en un polo magnético que comenzó a atraer hacia sí a otros objetos para dotarlos de vida, objetos hasta entonces tan anodinos como su vida animal, de la misma manera que aquellas notas que estaban en un corcho de una pared en un bar de las Azores clavadas con una chincheta pertenecían a una cotidianidad, eran tanto como nada, y de repente, diluidas en la mar, eran algo muy distinto, especial [imagino ahora todas aquellas chinchetas que, seguro, permanecen clavadas al corcho, conformando una submarina geografía de azar, una especie de mapa de trayectorias de chinchetas], y muchos meses después de ese viaje a Cerdeña, al regresar a casa aún estaba la palangana de la arena de la gata con sus últimos excrementos, una creación como otra cualquiera, recuerdo que pensé entonces, la muerte, esa combustión que genera dos realidades, el humo que se va y la ceniza que se queda, es misteriosa, y pone en marcha cierto tipo especial de casualidades, hace no muchos años, justo antes de vivir en nuestra actual casa vivíamos en un tercer piso de un barrio muy ruidoso, nuestra vecina de abajo era dependienta en una tienda de ropa, llevaba varios piercings en un ombligo verano e invierno a la vista, era bajita y muy habladora, mucho, no podía encontrarme con ella en las escaleras sin que me retuviera al menos media hora para al final no sacar nada en limpio, estaba casada con un tipo llamado Paco, también muy joven y pequeñito, bastante delgado, que nunca hablaba pero que sonreía amablemente cuando te lo cruzabas, una sonrisa de hombre dócil y es posible que de amargura, este hombre estaba muy enfermo del corazón, había sido sometido ya a varias operaciones, ambos se entretenían viendo los programas del corazón en la tele, escuchando canciones de Mónica Naranjo y cosas así, eran felices, un día dejé de verle y me enteré de que había recaído en su enfermedad cardiaca y que estaba muy mal, con apenas 28 años recién cumplidos ya no salía de casa, no se levantaba de la cama para nada, y un mediodía, tras ver *El Tiempo* de Tele 5, le pidió a su mujer que fuera a la hamburguesería del barrio, El Perro Loco, y le trajera una Big Crazy bien cargada y jugosa, con mucho queso y tomate, ella no accedió a tal disparate, y más teniendo en cuenta que acababan de comer, él insistió, incluso gimoteó, pero nada, su mujer no cedió, esa misma tarde murió, al día siguiente, ella, como queriendo resarcirse de no haberle concedido aquella última voluntad, se puso un vestido negro, fue a El Perro Loco y pidió al chico de la caja una Big Crazy bien cargada, con mucho queso y tomate, mientras esperaba vio que en la chapa de identificación que tenía el chico prendida al uniforme estaba escrita la palabra *Paco,* es a este tipo de casualidades a las que me refiero cuando digo que creo en las casualidades que genera la muerte, y cuando muchos meses después de patear aquella isla regresamos a casa y aún estaba la palangana de la arena de la gata con sus últimos excrementos, pensé que la gata había dejado su última creación de la misma manera que nosotros habíamos dejado algo importante e irrecuperable en aquella isla al sur de Cerdeña, isla a la que habíamos ido a buscar el enclave perfecto, necesario, para acometer el Proyecto, nuestro Proyecto, como nos gustaba llamarlo, porque que todo se parece a otra cosa es una ley universal, es el principio de la mímesis, de la creación tal como la entendemos desde que el ser humano ha interpretado y representado el mundo, y si bien esto es así, también es verdad que toda creación es autónoma y hasta el género más presuntamente real, el documental, no es real sino «realista»: emula a la realidad pero es un corta y pega, un producto de montaje, una construcción, de tal manera que podría decirse que «ninguna creación es la realidad, sino una representación de la realidad, y como tal representación, es una ficción», y es ése el merengue que el arte ha estado batiendo durante siglos en solitario hasta que siguieron su ejemplo los telediarios, la política y la publicidad, ahora bien, hay casos especiales, casos que se salen de la norma, singularidades, diríamos, cosas, objetos, que no se parecen a nada ni a nadie salvo a ellos mismos, de eso me di cuenta por primera vez a la edad de 18 años, en aquella época vivía en Santiago de Compostela, estaba en el primer curso de la licenciatura de Ciencias Físicas, y víctima aún de cierta estética punk evolucionada, llevaba pantalones ajustados negros que dejaban ver unos calcetines de color rojo o violeta según el día, cazadora de cuero negra, un cinturón de tachuelas piramidales de doble fila, calzaba unos zapatos que encargábamos por correo a Londres, de suela muy gruesa y hebilla lateral, denominados buguis, y llevaba en la muñeca izquierda un reloj rosa con la esfera de Micky Mouse, toda esa clase de parafernalia producto de lo que se dio en llamar a principios de los años 80 «la movida», en aquella época yo tenía una vespa de color negro y una novia rubia, por lo que mi espíritu postpunk compartía tics con lo mod y lo rocker, y eso era quizá lo que hacía tan fascinante y pasional aquella posmodernidad tan postiza, yo vivía con mi hermana mayor, 14 años mayor que yo, por las mañanas iba a clase, por las tardes estudiaba y recuerdo que apuntaba las horas de estudio en un histograma que me confeccionaba con los días de la semana, por las noches bajaba a un bar que había justo en el portal de al lado, el Bergantiños, un lugar oscuro, con mesas de formica marrón y sillas a juego, donde siempre había moscas, y que, a falta de nada mejor en aquel barrio proletario y alejado del centro, yo había convertido en un lugar acogedor y especial por esa ley de supervivencia que nos obliga a adaptar lo que tenemos a mano a nuestras fantasías y propósitos, yo había leído ya la autobiografía de Richard Feynman, titulada *¿Está Ud. de broma, Sr. Feynman?*, en la que el genial físico relataba que cuando era profesor en Caltech había tomado la decisión de pedir siempre el mismo postre, flan, para de esta manera evitar el incordio de tener que pensar cada día en la nimia pero desquiciante decisión de elegir un postre, y de esta manera, yo, en mi émulo casero del mítico genio de la física, en aquel bar llamado Bergantiños pedía siempre, sin excepción, una Coca-Cola de botella de 33 cm^3, con una rodaja de limón introducida dentro y bien exprimida, y la bebía a morro mientras veía la masa amarilla y porosa de la piel del limón almibarándose en la botella entre jugos de Coca-Cola, de esta manera ya tenía resuelta la decisión de qué tomar y podía concentrarme directamente en la tele o en escuchar las conversaciones de las otras mesas, casi todas ocupadas con ancianos solitarios y desdentados que farfullaban y de vez en cuando emitían un sonido, todas las mesas eran así menos una, la del fondo, más en penumbra y ocupada cada noche por estudiantes mayores que yo, repetidores que aún leían periódicos como *Mundo Obrero* y hablaban de una revolución siempre por venir la semana siguiente, yo permanecía impasible ante toda la cacharrería teórica y estética de aquellos muchachos, y ellos me observaban como a un marciano recién aterrizado en su Gulag, nos respetábamos, el motivo por el que esos jóvenes frecuentaban ese bar de ancianos era uno y simple: el dueño, Xoan, un hombre que rozaría los 80 años, corpulento, con pelo tupé a lo James Dean, resultaba ser una especie de comunista metafísico ya que, entre otras cosas, afirmaba que había estado en Berlín en el año 71 y que el Muro no existía, llevaba en el meñique de la mano izquierda un sello de oro con un relieve de la hoz y el martillo también en oro, recuerdo que un día le pregunté, Pero, Xoan, ¿eso de la hoz y el martillo en oro no es una contradicción?, y él respondió con su característica voz de pena, ¡No, neno, no, tienes que comprender que no!, y no dijo más, otra vez me comentó muy indignado que el sistema educativo era una mierda porque al agua ahora la llamaban *hachedosó,* y meses más tarde, ya casi al final del curso, yo quería saber la programación de televisión, y vi desde lejos que aquellos estudiantes neorrevolucionarios tenían un periódico sobre su mesa, de modo que me acerqué a pedírselo, demasiado tarde me di cuenta de que el periódico en cuestión era *Mundo Obrero,* ya no podía volverme atrás, les dije, ¿Sale ahí la programación de la tele?, y con la mirada fija en mis ojos pintados de negro, como pensando si iba en serio o les tomaba el pelo, uno dio una calada al Celtas sin filtro y contestó mientras despedía el humo, No, chaval, no, aquí no sale la programación de televisión, y tras un breve silencio regresé a mi mesa, continué viendo *Miami Vice* en la Grundig mientras echaba tragos a la botella de Coca-Cola, y fue ese día en el que me quedé observándola, su líquido oscuro, el submarino de limón dentro, y pensé que aquel sabor, aquel mejunje que tenía en mi boca no se parecía a nada conocido antes por la civilización, no era como otros refrescos, que recuerdan a frutas o especias, una mímesis de algo, no, la Coca-Cola no se parecía a nada salvo a sí misma, no cumplía el principio aquel de la mímesis que regía en el arte, en la publicidad, en los telediarios, en mi vestimenta, en la vestimenta de aquellos neorrevolucionarios que leían *Mundo Obrero,* en efecto, era como una creación desde una nada simbólica, y eso me pareció un salto evolutivo y definitivo en la Historia de la humanidad, el primer producto realmente ficticio de alimentación, y éste, el de la Coca-Cola, era el caso especial del

que antes hablaba, el primer producto de consumo realmente producto de nada, algo creado por la propia necesidad de consumir un objeto sin filiación ni raíces, un objeto nuevo de verdad, consumismo en estado puro, como
ocurre con las parejas, que te enamoras de alguien, lo con-
sumes, te consume a ti, y pasas a otra, y esto es así, es tonto juzgarlo bajo criterios morales, simplemente es, siempre
he huido de los criterios morales, especialmente en el ámbito de la creación artística, me causan estupor los artistas que creen que poseen la moral justa y la pregonan con
sus obras, hay que ser muy petulante para creer que tú
posees el sentido de lo verdaderamente justo y que tu vecino no, siempre he intentado escribir de una manera
totalmente amoral, como la Coca-Cola, sin raíces morales manifiestas, quizá por eso me gusta Norteamérica,
porque, como yo, son paletos, carentes de filiación y de
mochila histórica pesada a la espalda, un estar siempre
de turista en tu propia vida, por eso también comparto al
100% las palabras del artista John Currin cuando dice
que él va al Museo de Arte Moderno de Nueva York, está
10 minutos y ya tiene suficiente porque más tiempo allí
le impide progresar como artista, hay que considerar la
Historia como un gran supermercado, sí, esa frase me
gusta, la Historia como supermercado, me la tatuaría si no
odiara tanto los tatuajes, y esa forma de narrar amoral-
mente, documentalmente, no me la dio la literatura, sino
una película que casualmente vi a principios de los 90 y
que me indicó el camino, *Hana-Bi,* del japonés Kitano,
una forma de narrar en la que el único criterio a seguir es
la respiración del propio lenguaje, cosa que poco después
descubrí en un libro fascinante llamado *Centuria,* de
Giorgio Manganelli, y cosa que corroboré mucho tiempo
después cuando, la noche que la conocí a ella, esa mujer
que tenía ahora delante en un bar de una isla al sur de
Cerdeña que se parecía a otro de las Azores, le puse en su
pecho un fonendo que un amigo médico se había dejado

en mi casa, y en sus pulmones oí cosas que puedo asegu-
rar que eran voces, voces que se creaban desde la nada,
desde el caos ruidista de su respiración, unas voces que,
yo sabía, me indicaban una forma muy determinada de
narrar, sin raíz, rizomáticamente, Es cierto, hay cosas que
son imposibles de narrar, le dije a ella en aquel bar de aquella isla al sur de Cerdeña que se parecía a otro bar de las
Azores, Por ejemplo, nunca escribo sobre sexo, quiero decir que nunca describo una escena de sexo con la pretensión de hacer sentir al lector lo más íntimo de esa escena
de sexo, y no por criterios morales ni estéticos, sino porque lo considero absurdo, le dije, Porque con el sexo ocurre
lo mismo que con los sueños, son irrepresentables, nunca
quedan bien llevados al papel o a la pantalla, siempre parecen falsos o ridículos, o cutres, o triviales, o risibles, o
infantiles, se mire como se mire es imposible narrarlos
por la sencilla razón de que ambos, sexo y sueños, son los
actos más limítrofes de la expresión humana, lugares donde ya no estamos en nosotros, y eso los convierte en los
actos más importantes del ser humano pero también en
los más lejanos e incomprensibles, eso es lo que hace que
intentar recrearlos equivalga a caer en el ridículo, pueden
describirse, sí, como lo hace el cine porno con probada
honradez, o como se cuentan los sueños ante un psicoa-
nalista, pero no recrearlos, le dije, y en ese sentido se parecen mucho a la Coca-Cola, sólo se parecen a sí mismos,
y entonces ella, en aquel bar que se parecía mucho a otro
de las Azores, sin quitarse las gafas pop-star que le ocul-
taban los ojos, me dijo, Siendo así, entonces la Coca-Cola ya se parece a algo más que a sí misma: se parece a los
sueños y al sexo, tiene con ellos eso en común, ¿no?, y yo,
a la espera de encontrar un contraargumento más o menos convincente cambié de tema, y por tampoco entrar
en el asunto de nuestro Proyecto, nuestro gran Proyecto,
el que nos había llevado hasta allí, hasta aquella isla al sur
de otra isla llamada Cerdeña y de carambola a aquel bar

que se parecía a otro de las Azores, ese Proyecto que ambos habíamos estado evitando desde que habíamos desembarcado a pesar de haberlo pergeñado detalle a detalle, a pesar de haber constituido ese Proyecto el centro de gravitación de nuestras vidas todo el año anterior, verano e invierno en nuestra casa, centro de gravedad del que sólo éramos simples satélites movidos por su fuerza, por no entrar tampoco en ese asunto de nuestro Proyecto, decía, le comenté algo respecto a los días anteriores a ese día, mejor dicho, los meses anteriores a ese día en ese bar en el que ahora nos encontrábamos y que se parecía mucho a otro bar de las Azores, y es que recién llegados a la isla, nos habíamos puesto a buscar en un coche alquilado la ubicación ideal que sirviera para nuestros propósitos, para nuestro Proyecto, el lugar donde poner en marcha todo nuestro plan, ese increíble y gigantesco plan que un poco a ciegas nos había llevado finalmente allí, y entonces le comenté algo acerca de aquel lugar al que nos habíamos dirigido nada más desembarcar y arrancar el coche en la isla, un lugar de típico veraneo, una pequeña península llana ubicada en unas marismas donde corrían las garzas y se elevaba vegetación legalmente protegida a un lado, y sombrillas, motos de agua y chiringuitos de playa con música atronante al otro, habíamos tomado un apartamento, decoración neutra y funcional, correcta, con los suelos gastados de tanta sal y tanta arena de playa, estuvimos 6 días bañándonos por la mañana y bebiendo vino blanco frío por la noche, y sin hablar ni un solo momento de nuestro Proyecto, de nuestro cometido en esa isla, un campo de fuerzas muy intenso nos obligaba a tomar decisiones vagas, perezosas, había pura calma en la línea de horizonte, como si fuera aquello un anticipo inverso del Proyecto, nuestro Proyecto, como nos gustaba llamarlo, Proyecto que, sabíamos, tarde o temprano deberíamos acometer, esos días fueron fantásticos, como días de cumpleaños y noches de reyes, hacíamos el amor en todas partes, dormitábamos hasta cualquier hora y comíamos a deshoras, como si los días fueran una sucesión de momentos resueltos en escenarios descartados de una fotonovela venezolana a veces, y otras de un videojuego, de repente éramos adolescentes, incluso niños, volvíamos al único paraíso que existe, la infancia, aquel en el que el tiempo está por construir y por lo tanto es infinito, ese paraíso que ya de mayores reconstruimos en cada día de asueto, en cada período vacacional, malas recreaciones de aquel espacio infantil, para eso trabajamos 11 meses al año, para ser niños el mes número 12, pero esa vuelta a la infancia y a la adolescencia con tanta intensidad no era nueva para nosotros, ya otras veces nos había ocurrido, hacía 4 años habíamos ido de viaje a Tailandia, un país que a mí no me seducía en absoluto y que se me antojaba, como todo país que detente una bandera, absurdo y carente de interés, una vez allí pasamos unos días en Bangkok antes de meternos en un bus que nos llevó tras 12 horas de viaje a Chiang Mai, una ciudad de unos 200.000 habitantes situada al norte, y lo cierto es que, en contra de mis sospechas y convicciones, todo era placentero, paradisíaco, nada podía presagiar lo que allí, en Chiang Mai, se nos avecinaba, un desastre que en cierto modo cambió la forma que yo tenía de entender ciertos aspectos del mundo, y que, además, propició una casualidad que excedió al propio desastre, yo, ya lo he dicho, creo mucho en las casualidades, con los años he llegado a creer que todo lo verdaderamente importante en la vida se origina en las casualidades, por ejemplo, al año siguiente de ir a Tailandia, me tocó presentar un libro llamado *La brújula*, de un escritor llamado Jorge Carrión, esto es un extracto de lo que leí en aquella presentación:

... ahora me permitiréis que cuente una anécdota personal, una anécdota que ni nuestro autor, Jorge Carrión, ni nadie conoce; absolutamente nadie.

Me remonto al verano de 2004, julio. A mí no me gusta viajar, mis amigos lo saben; no obstante cometí la torpeza de ir un mes a Tailandia. (Algo importante que quiero decir es que pocos días antes de partir yo había comenzado a tomar unas notas, creativas, que califiqué como raras, y que no tenía ni idea adónde me llevarían.)

A los 4 días de iniciar el viaje, hallándonos mi compañía femenina y yo en una ciudad del norte llamada Chiang Mai (dicho sea de paso, con un ambiente muy a lo *Blade Runner:* puestos de venta en la calle como chabolas entre altos edificios y siempre lloviendo), ese cuarto día, decía, por la noche, nos atropelló una moto mientras cruzábamos un quimérico paso de peatones. Salimos por los aires. Vimos al piloto escapar entre una de aquellas chabolas de souvenirs. Ella salió más o menos ilesa, pero yo me rompí la cadera, diagnóstico confirmado no por los médicos de allí, quienes me dijeron que no tenía nada, sino por unas cuantas llamadas telefónicas a traumatólogos de España que eran familiares o amigos. Fueron ellos quienes me aconsejaron que estuviera en estricto reposo, tumbado en el hotel, durante los 25 días que aún me quedaban en aquel país. Así las cosas, mi vida se redujo a una cama de hotel, una ventana por la que se veía la ciudad, mucho calor, mucho aire acondicionado, mucho dolor, muchas pastillas, y en torno a la cama botellas de agua, el mando a distancia de la tele y poco más. Mi chica iba y venía cada día con comida que compraba en los chiringuitos mientras yo miraba por la ventana, como en *La ventana indiscreta* de Hitchcock, donde Grace Kelly le trae comida y revistas a James Stewart. A mí ella no me traía revistas, porque yo, previsoramente, ya había llevado algunas para el viaje, así como algún que otro libro, esos que en casa nunca lees pero que en los viajes, con la tontería de la novedad, crees que te apetecerán. Una de las revistas que me llevé era el último número de *Lateral,* una publicación para la que yo de vez en cuando escribía algún artículo de divulgación, y en la que había un cuadernillo especial de «cuentos de verano». A muchos autores de esos cuentos yo no los conocía, pero cuando uno está muy lejos de su casa, y su futuro inmediato es incierto, se genera una especie de angustia que en parte es paliada por las cosas que nos son familiares como, por ejemplo, una revista que has comprado en el kiosco de tu barrio, el cual recuerdas con especial reverdor. Como imaginaréis, a falta de otra cosa que hacer, leí muchas veces aquellos cuentos de *Lateral* y escribí también mucho continuando con aquellas notas dispersas que traía de España y de las que os hablé al principio. Cada día, invariablemente, a las 6 o 7 de la tarde llovía, y yo leía, veía en la tele especiales de la historia del surf del canal Fox, y escribía.

Había entre todos aquellos cuentos uno de un autor a quien yo no conocía de nada, que me llamó mucho la atención, se llamaba «Brasilia es nombre de gata ciega», estaba escrito de una forma extraña, casi feísta, pero poseía cierto atractivo. En él, el autor describía cómo llegaba a Brasilia, cómo se instalaba en casa de unos amigos, cómo percibía la ciudad desde una ventana (o yo lo quise imaginar así), y aunque él salía y pateaba las calles, siempre describía todo como si lo viera desde una ventana, con una distancia tierna y simultáneamente científica; me sentí muy identificado con aquel autor en esos momentos. Yo, junto a mi ventana, continuaba escribiendo, desarrollando aquellas notas. También en esos momentos me di cuenta de lo felices que son los enfermos, que no hacen nada. Y fue gratificante también comprobar cómo iban creciendo, tomando cuerpo, mis notas. Me quedé sin papel, escribí en esas libretitas que hay para apuntar chorradas junto a los teléfonos de los hoteles, en los márgenes de mis libros, en las servilletas, en los billetes de avión de vuelta, y finalmente en aquel mes vi que tenía en mis manos una novela, a la que por motivos que ahora no hacen al caso llamé *Nocilla Dream,* y que se editará muy pronto. Un 28 de julio me metieron en un avión. Muchas cosas quedaron en aquella habitación, unos bolis mordidos, una camiseta naranja de manga corta que decía «Bruce Lee, a retrospective» (eso me fastidió), la guapa sirvienta tailandesa que cada día me venía a hacer la cama y se sonrojaba, y un par de revistas, una de ellas aquel número especial de *Lateral.* ¿Alguna vez habéis pensado dónde van todas esas cosas que la gente se olvida en los hoteles?

Pasó el tiempo, en concreto, un año y nueve meses, y ya en mi casa, habiendo olvidado todo aquello y totalmente recuperado, recibo un e-mail de una persona que dice ser el autor que ahora mismo tengo sentado a mi izquierda, un tal Jorge Carrión, y no tengo ni idea de cómo llega a mí. Me dice que ha editado un libro llamado *La brújula,* y que si lo puedo presentar hoy y aquí, en Palma. Digo que sí, y cuando me llega el libro compruebo con gran asombro que ese autor era aquel que me acompañó en mi ventana de Tailandia con su cuento «Brasilia es nombre de gata ciega», y que ese cuento, además, está contenido en ese libro, en este libro que hoy presentamos, y además que ese cuento no era un cuento, sino una experiencia muy fiel a la realidad que el autor vivió en Brasilia. Pensé entonces que el azar es fantástico y que, quizá, vivir ya de por sí sea un exceso (...)

y es a ese tipo de casualidades a las que me vengo
refiriendo, casualidades que, como las paradojas y la entropía, tejen vida, y todos aquellos días de relajo y playa a
nuestra llegada a Cerdeña, 6 días para ser exactos, todo
aquel paraíso de infancia a escala tenía ese sabor de lo que
no tiene historia, ni por lo tanto esa tradición y esa occidental mochila a la espalda tan pesada a la que me venía
refiriendo, días de burbuja playera que por una especie de
ley antisimétrica parecían tanto más eternos cuanto más
planeaba sobre nuestras toallas, sobre nuestros zumos de
piña, sobre nuestros baños, sobre nuestros gin-tonic, sobre nuestro sexo, sobre todo, la sombra de aquello que
verdaderamente nos había llevado hasta esa isla, nuestra
misión, nuestro Proyecto, como nos gustaba llamarlo, y
sobre el cual aún no habíamos cruzado una sola palabra
desde nuestra llegada, así que una mañana, tras engullir
el desayuno bufet, uno de los dos dejó la servilleta sobre
la mesa con gesto resolutivo y dijo, Hay que ponerse en
marcha, y esa misma mañana yo metí el escaso equipaje
de ambos en el asiento de atrás del Lancia alquilado: mi
maleta de piel, la suya de ruedas y su bolsa de hipermer-
cado con exactamente 107 bragas recién compradas, y
ella reservó el maletero únicamente para la funda rígida
de guitarra eléctrica que había traído sólo por disimular,
y digo que sólo por disimular porque dentro no se alojaba guitarra alguna sino todo lo necesario y referente a
nuestro Proyecto, ese cuya preparación nos había tenido absortos y a efectos prácticos fuera del mundo todo el
año anterior, una funda de guitarra que le había regalado
yo, años atrás, pero con una Gibson Les Paul negra de
raspador blanco en su interior, guitarra que ella nunca
tocó, guitarra a la que nunca le hizo sonar un solo acorde,
se había encaprichado de ella en una ocasión en que, de
Málaga a Madrid, dimos un rodeo por Albacete y, en una
estación de servicio en la que paramos a repostar, ubicada en una especie de desierto, oímos unos acordes que

venían de la caseta del gasolinero y que sólo cesaron en el momento en que toqué el claxon 3 veces, había salido entonces un chico joven, que de cerca no lo era tanto, de pelo corto a la taza y Adidas Campus, y nos sirvió la sin plomo sin decir más palabras que, ¿Cuánto?, ella entonces fue a los lavabos y al pasar por delante de la caseta la vio, de pie, apoyada en un amplificador Peavey, negra, brillando al contacto con la luz que entraba por la puerta, le pareció preciosa, al salir le preguntó al chico, ¿Qué haces ahí con esa guitarra?, y él respondió con desgana, Hago discos, sólo dijo eso: «Hago discos», y antes de arrancar volvimos a escuchar los acordes, hasta que los disipó la distancia, y ella, subiéndose las gafas de sol [creo que fue en aquel viaje donde se compró sus gafas de sol], me dijo que le encantaría tener una, y se la regalé en su siguiente cumpleaños, su 34 cumpleaños, con una funda negra rígida e hidrófuga «para cuando los rockeros caminan bajo la lluvia», había dicho el de la tienda donde la compré guiñándome un ojo, y forrada por dentro de una imitación de terciopelo morado, la misma funda de guitarra en la que ahora ella traía todo lo necesario para acometer el Proyecto, nuestro Proyecto, un auténtico laboratorio con esa instrumentación que durante todo el invierno habíamos escogido e incluso diseñado nosotros mismos con total cuidado, éramos el binomio perfecto, el sofá biplaza que cualquiera quiere poseer, y así, sin hacer plan de ruta alguno, nos pusimos en marcha con la resaca aún de aquellos 6 días libres de preocupaciones y neutros, técnicamente planos, fructíferos, días antitéticos a la vida que nos esperaba a partir de ese momento, y no nos importaba ese radical cambio de rumbo y estilo, una vez habíamos leído una frase de Andy Warhol, «es tonto que alguien sienta que se traiciona a sí mismo por cambiar de estilo. Uno debería poder ser hoy artista abstracto y la semana siguiente figurativo, o pop», frase que suscribíamos al 100%, salía en un libro suyo que era para nosotros una de las cumbres no sólo de la honradez sino de la profundidad intelectual, *Mi filosofía de A a B y de B a A,* un libro que poníamos a la misma altura que el *Diccionario filosófico* de Voltaire, o incluso que el mismísimo *Mil mesetas* de Deleuze y Guattari, y así, de forma extraña y ambidiestra, arrancamos hacia el sur de la isla de la misma manera que un día Bonnie and Clyde desenfundaron sus armas, con un Proyecto que sudaba y respiraba en una doble oscuridad: la oscuridad de una funda de guitarra rígida que a su vez reposaba en la oscuridad del maletero de un Lancia, y esa doble imagen, esa duplicidad, a mí me volvía loco pero a ella le daba paz, y pronto comenzamos a meternos por carreteras de montaña cercanas a una costa que no se dejaba ver, hacía calor, ganábamos altura pero, por un efecto que no nos explicábamos, cuanto más subíamos menos posibilidades teníamos de ver el horizonte marino, ni siquiera un mástil ni, por supuesto, la línea de costa propiamente dicha, y la vegetación, por la misma regla de 3, o quizá por otra más compleja, se iba volviendo más hirsuta, más baja, más garriga y conejera, más de animales a ras de suelo, de galerías en tierra, a veces llegábamos a una aparente cima que era un altiplano que podría considerarse a todos los efectos infinito, y sin embargo oíamos el mar, Creo que es el viento, decía ella, y después la carretera aún se complicaba más, estrechándose hacia otros cerros que más tarde descendíamos súbitamente, y aunque era la primera vez que pisaba esa tierra a mí me parecía que todo aquello ya lo había visto, y de alguna manera esa figurada repetición me daba confianza, así como cierta seguridad en que mi mente nunca iba a resbalar hacia la extrema indolencia en que ella y yo habíamos caído ya en otras ocasiones, porque yo era el capitán de aquel barco, pensé, y si me mantenía fuerte nada malo podría ocurrirnos, pasamos así un par de horas, sin ver casa o construcción alguna, era un paisaje vulgar, sin más, que de súbito comenzó a descender de manera muy

pronunciada hasta que el asfalto se adentró en un bosque
de eucaliptos, lo que era señal inequívoca de que por allí
habría un camping o algo que recordara a cosa civilizada,
esta situación se prolongó en unos 10 kilómetros de des-
censo muy virado, hasta que el bosque desapareció de golpe para dar paso a una especie de jardines asilvestrados
con vestigios de columpios, cajones de arena de juegos de
infancia y cosas así, lo que nos llevó de frente hasta una
especie de barrera metálica, como las que hay en las fronteras o aduanas, de listas blancas y rojas, partida y oxidada, que yacía atravesada en la carretera, el Lancia botó levemente cuando la pisamos y a ella se le movieron los
pechos, no era un truco, se le movieron, de inmediato
apareció una recta que daba directamente al mar, y una
playa vacía, y mirando a la derecha, ya en la misma línea
de costa, se alzaba un edificio de cemento, muy grande,
fuera de toda escala previsible, un bloque de base rectangular, prismático, con muchas ventanas, todas idénticas,
y que ya habíamos divisado en el horizonte, kilómetros
atrás, cosa que nos había hecho presagiar la existencia de
habitaciones libres y mala comida de hotel, un lugar donde reorganizar la logística de nuestro Proyecto, donde dar
los últimos toques a detalles y percatarnos de flecos no
pensados, pero cuando nos pusimos bajo el edificio comprobamos que estaba abandonado, mejor dicho, desmantelado, las persianas, unas medio abiertas, rotas otras, dejaban ver un interior vacío, un esqueleto donde destellaba
la luz del sol, que entraba sin obstáculo, la puerta principal conservaba parte de un inmenso cristal grafiteado en
el que ni te reflejabas ni podías ver lo que escondía, de las
ventanas de los últimos pisos salían unas lenguas de ho-
llín por la fachada hasta el tejado, signos inequívocos de
lo que habían sido llamas, un edificio hiperracionalista,
con ese aire de dulce sarcófago que tienen los hoteles de
costa en invierno, entonces ella me llamó la atención sobre unas grandes letras que se inscribían en lo alto de una

fachada lateral, decían en italiano, «Centro Recreativo del Estado. Año Fascista 1938», un campo de juegos que, sin duda, Mussolini había levantado para sus cachorros, los desmesurados volúmenes cúbicos llamaban tanto a la quietud de la idea platónica y a los paisajes de los cuadros de Chirico, como a la excitación vital y perversa de lo que detenta el poder absoluto, y todo aquel efecto era una cuestión de proporciones, mejor dicho, de desproporciones, y meses después de haber encontrado ese edificio, sentados en aquel bar de esa misma isla al sur de Cerdeña que se parecía mucho a otro de las Azores, al que habíamos entrado a comer algo, a ver rodar los papeles entre los coches en el muelle, a observar la llegada de los barcos, a nada, minutos antes de conocer la muerte de la gata, yo le había hablado a ella también de las proporciones en general, de su importancia para mi estabilidad, Quizá toda persona inestable lo sea porque ha caído en algún error de medida, le dije, y le confesé una secreta manía, manía que a pesar de años de convivencia ella nunca había sospechado: mi necesidad de dormir en camas que tuvieran las mismas proporciones que una hoja DIN-A4, las mismas medidas a escala, Ésa es la única manera que existe de que el descanso sea plano, reflectante a pesadillas inducidas por desajustes entre el ancho y el alto de la cama y, por extensión, del resto de cosas, también es la única manera de poder escribir, le dije, y ella se rió en aquel bar de aquella isla al sur de Cerdeña que se parecía mucho a otro de las Azores porque aún faltaban 2 minutos para recibir la llamada de nuestro amigo comunicándonos la muerte de la gata, aún no sabíamos nada de esa muerte, y mientras ella se reía recordé que pocos meses atrás habíamos arrancado el coche para dejar atrás aquel edificio desproporcionado, el «edificio fascista», como lo llamaríamos a partir de entonces, edificio que como todo lo excesivo ejerció sobre nosotros una fuerza telúrico-estética que nos llevó a tratar de olvidarlo en la misma medida en que

nos resultaba imposible, esto ya nos había ocurrido años
atrás con otra construcción fascista, se trataba de un hotel
en Cabo de Gata en fase de construcción, justo al borde del
mar, una construcción blanca, levantada en la misma playa y dispuesta en escalones como la proa de un trasatlántico varado y precioso, el lugar ideal, sin duda, para retirarse un año a pergeñar, concebir, darle vueltas hasta la
extenuación noche y día a un proyecto como el nuestro,
un lugar para crear un proyecto que excediese al propio
lugar, lamentablemente lo van a derribar debido a las presiones ecologistas, hay una especie de ley universal que
afirma que todo fenómeno fascista necesita de otro fascismo de su misma medida para derribarlo, esto es así, y lo
es porque no puede haber litigio ni guerra entre dos fuerzas que no sean idempotentes, y nos alejamos de aquel
edificio que Mussolini había erigido para sus cachorros,
nunca llegaríamos a entender muy bien el porqué de aquel
mastodonte, su cometido original, y mucho menos el actual, no lo encontramos catalogado en parte alguna, ni
hablaban de él los mapas ni los libros de historia de la
zona, ni mucho menos las guías turísticas, nada, aunque
lo cierto es que no buscamos esa información con más esfuerzo que el justo para dejarlo en suspenso, y desandando
lo andado ya todo lo visto resultó familiar, llevadero,
hasta que cogimos otro desvío que no modificó en absoluto el paisaje ni el rumor de un mar siempre invisible,
pero que nos llevó a una zona de playas que parecía aquella
en la que habíamos permanecido durante 6 días entre
émulos de infancia, pero ésta era más áspera y circunspec-
ta, comenté que los bañistas en la arena parecían muñecos de cera, fue ahí cuando ella, inopinadamente, extrajo
de su bolso el porta CD, grabaciones piratas en su mayoría, y al minuto comenzó a sonar en el lector del coche un
tema de Broadcast, que medio tarareó mientras pasába-
mos por delante de chiringuitos y apartamentos abalcona-
dos, donde ropa de playa permanecía colgada a secar

como banderas de estados o micronaciones, un poblado
en el que paramos a comprar agua y fruta, sólo eso, un
poblado en el que vimos un cine ambulante que proyectaba esa noche una película de Disney, no recuerdo cuál
[ahora me resulta curioso que jamás haya visto una película de Disney], un poblado tras el que, nada más tomar
su carretera de salida, todo el paisaje, y con él nosotros,
volvía a lo mismo, preguntándonos ella y yo entonces si
todas aquellas personas tiradas en la playa y encajadas en
los barracones eran, igual que nosotros, buscadores de lugares donde erigir proyectos, personas que de tanto dar
vueltas habían decidido quedarse ahí para siempre, quizá
vivieran de lo que pescaban, pensé, y de nuevo, mientras
en el CD la voz de una cantante rodaba, volvimos a rodar
entre un desagradable olor a romero, a mirto, 35 °C a la
sombra, el sonido de un mar sólo intuido, nos sentíamos
cansados, un haz de aire entraba por las ventanillas, ráfa-
gas que refrescaban nuestras caras, por zonas amoratadas,
ella vestía un bikini, un excelente dos piezas que había
comprado en Las Vegas 2 años atrás, una noche de domingo, un dos piezas que resumía su fascinación por esa
ciudad, tan pueblerina, decía siempre ella, nunca falta
algo que comprar, nunca faltan tiendas abiertas, y sin embargo, cuando te separas de su calle principal, el Strip, esa
gran vena de asfalto y luces que atraviesa la urbe en dos,
adquiere un aspecto de rancho y neones cansados, de polvo de desierto mal digerido, algo que se encargó de recordar ella sentada en aquel bar de aquel pueblo de una isla
del sur de Cerdeña que se parecía mucho a otro de las
Azores, un bar al que habíamos entrado a comer algo, a
ver pasar los barcos, a ver los papeles moviéndose entre los
coches, a nada, Sí, me dijo a través de sus gafas de sol
pop-star, de la misma manera que si el alga posidonia se
muere entonces se muere el Mediterráneo, si se hunde Las
Vegas se hunde el desierto que la circunda, se hunden todos los desiertos, y con ellos mi bikini, ¿es así o no es así?,

dime, ¿es así o no es así?, y yo asentí pensando que todo aquello, nuestro Proyecto, la estaba afectando, que sus comentarios cada vez eran más, aunque lúcidos, deshilados, no sé, bebí agua carbonatada, vi pasar un balón rodando junto al amarre de un velero, después a un manco que miraba una gaviota, después a otro manco que parecía tener prisa, mientras ella continuaba argumentando que el paraíso musulmán no es el cielo sino Las Vegas, el vergel de mujeres bien dimensionadas, felicidad sin The End y agua cristalina en mitad del desierto que se les promete a los musulmanes en la otra vida si en ésta han sido buenos, y poco más tarde, ya al mediodía, salimos del bar con la noticia de la muerte de la gata, y paseamos por el muelle en silencio, viendo los barcos, las redes, los adoquines mal encajados en la misma medida que en nuestros cerebros de repente todo estaba por encajar, y todo era como ajeno a nosotros y nosotros ajenos a todo, película de super-8 en la que el mundo se mueve tembloroso, a hachazos, nosotros éramos el silencio, su silencio, el silencio entre temblor y temblor, entre fotograma y fotograma, entre hachazo y hachazo, ella con la funda rígida de guitarra en su mano izquierda, que contenía todo lo referente a nuestro Proyecto, nuestro Gran Proyecto, como nos gustaba llamarlo, y yo con las manos en los bolsillos, paleto, muy paleto, como decía aquel LP de Belle & Sebastian que el año anterior habíamos escuchado a todas horas mientras también a todas horas gestábamos el Proyecto, nuestro Proyecto, ambos en silencio, el silencio es importante, todo creador lo sabe, se dice más con lo que se calla que con lo que se enuncia, un buen cuadro, un buen poema, una buena casa, una buena teoría científica están armadas en torno al silencio, a ritmos de silencio [del denominado *arte de la escultura* no hablo porque es la actividad más absurda que puede abordar una persona junto con el punto de cruz], el silencio más importante para mí es aquel que llevó a cabo un pensador de la primera mitad del siglo 20 llamado Ludwig Wittgenstein [parecido a aquel otro de Warhol a partir de que le pegaran un tiro], quien al final de su obra afirma que ésta no vale nada salvo para saber que una vez llegados a ese punto hay que tirarla, que lo importante viene después de esa obra, con el silencio, pero hay otros silencios en apariencia más modestos, sólo en apariencia, por ejemplo, de adolescente, me resultaba imposible leer cómics, no los entendía, no conseguía seguir la historia, los compraba, sí, lo intentaba, incluso hasta dibujaba yo mismo historias para ver si así entendía el secreto de su mecánica, pero nada, hasta que un amigo dibujante, Pere Joan, me dijo que lo importante en el cómic es saber leer el espacio en blanco que hay entre viñeta y viñeta, Ese silencio es el que has de aprender a leer, me había dicho, Ahí está todo lo que has de entender, con esas palabras me lo dijo, y desde entonces leí cómics, no soy un experto, en realidad no sé nada de cómics, el que más llegó a gustarme es un manga llamado *Arukihito* (El caminante), en el que un hombre no hace nada y ahí radica su interés, en esa neutralidad, un oficinista que en sus ratos libres pasea por la ciudad vestido con su traje y observa sin afectación alguna todos los detalles, era ése el silencio, el de ese hombre que ya no hace nada porque en realidad palpita bajo él toda una civilización, el silencio que a ella y a mí se nos revelaba en aquel otro paisaje de montaña que bordeábamos en coche meses antes de llegar a aquel bar que se parecía a otro de las Azores, cuando conducíamos en aquella misma isla pero hacia latitudes opuestas a la caza del lugar donde acometer nuestro Proyecto, ella con un bikini comprado en Las Vegas y yo con un Lucky entre los dedos de la mano izquierda, era ése también el silencio fuera de escala del desmantelado «edificio fascista», como nos gustaba llamarlo, era ése el silencio de los últimos excrementos de la gata, que permanecerían en su arena perfumada con una soledad de turista en una playa en invierno, sí, habíamos

sido llamados allí para ver todo aquello, para contemplar-
lo, para poder entender el verdadero significado de las palabras gato, bikini, muerte, organismo, Coca-Cola, excremento, Proyecto y silencio, sí, sobre todo silencio, si es
que tales palabras tienen significado alguno, pero me di
cuenta al momento de que también habíamos sido llamados allí para comprender el significado de la palabra Las
Vegas que, como los bikinis, tiene un barrio alto: las cámaras de seguridad que día y noche te observan, y un barrio bajo: las máquinas tragaperras, sólidamente atornilladas al suelo, y llegas a Las Vegas, quizá la mejor ciudad del
mundo para vivir, con su poética de la moneda, esa que
afirma que el dinero es pura poesía porque en cualquier
moneda, por humilde que sea, se concentran millones de
posibilidades de compra, de productos y sueños, de la
misma manera que en un verso se concentran millones de
metáforas, de relecturas, esa ciudad con sus laberintos
conectados por aceras mecánicas, con sus cámaras de vigilancia emitiendo miles de residuos de imágenes al desierto, a la enjuta nada, y te das cuenta de que algo absolutamente diferente ocurre allí, algo totalmente diferente
a esas revistas para mujeres vegetarianas y padres de familia de monovolumen, sí, a veces uno piensa que Las Vegas
es ese producto de consumo felizmente adulterado, que
genera paradoja, entropía, vida, una botella de Coca-Cola con un limón dentro, una magdalena de Proust no hor-
neada por su sirvienta sino manufacturada, con conservantes y colorantes, o una rebanada de Nocilla, con su
aspecto de carne, de materia y espesor, y en aquel bar de
una isla al sur de Cerdeña, intenté recordarle a ella la extraña época en la que la había conocido, 7 años atrás,
cuando yo estaba varado, tomando alimentos que si bien
no dejaban que me hundiera tampoco dejaban que mi
barco avanzara, permanecía estático y extático, sólo veía
la estructura teórica de las cosas, incluso de los sentimien-
tos, el esqueleto, como si de pronto desaparecieran los

neones, las pantallas y paredes de los hoteles de Las Vegas y quedaran al descubierto únicamente las cañerías y el cableado eléctrico, una aparente puridad llena de polvo, pelos, suciedad, ratas, monedas rotas e insectos, eso es lo que era mi vida 7 años atrás, y un día me encontré comiendo una rebanada de pan con Nocilla que ella misma me había preparado, y pensé en la fascinación que ejercía sobre mí toda esa pastosidad que se hormigonaba en mi boca, toda la antimetafísica que recorría aquella masa sin centro de gravedad definido en mi boca, toda aquella cosa marrón que sólo era espesa piel en una rebanada, superficie, apariencia, simulacro, lo que quieras, le dije a ella en aquel bar de una isla al sur de Cerdeña, y que era también residuo, excremento, conservantes y saborizantes que, por pura paradoja, generan vida, fue así, gracias a una rebanada de Nocilla, como llegué a renegar de la metafísica, como llegué a mi salto evolutivo, el verdadero salto, porque nuestros actos parecen analógicos, y probablemente lo sean, pero a efectos prácticos son digitales, van a golpes, a saltos de viñetas de cómic, de silencios que vamos dejando en medio para poder interpretarlos, saltos de bikini, dos piezas, arriba y abajo, como el silencio casi definitivo en aquel bar de una isla al sur de Cerdeña que era idéntico a otro de las Azores y al que habíamos entrado a comer algo, a ver pasar los barcos, a ver los papeles moverse entre los coches, a nada, ese bar en el que estaba muy presente la única verdad: que todos aquellos meses habían sido un ir dando tumbos en busca del lugar ideal donde erigir nuestro Proyecto, una fatigosa y casi diría que estéril búsqueda, como una imposible programación de TV en el periódico *Mundo Obrero,* como cuando uno busca un lugar donde echar gasolina en un desierto de Albacete y se encuentra una Gibson Les Paul y una funda de guitarra rígida e hidrófuga «porque los rockeros a veces caminan bajo la lluvia», había dicho el que me la vendió guiñándome un ojo, uno se busca a sí mismo pero en mujer y se encuentra con su antagónica, una mujer busca matar el tiempo en Las Vegas y se encuentra una madrugada de domingo con un bikini que lleva dos margaritas estampadas en cada pecho, uno busca matar el tiempo en Las Vegas y en una librería se da de morros con un libro que se llama *La música del azar,* de un escritor norteamericano llamado Paul Auster, traducido al idioma portugués, paseas cargado de bolsas de ropa recién comprada y te paras en un escaparate, y ves libros escritos en lenguas que desconoces, pero aun así los rastreas con la mirada y te fijas en uno, sólo en uno, y ya está, ya no hay forma de escapar, hay que comprarlo aunque esté en un idioma desconocido para ti, hay que comprarlo porque reposa en un atril de luces con forma de Torre Eiffel en miniatura, y además en su portada se reflejan las luces de la Torre Eiffel a escala que corona el hotel que tienes a tu espalda, hay que comprarlo aunque sepas que jamás lo leerás, que probablemente ese libro pasará el resto de tus vacaciones metido en una maleta, aunque sepas que lo dejarás sobre la mesilla de noche de la habitación del hotel, intacto, sin abrirlo, exhibiendo en su portada su título vulgar, *La música del azar,* un título tan escolar, pero da igual, hay que comprarlo, porque de repente ya es un polo magnético de tu deseo, hay que comprarlo aunque sólo sea por compasión, por solidaridad, por crear puestos de trabajo, por no ser egoísta, por seguir manteniendo ese hongo de luz en mitad del desierto que es Las Vegas, y así, cuando paseaba por esas calles a las tantas de la madrugada y vi aquel libro de aquel hombre norteamericano llamado Paul Auster, autor del que nunca había oído hablar y del que ni mucho menos conocía ese libro, tuve que comprarlo aunque fuera para tenerlo sobre la mesilla de noche hasta que los días me indicaran que había que ponerlo en el lote de *no leídos* de la estantería de casa, y por lo pronto, hojeándolo en la tienda, me pareció una chorrada, una novelita de verano, pero después, ya en segunda inspección, lo interpreté como una docuficción o algo así, y eso fue lo que finalmente me atrajo, porque me fascinan las docuficciones, ahí está *Gran Hermano*, ahí está *El desencanto*, ahí está *El encargo del cazador*, ahí está *Después de tantos años* con San Michi Panero gritando, «¡Pues que vayan ellos! ¡Pues que vayan ellos!», ahí está sin ir más lejos la Biblia, cosas cotidianas que una vez filmadas y montadas generan una especie de poesía del propio tiempo, es decir, de silencio, de lo pastoso y neutro al mismo tiempo, por eso tomaba 18 años atrás cada día Coca-Cola con limón en su propia botella, por eso, en Las Vegas, 2 años antes de llegar a aquel bar de una isla al sur de Cerdeña que se parecía mucho a otro de las Azores, dejé sobre la mesilla de noche del hotel ese libro, *La música del azar*, traducido al portugués, un idioma a efectos prácticos desconocido para mí, como esperando que me dijera algo, mientras a lo lejos se oía el bullicio de miles de personas tomando cócteles a pie de tragaperras, personas con la escala temporal ya rota, sin saber si es de día o de noche, gente residuo de biologías domésticas, y así fui leyendo ese libro, con el sonido de las máquinas tragaperras de fondo y a pequeños golpes de flexo, como quien escucha una canción en un idioma que no entiende en su totalidad, a veces lo cogía ella, y lo leía también despacio, no comentábamos nada, sólo nos mirábamos cuando alguno, terminado algún fragmento, lo dejaba sobre su mesilla, y ella se quedaba pensando en silencio, como construyéndose, como siendo otra en Las Vegas, sin decir ninguna de esas frases geniales que tenía por costumbre decir en los momentos clave, parecía entonces, allí tumbada, que no tuviera ni peso ni masa, esos dos asuntos aún muy misteriosos para los científicos, porque nadie sabe por qué poseemos masa, ni siquiera los físicos teóricos, que son algo así como las máquinas humanas que crean el mundo, lo saben, y salen del paso postulando la existencia de una partícula llamada bosón de Higgs, responsable de que poseamos masa a través de unas complejas interacciones entre campos y quarks, de momento aún no han encontrado ese quimérico bosón de Higgs, pero lo harán, la masa es algo que a los humanos nos incordia, por lo menos a ella y a mí siempre nos incordió dado que sabíamos que cuando pasáramos a la fase de materializar nuestro Proyecto, es decir, el momento en que toda la arquitectura teórica, que incluía no sólo planos sino también textos en 12 idiomas diferentes, utensilios fabricados por nosotros mismos, maquetas y programas de cálculo, cuando todo eso que cabía en la funda rígida e hidrófuga de una Gibson Les Paul se convirtiera en objeto pesado, gravitante, irremediablemente colosal, lleno de masa, se destruiría posiblemente víctima de su propio peso, un fatal peso del cual Él, el Proyecto, nunca podría ser responsable, como cuando una persona engorda tanto que sus órganos internos son aplastados por su propio peso, o cuando una estrella adquiere tanta masa que termina colapsando en un agujero negro, la masa y el peso son cosas tan importantes que ni la muerte las anula, aunque ciertas personas consigan anularlas en vida, por ejemplo ella y yo, seres livianos, flotantes, y toda esa liviandad, traducida a nuestro Proyecto, se hallaba contenida en una maleta de guitarra, en la posibilidad de que lo que ahí dentro se insinuaba existiera algún día, en el concepto de que aún no era masa pesante pero pronto lo sería, y así ella, en Las Vegas, tumbada en la cama piramidal, en aquella habitación con forma de pirámide que a su vez estaba en un hotel, el Luxor, que era una gigantesca pirámide, mientras en los casinos la gente hacía sonar en las tragaperras una musiquita que perduraba muchas millas desierto adentro, se quedaba fumando y mirando fijamente el techo de gotelé de pequeñas pirámides, tras leer algún fragmento de un libro llamado *La música del azar*, liviana, sin peso, desconectada de la materia, y el cigarrillo se consumía en su cuerpo, su extraordinario cuerpo,

70% agua y 30% humo, y yo no me explicaba cómo el humo y el agua combinaban tan bien en su cuerpo, cómo combinan tan bien en cualquier cuerpo que, como el suyo, esté dispuesto a enfrentarse al radical silencio de una habitación de hotel con forma de pirámide en Las Vegas, en el que no hay luz que, una vez atravesadas sus paredes, encuentre el camino de salida, en el que hasta el techo de las habitaciones es un gotelé hecho de millones de pequeñas pirámides, como si ese techo fuera el cerebro del hotel, el cerebro de Las Vegas, un cerebro que en vez de circunvoluciones tuviera millones de pequeñas pirámides, el fractal que se repite, sólo en competencia numérica con las miles de cámaras de vigilancia incrustadas en el techo del casino, situado en la planta baja, una cámara cada metro y medio, yo las miraba y pensaba en lo extraño que sería que de repente nadie te vigilara, en la soledad infinita que supondría no ser observado por nadie, en la desgracia que supondría sufrir ese desprecio, y 2 años después de estar en aquella habitación de miles de pirámides de gotelé y miles de videocámaras, viajando por una isla al sur de Cerdeña, a falta de hoteles disponibles nos alojamos en un agroturismo, un lugar frecuentado por parejas de más de 40 años recién llegadas a la observación de los pájaros con calzado deportivo de Prada, y estábamos cenando al aire libre, en una especie de terraza con mesas de plástico blancas, se oían unas bulldozer trabajar entre árboles, el girar de una batidora en la cocina, un momento perfecto, y yo le pasé a ella la cajetilla de Marlboro y encendió un cigarrillo, y una mujer bastante gorda que cenaba con su marido a 12 metros de nosotros, una mujer que ingería toda clase de grasas a fin de destrozar su juventud, totalmente colesterolizada, comenzó a mover las manos de manera compulsiva, y a decir con un volumen lo suficientemente audible, ¡Me estás ahumando, me están ahumando!, allí no estaba permitido fumar, pero aquella mujer no entendía que su vida estaba lo suficientemente destrozada como para no tener la más mínima tolerancia hacia la especie humana, era exageración en estado puro, aquello que se parece a todo menos a sí mismo, el ser humano reducido a objeto carente de personalidad, justo lo contrario al silencio o a la Coca-Cola, o a aquel libro llamado *La música del azar* que leíamos en Las Vegas mientras ella fumaba en silencio y hacía de su cuerpo la perfecta combinación de 70% agua y 30% humo, porque aquella gorda talibana no sabía que el humo y el agua producen reacciones delicadas, entes por entero miscibles, no sabía que el 50% de agua y el 50% de grasa en que se resumía su cuerpo son porcentajes que no se mezclan jamás, son antagónicos, el antagonismo más grosero, esa vulgaridad que ni ella ni yo jamás concebiríamos ni pondríamos en práctica, antes muertos, no en vano, éramos ya entonces los artífices de un sofisticado Proyecto, nuestro Gran Proyecto, como nos gustaba llamarlo, nuestro y de nadie más, y entonces en Las Vegas cogíamos *La música del azar* en un idioma que sólo parcialmente conocíamos y lo leíamos a trozos, cada uno en silencio, por turnos, y después fumábamos expulsando el humo, ella contra las pirámides de gotelé del techo, fractales de fractales, y yo contra la oscura ventana de la habitación, que daba al desierto, el Desierto, pensaba, otro gran proyecto, cuando un proyecto es verdaderamente grande, importante, universal, ni triunfa ni fracasa, está fuera del tiempo, inmerso en la pastosidad del Gran Silencio, de la misma manera que para mí aquellos días en Cerdeña con su cuerpo sentado a mi derecha en el Lancia, su perfecto bikini con dos margaritas estampadas en cada pecho, el pelo rubio golpeando sus gafas de pop-star, todo, se situaba más allá de lo puramente biológico, más allá de esas personas que acumulan grasa en vez de silencio, más allá de toda la biología de aquella no fumadora compulsiva que nos hablaba como si ella fuera inmortal, como si nunca se fuera a morir, como si con la edición de una ley que respetaba con sumiso celo todo proceso biológico se hubiera detenido en su cuerpo, y ella, cuando apagó el cigarrillo por respeto a la enfermedad mental de aquella mujer, me había dicho sin quitarse las gafas de sol, sin dedicarle tan siquiera un gesto, Dale a esta mujer una idea y unos cuantos millones de dólares y Bin Laden a su lado sería un Boy Scout, qué buena frase, ella siempre estaba cargada de buenas frases, como cuando mientras, días atrás, yo aceleraba a fondo para alejarnos del «edificio fascista», como nos gustaba llamarlo, mientras dejábamos aquella construcción desmantelada a nuestras espaldas con toda su geometría fuera de escala, con toda la miseria detenida en sus paredes y columpios, ella dijo, Pásame el encendedor, no dijo «pásame el mechero», sino «pásame el encendedor», y no comentamos nada más durante horas, nada sobre el edificio fascista, nada sobre ningún tema, y por supuesto, nada sobre el Proyecto que nos había llevado hasta allí, y llegamos a aquel pueblo de costa en el que daban una película de Disney y colgaban de los balcones toallas que eran banderas de micronaciones, y después continuamos hasta un punto en el que el asfalto se terminaba sin previo aviso del mapa, y se abría una pista forestal atravesada por un río muy ancho y de un palmo de profundidad, cuyas aguas eran rojas, totalmente rojas, pero lo suficientemente cristalinas como para ver en su fondo los cantos rodados, como para ver en su fondo la ausencia total de vida y vegetación cuando frené el coche y me bajé a inspeccionarlo, toqué el agua y decidí que estaba caliente porque estaba más caliente que mi mano, no había puente alguno a la vista que permitiera atravesarlo, regresé al coche y vimos que al otro lado del río se abrían varias pistas forestales, 4 para ser exactos, el ventilador del Lancia comenzó a girar, permanecer parados, sin aire que entrara por las ventanillas, también nos estaba asfixiando a nosotros, así que arranqué, cruzamos el río rojo y las ruedas rebotaron al paso por piedras de todos los tamaños, y me metí, levantando una gran polvareda, por una de las 4 pistas, una al azar, sin pensarlo, una cualquiera, como cuando en Las Vegas callejeábamos sin orden de casino en casino, guiados por aceras mecánicas, y así encontró ella una madrugada de domingo un bikini y yo la única librería de esa ciudad con la única novela en su escaparate escrita en portugués, *La música del azar*, interrogándome desde un atril de bombillas con forma de Torre Eiffel, novela que, de una manera más o menos explícita, nos había traído hasta Cerdeña, hasta aquel Lancia y aquella carretera, novela que nos había metido en la cabeza la idea de nuestro Proyecto, Proyecto que, no lo sabíamos, cada vez se acercaba más a sus prolegómenos, a su primer ensayo, a ese momento en el que tanteas si el reloj continúa o se detiene, el momento de desplegar planos, herramientas, conceptos, computadoras, ideas, el punto de inflexión en el que, diríamos, el Proyecto se enfrentaría por primera vez a la materia propiamente dicha, si es que algún significado tiene la frase «materia propiamente dicha», momento que fue incubado en docuficciones, en *Gran Hermano*, en *El desencanto*, en *El encargo del cazador*, en *Después de tantos años* con San Michi gritando en la pantalla, *¡pues que vayan ellos, hombre, que vayan ellos!*, o en las reposiciones de *El coche fantástico*, o sin ir más lejos, en la Biblia y en todas aquellas películas y seriales que nos encantaban y que servían de nutriente a nuestro Proyecto, cosas que habíamos visto y leído sin cesar en nuestra casa, verano e invierno, cosas que nos insuflaban no ideas propiamente dichas pero que sí creaban una atmósfera para la gestación de todo cuanto vino, un cerro de intimidad, porque antes de nada, antes de sacar papel, cartabones, programas, antes de enchufar los Mac y confeccionar programas, antes de preparar las cámaras de fotos, los mecheros, los cigarrillos, antes de que se erijan todo tipo de hipótesis erróneas o ciertas pero siempre colosales, antes incluso de pensar en el propio preámbulo del propio pensamiento del propio Proyecto, hay que crear una burbuja de intimidad, y en ella buscar el agujerito por el que colarse, una vez encontrado ese orificio que al fin y al cabo es un ritmo de silencio, todo va rodado, y así, en casa, pedíamos una tamaño familiar a Tele-Pizza, abríamos un vino blanco frío, muy frío, y con la luz apagada deglutíamos aquellas películas y teleseries que eran mucho más que simples películas y teleseries, porque toda cosa, frase u objeto, pensada o dicha con la suficiente seguridad y profundidad, se vuelve importante, y aún más, trascendente, crea su propia estética, por ejemplo, si se dice «la sopa está muy buena», mientras comes un mediodía viendo el telediario no significa nada, pero si se dice «la sopa está muy buena» mirando a los ojos a la cocinera de la misma manera que mirarías una explosión definitiva, entonces la frase adquiere una profundidad casi metafísica, y así observábamos todas aquellas películas y teleseries, alimentos para nuestro cerebro, cerebro que en ese momento sin ser el Proyecto era equivalente al Proyecto, una suerte de dúctil antimateria en cada una de nuestras cabezas, y cada cual en silencio, sin decir palabra, en nuestra casa, iba anotando mentalmente lugares, conexiones, gestos, cosas, todo lo referente al hallazgo del agujero por el que colarnos en el Proyecto, un Proyecto ni pensado aún, ni tan siquiera intuido, y con ese sigilo tardamos varios meses en enseñarnos lo que cada uno había ido haciendo en la clausura de su cabeza, notas previas, apuntes a mano, a menudo contradictorios, que permitieran el primer *brainstorming*, que propiciaran el primer «duelo de gallitos en la cumbre» como nos gustaba decir parodiando a los locutores de radio de fútbol de 2.ª Regional, pero las piezas encajaron solas, no tuvimos que decirnos prácticamente nada, fue poner cada cual su trabajo sobre el suelo del salón y ya supimos que poca cosa habría que decirse, que todo estaba ahí, en perfecta simbiosis, cosa extraña, diríamos que insólita, porque en todo aquel año preparando el Proyecto ninguno había hablado de él, quiero decir «acerca de él», quiero decir que por inverosímil que parezca ninguno de los dos sabía lo que el otro estaba gestando en su cabeza, y ni por supuesto que existiera en la cabeza del otro un Proyecto, de ahí lo insólito de que fuera el mismo Proyecto bajo 2 puntos de vista, la misma obsesión que, luego lo supimos, había nacido en Las Vegas aquellas noches de silencio mineral en que leíamos un libro llamado *La música del azar* de un tal Paul Auster, y después fumábamos Lucky Strike y oíamos cómo miles de camareros preparaban cócteles a miles de personas vigiladas por techos con miles de videocámaras, sí, quiero decir que mientras veíamos todas aquellas películas y teleseries en casa, mientras comíamos aquellas pizzas y bebíamos aquel frío vino blanco ninguno sabía cosa alguna de las intenciones del otro, del Proyecto colosal que estaba gestando el otro, destinado a modificar nuestras vidas, y de todo eso hablamos aquel día en aquel bar de una isla al sur de Cerdeña que se parecía a otro de las Azores, Qué raro, había dicho ella, que todo eso, que todo esto, quepa en la maleta de una guitarra Gibson Les Paul, que algo tan inmenso pueda ser reducido a unos pocos centímetros cúbicos, a una píldora, y se volvió a poner las gafas de sol en tanto se ajustaba el tirante del sujetador, fue justamente en ese momento cuando el teléfono móvil vibró en el bolsillo de mi pantalón para recibir la llamada anunciando la muerte de la gata y todo lo que eso arrastra, yo ya estaba acostumbrado a fundar proyectos, toda mi vida había sido un fundar y destruir proyectos, ser escalador, ser batería, ser escritor, ser físico, en todas esas facetas me había defendido dignamente, pero en ninguna había destacado, así que creo que puede decirse que soy un mediocre, algo que nunca agradeceré lo suficiente porque me ha dado la oportunidad de explorar muchos ámbitos diferentes, de ir de órbita en órbita, nada hay peor que un genio especializado, como aquella mujer en aquel agroturismo, molesta por el humo del tabaco a 12 metros de distancia, era una genio especializada en la vida sana, o como Bin Laden, un genio especializado en la destrucción a fin de conservar lo que más ama, sí, yo sabía ya mucho de proyectos, de cosas que te cambian la vida, pero nada fue nunca comparable a esto otro, a este Proyecto, nuestro Proyecto, como nos gustaba llamarlo, por eso ella me fascinó, porque compartía conmigo la misma señal, el mismo destino, compartía conmigo el gusto por las «inducciones imperfectas», como por ejemplo la elección al azar de una de aquellas 4 pistas de tierra una vez hubimos pasado el río de aguas de color rojo, una *inducción imperfecta:* ese mecanismo mental por el cual con unos cuantos ejemplos que son ciertos generalizas y haces una ley extensible a todo caso particular, ésa es la base de la vida, la inducción imperfecta, el momento en que ves 4 pistas de tierra ante tu Lancia y estableces una ley basada en otras pistas de tierra que a lo largo de tu vida has ido conociendo, una ley que haces por un momento infalible, y eliges una posibilidad que sabes que probablemente no te llevará a parte alguna, que es mentira, que será una decepción, lo sabes, pero te lanzas, como sabes que un día vibra el móvil en tu bolsillo en un bar que se parece mucho a otro de las Azores, un bar al que entraste a comer algo, a ver pasar los barcos, a nada, y te dan la noticia de la extinción de una vida, una vida de la que al final sólo queda un excremento en una palangana de arena perfumada, y después paseas en silencio por el puerto de ese pueblo mediterráneo, y otra inducción imperfecta te lleva a decir que estás en el Atlántico y que son las Azores, y eso de momento te salva, y ella está a tu lado y camina por ese puerto con una funda de guitarra en una mano y con la otra saca un cigarrillo y te dice, Pásame el encendedor, no dice «pásame el mechero», sino «pásame el encendedor», y de momento eso también te salva, toda la literatura universal está fraguada con inducciones imperfectas afortunadamente acometidas por mediocres, ésa es la materia prima, diríamos, el laboratorio literario, y entonces ella se detiene en el extremo del muelle de aquella isla al sur de Cerdeña en la que había un bar que se parecía mucho a otro de las Azores, balancea su brazo izquierdo, y sin previo aviso lanza con todas sus fuerzas al agua la funda rígida de guitarra con todo el Proyecto dentro, y no se hunde porque es hidrófuga «para cuando los rockeros caminan bajo la lluvia», había dicho el que me la vendió mientras me guiñaba un ojo, y flota unos minutos, después las olas de una Zodiac que pasa muy lejos la zarandean contra los cascos de los barcos, golpes, sonidos, al final te vas porque se aleja y la pierdes de vista y sabes que nunca más la verás, lo había dicho aquel gasolinero de Albacete, Las Gibson son buenas guitarras, pero sus fundas..., ésas te sobreviven, y cuando meses antes de que ella tirara la funda al mar atravesamos el río de agua roja a la búsqueda del lugar ideal para acometer nuestro Proyecto y yo elegí una de aquellas 4 pistas al azar, nos reímos mucho del color de las aguas del río, Tan rojo como las letras del periódico *Mundo Obrero,* había dicho ella, y reímos tanto que no nos dimos cuenta de que a nuestra espalda el cielo se estaba cubriendo y venía una tormenta, reímos porque de repente la risa convertía todo aquel paisaje inhóspito en acogedor, en algo ya conocido, una de las cosas más extrañas es la existencia de lugares inhóspitos, quiero decir, su porqué, nunca he entendido por qué llega a ocurrir ese fenómeno por el cual el hombre, que al fin y al cabo es vida, le da la espalda a ciertas naturalezas que al fin y al cabo también son vida y las hace inhóspitas, abandona casas, edificios, piscinas, amarres de los puertos, ciudades enteras, quizá sea porque nada de eso existe, quiero decir que porque quizá cosas como *ciudades, puertos, piscinas, casas, hombre, naturaleza,* e incluso *vida* no existan, sean quimeras, representaciones verbales de otras cosas que a su vez también son representaciones verbales de otras, y así en una cadena infinita, recuerdo que eso lo leí hace muchos años en un libro titulado *El mono gramático,* de un mexicano ya muerto llamado Octavio Paz, en aquella época la mujer con la que yo vivía se había ido de viaje a Nueva York, no recuerdo a qué, a ganarse la vida, a comprar trapos quizá, a nada, vivíamos en una casa de campo con un jardín que emulaba el estilo semisalvaje del jardín inglés, más allá del cual se desarrollaba un bosque no muy grande a cuyo final nunca llegué, era junio, hacía ya bastante calor, y no podía suponer entonces el giro que daría mi vida, y mucho menos la existencia del Proyecto que habría de llevarme, 9 años después y con otra mujer, a un bar de una isla al sur de Cerdeña muy parecido a otro de las Azores, y recuerdo que cogí un libro de la estantería, precisamente *El mono gramático,* que había comprado hacía tiempo y no había abierto ni por supuesto leído, porque aparte de *La música del azar,* ese texto que vertió el caudal subterráneo de sus páginas hacia nuestras mentes y originó el Proyecto, Proyecto que de alguna manera ya estaba en él, en el libro, esperándonos a ella y a mí, y que también de alguna manera permanecía cifrado para nosotros de forma que sólo hubiera que inclinar un poco el vaso para que nos derramara su poción, aparte de ese libro, decía, yo casi no he leído narrativa, y así, solo y aburrido, 9 años atrás, abrí *El mono gramático* aquella tarde de junio en que la mujer con la que vivía se había ido a Nueva York a no sé qué, y comencé a fijarme, en primer lugar, en su extraña estructura, bastante indefinible, algunos fragmentos venían a ser una especie de poemas en prosa, y me fijé especialmente en uno en el que se afirmaba sin ningún género de dudas que toda palabra es metáfora de otra, y ésa de otra, y ésa de otra más, y así hasta la arbitrariedad de un núcleo no menos metafórico que siempre desconoceremos, y a eso me refería cuando decía que no creo que existan las palabras *ciudad, puerto, piscina, edificio, naturaleza, hombre* o incluso *vida,* por eso no creo que el motivo de que existan lugares inhóspitos, lugares que están como desactivados del flujo del mundo, sea que en ellos el hombre le haya dado la espalda a la naturaleza, ni tan siquiera a la vida, ya que tales cosas no existen más que en el lenguaje, más bien creo que esa desactivación de los lugares inhóspitos respecto al mundo es debida a que son *la ensoñación del resto del mundo,* quiero decir que son zonas que son soñadas, y sólo soñadas, por el resto del planeta, y como tales, permanecen en silencio, inaccesibles a la materia, como le ocurre al sexo y a los sueños, inaccesibles a ser narradas, un caso especial de lugares inhóspitos son las ruinas, pienso que lo que les ocurre a las ruinas es que han llegado a ese estado por su gran potencia simbólica antes de ser ruinas, cuando estaban en pie y habitadas, quiero decir que su potencia simbólica era tan intensa que tuvieron que ser abandonadas para que el mundo no se destruyera en ellas por exceso, por exceso de vida, para a partir de ese momento ser sólo soñadas, para constituirse en lugares inhóspitos, para que no les ocurriera lo que les ocurre a la materia y la antimateria, que se aniquilan por el extraño empeño en estar juntas, para que no les ocurriera lo que les ocurre a las parejas, que siempre se dejan cuando están demasiado cargadas de un estilo de vida propio, un estilo que no se parece a nada más que a sí mismo, sí, las parejas se dejan en el momento en que están más cargadas de vida, de cotidianidad, de belleza, por plano y aburrido que sean ese estilo de vida propio, esa cotidianidad y esa belleza, se dejan cuando están en el más alto grado de potencia humana concebible, en efecto las parejas se asustan por tal perfección, se separan y generan una ruina, un lugar ya sólo soñado, una complejísima zona de afectos, lazos, odios, entendimientos, objetos, experiencias, que para siempre ya será inhóspita para el mundo ya que nadie la conocerá jamás, y por eso ella

y yo sabíamos que una vez realizado el Proyecto que nos
había llevado hasta allí tras un año de continua gestación
y trabajo y estudio, sería también nuestro fin y pasaría-
mos al estado de ruina, a lo inhóspito, a algo tan inhóspito como el paisaje que nos rodeaba cuando riéndonos
cruzamos el río de agua roja, cuando al azar tomamos
una de aquellas 4 pistas de tierra y una tormenta que no
vimos venía convolucionando a nuestras espaldas mientras en el CD del coche continuaba sonando Broadcast, y
continuamos y a los pocos kilómetros la pista empezó a
descender muy suavemente hacia un breve valle en el que
parecía haber un río, y al poco tiempo nos encontramos
vadeando el curso de un cauce seco al otro lado del cual
se desarrollaba, siguiéndolo, una fila de construcciones
muy deterioradas, vestigios de lo que parecía ser una antigua mina, fue entonces cuando detectamos que en
mitad de esas construcciones mineras, pared con pared,
existía lo que quedaba de una pequeña iglesia, un pequeño templo que a su lado izquierdo, pegada, tenía una nave
de cuyo techo salían hierros, cintas transportadoras y
grúas en mal estado, y a su lado derecho, también pared
con pared, una nave de alojamiento para mineros o algo
así, todo conformaba una especie de fachada disímil y
amorfa, un puzzle, diríamos, que nos impresionó porque
nuestro Proyecto tenía mucho que ver con todo eso, y
ella, sin quitarse las gafas pop-star, rebuscó la cámara fotográfica en su bolsa de playa, salió del coche, y se quedó
un momento parada, estudiando la situación, después la
seguí hasta el otro lado del cauce seco, lo atravesamos
como pudimos entre piedras y antiguos hierros, ella iba
en chanclas, nos detuvimos unos segundos ante lo que
quedaba de puerta apuntalada, y por fin ella le dio una
patada a aquellas tablas y entramos a un lugar que, por
contraste con la luminosidad de fuera, nos pareció muy
oscuro, y vimos que del techo, por grandes agujeros, entraban haces circulares de luz que al impactar en el suelo

le daban a éste una configuración de piel de leopardo en blanco y negro, en efecto, allí había existido una iglesia, lo supimos por el altar que se veía al fondo, «todas las iglesias tienen algo de piel de leopardo —había dicho ella mucho tiempo después—, algo de belleza tras unos colmillos que no se ven», y de una puerta lateral, a la izquierda, comprobamos que se salía a un espacio semicubierto y amplio donde, tal como habíamos intuido, se alojaban grúas y material de extracción, y de otra puerta que se abría a la derecha del templo se pasaba a lo que sin duda había sido un comedor, mesas muy largas con bancos y platos y tenedores aún allí dispersos, y ella, en bikini y con los pies un poco heridos, comenzó a tiritar e insinuó que nos fuéramos con un «tengo frío», e hizo un par de fotos, y ocurrió que, contrariamente al clic de la cámara fotográfica, que resonó en toda la estancia, su voz salió de su boca sin eco alguno al decir «tengo frío», como si en vez de estar en mitad de aquella nave nos envolviera una ficticia segunda piel o una gruesa cámara pegada justamente a nuestra piel, una, diríamos, sólida burbuja que impidiera la propagación del sonido, y cuando salimos ya casi no brillaba el sol, y entonces nos percatamos de que una nube negra, en proceso de cubrirnos, se extendía de un punto cardinal al otro, apuramos el paso entre las piedras del cauce seco, nos metimos en el Lancia y arranqué, observé cómo el rectángulo del retrovisor reducía toda aquella mina abandonada a una construcción de juguetería, y la rectangularidad del espejo retrovisor me hizo pensar en una viñeta de cómic, en el espacio en blanco que hay entre viñeta y viñeta, en su importancia como silencio para entender la narración en su totalidad y, por añadidura, que aquellos días, 9 años atrás, en que me había quedado solo porque la mujer con la que vivía se había ido a Nueva York a buscarse la vida, a comprar trapos, a no sé qué, fueron los días en que decidí de alguna manera consciente que debía escribir en serio, que debía ponerme en serio, hasta la fecha sólo había practicado la escritura para mí, todo había comenzado cuando aún más años atrás estudiaba la carrera en Santiago y una noche sin previo aviso me puse ante una máquina de escribir tras haber leído unos relatos de Bukowski que me había prestado un amigo, debería de hacer 4.º curso, y mi vida había caído en una especie de desgracia-sorpresa pues, para mi asombro, me vi perdiendo repentinamente el interés por los estudios, por los amigos, había roto con mi chica, y me pasaba los días solo en un piso donde desayunaba viendo el telediario de las 3 de la tarde, y donde hasta que caía el sol continuaba pegado a la pantalla del televisor tomando litros de café negrísimo, tenía dos televisores, un Zenit en B/N, portátil, del año 1967, que había traído mi padre de Norteamérica, televisor que se veía con extraordinaria nitidez pero no se oía, y un Telefunken, también portátil, de finales de los 70 que había heredado de mi hermana y que no se veía pero sí se oía perfectamente, como los dos eran de iguales dimensiones los ponía el uno sobre el otro y por el Zenit veía y por el Telefunken oía, esa duplicidad me incomodaba pero con el tiempo llegó a insinuarme sugerentes conclusiones sobre los conceptos de «complementariedad», «subdivisión» y «cooperación», así como ciertas reglas sobre teoría de conjuntos, conclusiones y reglas que después olvidé y que reaparecieron espontáneamente 15 años más tarde para constituir una parte esencial del Proyecto, nuestro Proyecto, por lo demás, en aquella época de estudiante la soledad se había incorporado a cuanto me rodeaba, incluso a mi cadena alimenticia, y en aquel 4.º curso de carrera leía muy poco, sacaba fotos en B/N a lo que se veía desde la ventana de la cocina, o a veces también hacía fotos a las habitaciones vacías de mi piso y después las pintaba con lápices de cera Plastidecor, la ropa postpunk la había cambiado sin darme cuenta por un grunge carente de estilo, puro abandono, escuchaba música a todas horas y recuerdo que escribía repetidas veces en los papeles en sucio llenos de fórmulas la frase «creo en los fantasmas terribles de algún extraño lugar y en mis tonterías para hacer tu risa estallar» de la canción *Lucha de gigantes* que Antonio Vega había compuesto para Nacha Pop, había algo hipnótico, bello e inquietante en la mezcla de esa estrofa con las fórmulas garabateadas en el papel, algo que suponía un hermanamiento excitante y que yo intuí como definitivo a la hora de crear si es que algún día conseguía crear algo, fue un año triste y lleno de ese tipo de impagables hallazgos producto de tocar fondo, como llegar a concebir la tele como instrumento de una mística total, el brazo ejecutor de una sabiduría absoluta, el lugar del que salían todos los objetos del mundo desde las ondas, desde las partículas fotónicas, desde una especie de nada, incluso objetos y entes inconcebibles, sí, un receptáculo vacío era la tele que no daba jamás tregua al escéptico o al descreído, el ente que perpetuaba la antigua alquimia, cada mensaje era algo inédito, cada eslogan publicitario un mantra zen, todo un cosmos de luz, un borgiano aleph, fue el año en el que sentí por primera vez el extraordinario placer que hay en dejar la tele encendida y bajar sin afeitarse un sábado a las 9 de la noche a comprar tabaco y café, ver a toda la gente en los bares, paseando, o planeando la noche, y tú pasar zómbico entre ellos, sin hacerles caso, hasta llegar a la máquina del bar, extraer la cajetilla que sabes que te fumarás esa misma noche, ir luego al Seven-Eleven a por el paquete de café, y regresar a casa a crear, a ponerte delante de una máquina de escribir, la soberbia sensación de ir a contrapelo del mundo guiado por un ridículo pero efectivo sentimiento de romántica superioridad, cada noche tecleaba la máquina hasta el amanecer, con las pantallas de los 2 televisores encendidas y su volumen a cero, y un mundo se creaba y destruía, se creaba y destruía en un *loop* sin fin en aquellas 2 pantallas, y fueron esas noches de tabaco, tele, máquina de escribir y litros de café en las que por primera vez sentí que crear era como dominar el mundo, y que el escritor era una especie de dios entre toda aquella gente que de repente era chusma a la deriva por calles hasta altas horas, rutina que sólo rompía cuando Saab, un amigo de estudios y juergas, me venía a buscar para emborracharnos por el circuito habitual de bares y terminar al amanecer en su casa hablando de Bukowski, de Heisenberg, y de Boris Vian, trío que en nuestras cabezas constituía un auténtico triunvirato, al final de aquel curso tenía entre mis manos unas calificaciones académicas bastante malas y una novela que hablaba de un tipo solitario que bebía café, escribía y dormía delante de la tele, con el tiempo entendí que mi novela era malísima, así que me dije a mí mismo que aquel curso había sido un tiempo tirado en todos los sentidos, creía haber destruido esa novela hasta que, cuando ya había publicado varios libros de poemas, estando de mudanza, la encontré en una caja, la releí y me di cuenta de que en el fondo todo el pulso de lo que había escrito posteriormente estaba ya ahí, cuando era un completo iletrado, ahí ya estaba la máxima que me ha acompañado siempre y que asumo como mi principio ético a la vez que estético: «poesía es todo objeto, idea o cosa en la que encuentro lo que esperaría encontrar en la poesía», y todo eso, aquel año y lo que supuso, es algo que llevo conmigo cada vez que me siento a escribir o crear el asunto que sea, incluso cuando ella y yo diseñamos hasta el más mínimo detalle del Proyecto, nuestro Proyecto, todo aquello estaba ahí, trabajando en la más profunda capa de mis impulsos, de mis intuiciones, de mi ansiedad, de mis bromas, de mi cerebro, de hecho, sin todo aquel collage de fórmulas, estrofas y soberbia de iletrado no sé qué hubiera sido, 15 años más tarde, de nuestro Proyecto, aquéllos fueron los albores, la prehistoria de todo lo que vino después, pero la decisión de escribir de verdad la tomé años más tarde, en aquellos días en que la mujer con la que vivía se había ido

de viaje a Nueva York a comprar trapos, a trabajar, a no sé
qué, fue ahí cuando supe que tenía que ponerme a escribir
poemas en serio, cuentos en serio, novelas en serio, artefactos, lo que fuera, que debía ponerme ya a generar un
espacio inhóspito, una ruina, un lugar únicamente para
ser ensoñado por el resto del mundo, un lugar al margen
del planeta Tierra y sus fascistas funciones mecánicas, éti-
cas y biológicas, y debería ser algo espiritualmente parecido a aquel libro, *El mono gramático,* extraño artefacto
que jamás terminé de leer porque me excitaba demasiado, y cuando muchos años después me vi en el interior de
una pequeña iglesia de una mina abandonada en una
isla al sur de Cerdeña, supe que aquella búsqueda de lo
inhóspito aún me perseguía al punto de haberla colocado
ahí al azar, en mis narices, que me había atrapado, que
hacía muchos años que me tenía atrapado, pero sobre
todo supe que esa búsqueda de lo inhóspito me tenía ata-
do de pies y manos por algo más que ocurrió aquella noche a la que me vengo refiriendo, la noche en que leí a
trozos *El mono gramático,* algo que no pasaría de burda
ficción si no fuera porque de hecho ocurrió: recuerdo que
aquella tarde el sol ya se estaba retirando y yo había cena-
do, como siempre, una ensalada y agua del grifo, también
como siempre en aquella época puse el CD de Cohen
Death of a Ladie's Man, y entre los platos y cubiertos de la
mesa abrí *El mono gramático* por primera vez, que fui leyendo a saltos hasta llegar a un pasaje que me llamó mucho la atención, algo que fue para mí, diríamos, una revelación, sé que me quedé toda la noche pensando en él, lo
sé, era como si de repente hubiera encontrado mi particular e intransferible camino, no sólo literario, sino cosmo-
vital, a la mañana siguiente volví sobre el libro, busqué ese
párrafo, y no lo encontré, obcecado, rebusqué en cada
una de sus escasas páginas, y nada, ya al mediodía tuve
que admitir que el pasaje en cuestión había desaparecido,
sé que es descabellado, pero así fue, el pasaje no estaba,

comencé luego a pensar que esa lectura me la había inventado, pero no, la recordaba perfectamente, tenía en mi retina grabado el momento en que acometiendo sus primeras frases me había levantado a rellenar el vaso de agua en el grifo de la cocina, o los dos cigarrillos que había encendido y que se consumieron en el cenicero debido al estado de excitación al que me llevaban aquellas líneas, incluso recordaba cómo de un chalet cercano llegaba repetidamente la canción *Lady Laura* de Roberto Carlos, que se mezclaba con mi Leonard Cohen, lo cierto es que jamás volví a encontrar aquel fragmento del libro *El mono gramático,* por eso me parece importante la historia de un hombre que vuelve a Prípiat, ciudad que abandonó tras el desastre de Chernóbil, y no reconoce su casa, está ahí, en sus narices, pero no se sabe dónde, y nadie puede saberlo, ha desaparecido, he pensado a partir de entonces que fue tal la revelación que se operó en mí aquella noche de verano, que aquel pasaje de aquel libro tuvo que destruirse para generar un paisaje inhóspito, una ruina, hasta el punto incluso de borrar su contenido en mi memoria, generando así un vestigio, una capa arqueológica que he de buscar, que estoy condenado a buscar produciendo palabras, relatos, poemas, artefactos o, por qué no, proyectos, proyectos en apariencia, y sólo en apariencia, totalmente alejados de aquel pasaje perdido de *El mono gramático,* Como este Proyecto que nos ha traído a este bar de esta isla al sur de Cerdeña que se parece mucho a otro de las Azores, le dije a ella mientras se introducía en la boca un tenedor repleto de judías con atún y trozos de tomate, se acercó entonces la camarera, una muchacha blanquísima con aspecto de haber sido extraída de un club de fans de Marilyn Manson, hablaba y se movía con suma precisión, como si actuara o se hallara bajo los efectos de alguna sustancia que impide ver más allá de lo inmediato, que impide que exista un eco en torno a ti o un campo de resonancia de palabras o de la propia respiración, como cuando habíamos entrado en aquella mina abandonada y sus palabras, «tengo frío», no resonaron en parte alguna porque nos encontrábamos bajo los efectos de una sustancia mucho más poderosa que cualquier otra: nuestro Proyecto, el Proyecto por antonomasia, como nos gustaba llamarlo, nuestra particular Música del Azar, Proyecto que había remotamente comenzado hacía muchos años, cuando leí a trozos *El mono gramático* y un pasaje desapareció, pero que en concreto había comenzado 2 años atrás, cuando cayó en mis manos *La música del azar* por azar en una ciudad llamada Las Vegas, lo leíamos en el hotel de la mejor manera que se puede leer un libro de esas características, sin feed-back, en silencio, sólo así puede darse la paradoja del aumento de entropía que genera vida en vez de muerte, sólo entonces, cuando cayó en mis manos *La música del azar* en portugués, aquel libro de un tal Paul Auster, ese autor del cual no sabía nada ni mucho menos había leído cosa alguna ni he vuelto a leer, empecé a pensar en la existencia y significado de la ruina, de lo inhóspito, de aquella desaparición de un fragmento para mí absolutamente revelador de *El mono gramático,* y en que el Proyecto, el gran Proyecto que comenzaba tímidamente a tomar forma en mi cabeza, y sin yo saberlo en la de ella, fuera una respuesta a aquella pérdida de aquel fragmento ocurrida años atrás, cuando yo era otra persona y vivía con una mujer que se había ido de viaje a Nueva York a ganarse la vida, a comprar trapos, a no sé qué, después pasó el tiempo y todo fue un ir poniendo silencios para llegar a concebir finalmente el Proyecto que nos había traído a ella y a mí a esta isla al sur de Cerdeña, sí, fue a raíz de una madrugada de domingo de compras en Las Vegas, en la que ella adquirió un bikini y yo encontré por azar un libro que llevaba en su portada escrita la palabra *azar,* por lo que todo tomó forma hasta el punto de, como la Coca-Cola, erigirse en algo sin parangón, un salto evolutivo en la especie humana, porque allí, en Las Vegas, ocurrió algo inesperado: ella desvió la vista del techo, de las miles de pirámides de gotelé que cubrían el techo, miró por la ventana y vio el aeropuerto, su inmenso espejo de asfalto plateado que divide la ciudad, y todos los edificios reflejados en él, edificios como ya en fuga, en vías de huida o desaparición, y entonces dijo por primera vez, Pásame el encendedor, no dijo «pásame el mechero», sino «pásame el encendedor», frase que a la postre se revelaría como capital para el desenlace de nuestro Proyecto, y yo, cuando 2 años después, mientras nos alejábamos en coche de una mina abandonada en una isla al sur de Cerdeña, y veía en el reflejo del retrovisor cada vez más pequeña aquella mina, su vestigio de iglesia y las máquinas oxidadas emergiendo de los techos como árboles de metal, me di cuenta vagamente, sin mucha nitidez, de que aquella visión horizontal de Las Vegas, reflejada en su pista de aeropuerto, y toda la ruina generada por aquel pasaje desaparecido de aquel libro llamado *El mono gramático* estaban allí, en los 50 cm^2 de retrovisor, la viñeta de cómic que un amigo dibujante me había enseñado a entender a saltos, a hachazos, hasta que de repente las gotas de lluvia que ya comenzaban a caer con fuerza sobre el cristal trasero del coche me nublaron la visión en el retrovisor, y toda esa imagen se borró y dio paso a la búsqueda de algo más apremiante, un lugar donde dormir esa noche de intensa lluvia, no deja de sorprenderme que de repente la esfera terrestre en ocasiones se cubra de agua, caiga atrapada por una capa de agua, pensada así, la Tierra se me hace pequeña, de juguete, un balón de fútbol caído a un río, 70% agua, 30% humo, y de alguna manera aquella noche en que nos alejábamos de la mina y buscábamos un lugar donde dormir, lo que estábamos buscando era un recipiente que diera forma a toda aquella agua que oíamos repiquetear en el capó del Lancia, trasvasar de alguna forma todo ese caos que nos rodeaba a una vasija que le diera forma y sentido, un lugar de descanso, una cama donde dormir, un lugar donde nuestra impresionante estabilidad se reencajara de nuevo, no es raro, hay personas que organizan su vida en torno al hilo de las habitaciones en las que les ha tocado dormir desde que poseen uso de razón, una vez leí un libro de un tipo francés llamado Perec, en el que este autor afirmaba que había catalogado todas las habitaciones donde había dormido durante toda su vida, eran cientos, casi todas solamente usadas 1 solo día, yo no puedo decir lo mismo ya que aunque soy nómada por naturaleza, aunque mi misión sea generar Proyectos, cambios, golpes de rumbo, no me gusta viajar, lo que me lleva a usar casi siempre la misma cama, no entiendo cómo alguien necesita desplazarse, usar los sentidos, viajar, para sentir algo, lo encuentro básico, primitivo, como un estadio primario de la evolución, hay otras formas más civilizadas de viajar sin salir de casa, por eso a mí con la tele, los libros, el computador y las pelis, ya me llega, ésa es la sofisticación de la que hablo, de la que ella y yo siempre hemos hablado, mi ideal de vacaciones es permanecer encerrado en una casa con aire acondicionado ante una ventana que mire al mar o a la montaña, por eso elegí la casa en la que vivo, la casa que hizo posible la escritura de *Nocilla Experience,* un ático dividido en 2 plantas, que posee exactamente esas vistas y grandes ventanas de doble cristal, tiene además una terraza grande a la que creo que sólo salí cuando la vendedora me la enseñó ante mi congoja, fruto de la cantidad de flores que había plantadas, vegetación que, por supuesto, arranqué o cubrí de cemento-cola nada más se hubo resuelto la compra-venta, no soporto el Reino Vegetal, me cae mal, lo único que me hace feliz es permanecer en mi casa solo, con la tele, con mis pelis, mis libros, mi música, mi Mac, mi batería, mis montajes musicales, piezas que compongo en una vieja grabadora Foxtes analógica de 4 pistas, recortando y pegando trozos de canciones ya editadas, de hecho, cuando 4 años atrás, mucho antes de que la fascinación por el Proyecto, por nuestro Proyecto, como nos gustaba llamarlo, nos trajera hasta esta isla al sur de Cerdeña, cuando, como ya referí, fuimos de viaje a Tailandia y me rompí la cadera y permanecí 25 días postrado en aquel hotel de Chiang Mai escribiendo *Nocilla Dream,* y 5 meses más en la cama de mi casa abordando *Nocilla Experience,* cuando todo eso ocurrió, inexplicablemente hallé en todo ello un motivo de placer, no en vano era ésa mi idea del verano perfecto, todo el día en la cama, con mis juguetes alrededor, calentando el planeta con el aire acondicionado a toda potencia para, por paradoja, crear un lugar frío e inhóspito, un lugar que resultó ser una novela-artefacto, *Nocilla Experience,* creada a través de ensamblajes de cuerpos, de textos, de pieles, canciones, revistas, de teoremas que hablaban de películas, de cuerpos disímiles que sin embargo encajan, que hablaban en el fondo de tarros de Nocilla, siempre me pasa igual con la escritura, nunca sé cómo he llegado a escribir lo que he escrito, y *Nocilla Dream* no fue menos, se me apareció, porque su escritura literalmente fue así, una aparición que duró menos de 1 mes, en Chiang Mai, en aquellos 25 días de hotel y monzón, con un dolor horrible en todo mi flanco derecho, y uno comprende entonces a aquel escritor llamado Onetti, que un día se metió en la cama y ya no salió hasta el momento de su muerte, y tras estar 20 días en Chiang Mai tuvimos que regresar a Bangkok y hospedarnos en esa ciudad 5 días, antes de que me trajeran a España, en un hotel de la cadena Sofitel, en el piso 19 de un rascacielos de cristal, la visión de la ciudad impresionaba, un día se me terminaron los calmantes, y ella, antes de irse de compras, me dio uno de otra marca que tenía el mismo principio activo, y comencé a encontrarme mal, una sensación angustiosa e indescriptible, una intensa ansiedad se apoderó de mí, no había manera de escapar de ella, era como estar prisionero no en tu cuerpo sino en el centro de tu mente, tuve verdaderos deseos de romper el cristal y tirarme desde el piso 19 fruto de lo que técnicamente se llama una reacción paradójica al medicamento, la contraria a la esperada, recordé a aquellos de las Torres Gemelas que se tiraban por la ventana de puro miedo, sólo que en ellos la reacción no era paradójica sino, precisamente, la esperada por la multinacional Bin Laden & Co., de la misma manera que aquella talibana antitabaco en aquel agroturismo esperaba justamente expulsarnos no ya de su radio olfativo sino de su campo visual y hasta de la Tierra, exterminarnos si pudiera, pero lo mío en Bangkok era distinto, asumí de pronto que estaba impedido por una rotura de cadera, en un país muy lejano, un lugar inhóspito, asumí también que ella había salido a comprar y se había dejado en la habitación el teléfono móvil, sentí algo que está más allá del pánico: la indolencia a lo que me pudiera pasar, el total abandono, la derrota de un cuerpo, pero aún más, pensé en las notas que había estado tomando aquellos 25 días, mi novela, sólo pensaba en qué sería de ellas, mal caligrafiadas, nadie conseguiría ordenarlas, se perdería en el cubo de basura de un hotel tailandés, irían al mar, y de ahí al estómago de un pez que quizá algún editor español compraría ultracongelado en el supermercado de su barrio para comérselo una vez frito, de la misma manera que las notas prendidas a un corcho de un bar de las Azores se perdieron en el océano Atlántico y ahora sólo queda una geografía de chinchetas bajo el agua, y por fin ella regresó, el tacto de su mano devolvió paulatinamente todo a la calma, después avanzó el reflejo del sol en el rascacielos de enfrente, y vi a una pareja discutir en una de sus habitaciones y después abrazarse, hasta que todos, aquella pareja y nosotros, nos dormimos deseando que al día siguiente todo fuera mejor, momentos que me dieron a entender que ese estado de angustia era el lugar más inhóspito en el que había estado jamás, la ruina que a veces se genera en tu propio cerebro por muy lujoso, cómodo, amable

y occidental que sea el lugar en que te encuentras instalado, amable como la tailandesa que venía cada día a hacerme
la cama, que sonreía al ver mi estado, siempre sonreía, la
sonrisa es importante, activa una zona del cerebro que indica que estamos en un territorio protegido contra taliba-
nes, lugares donde nunca reinará la viscosidad del coles-
terol, lugares donde somos más que biología, el motivo
científico por el cual la gente cuando tiene un orgasmo
no se ríe a pesar de ser un momento de intenso placer es
porque en esa explosión seminal está en juego la reproducción y supervivencia de la especie, la biología, la ausencia de la risa, la seriedad de las conejas y conejos, por
eso las y los ninfómanos son gente muy seria, triste, gente que no soportaría ponerse lúdicamente a catalogar todas las habitaciones donde alguna vez ha dormido, como
hizo aquel escritor llamado Perec por simple diversión,
por pura nada, por generar otra ruina, por alejarse de
aquella mina abandonada y ver la imagen de la iglesia
abandonada diluyéndose tras una película de agua en el
espejo retrovisor, ése fue el motivo por el que ella y yo
aquella noche, tras visitar la mina abandonada, nos fuimos a buscar un lugar donde dormir, un cuarto más para
catalogar, un lugar donde darle una forma coherente a
toda aquella agua que empapaba los objetos y a nosotros
con ellos, ese motivo fue también por el que habíamos co-
gido una de aquellas 4 pistas al azar al cruzar el río de color
rojo, por probar, por tentar a la ley de la *inducción imperfecta,* 4 pistas de tierra como las 4 pistas de mi grabadora
analógica Foxtes con las que en casa hacía música pro-
bando a ver en cuál de las 4 pistas metía un sonido de
guitarra que salvara o por el contrario me arruinara la
pieza, y con esa duda, tras dejar atrás la mina abandonada, con una funda de guitarra en su doble oscuridad, la
de la propia funda y la del maletero, condujimos en busca de un lugar donde dormir y la pista se hizo más ancha, más como gusta en una situación así, y después de

repente volvió a estar asfaltada, ya era casi de noche cuando dejó de llover y desembocamos en un altiplano que parecía una alfombra verde y marrón, carretera que continuamos hasta que se nos apareció un cartel amarillo de dimensiones de valla publicitaria en el que con letras negras decía en italiano: «Penitenciaría de la República Italiana. No pasar», el sol ya estaba cayendo, nos apeamos, soplaba la típica brisa un poco fría que queda tras una tormenta, olía a tierra mojada y los mirtos, aún húmedos, despedían un fortísimo y casi vomitivo olor, ella sacó de la maleta una gabardina con cinturón, y por no darle la vuelta se la puso del revés, con la etiqueta de Zara a la vista, y se la anudó a la cintura, mientras yo leía una y otra vez aquel letrero a fin de cerciorarme de que nuestra traducción del italiano era la correcta, «Penitenciaría de la República Italiana. No pasar», estiramos las piernas con breves paseos alrededor del coche, hablamos de qué hacer, presuponíamos una penitenciaría en alguna parte pero en toda aquella meseta no se veía construcción alguna, se fue ocultando el sol, y ella cruzó los brazos sobre su pecho como abrazándose, para paliar el frío, y pensé que ese gesto ya lo había visto mil veces en miles de películas que nos gustaban, es un gesto muy normal entre las mujeres cuando dejan de ser mujeres y por un momento son niñas, un gesto que, sin ir más lejos, creo que está consignado en algún personaje de la Biblia, ella se subió las gafas pop-star por primera vez en toda la tarde y se las puso de diadema, abrazó aún más con sus brazos su pecho y dijo, ¿Qué coño hacemos?, siempre tenía alguna frase genial, la típica frase dominó que desencadena acontecimientos, pero yo eso tardé en saberlo, esa virtud suya de enunciar la frase exacta se me fue revelando poco a poco, primero en Tailandia, tras *el desastre de Chiang Mai,* como nos gustaba llamarlo, donde yo ya entonces había ido catalogando gestos, pequeñas pruebas de su aparente estado salvajemente civilizado, diríamos, pruebas de su intromisión felina y silenciosa en lo que yo estaba escribiendo como guiado por una mano autómata, biónica, sí, todo eso referente a ella, su genialidad para las frases, era algo que poco a poco fue emergiendo aquellos días de monzón y Nocilla tailandesa hasta que me encontré un día, años después, en Las Vegas, rodeado enteramente por su sobresaliente inteligencia y singularidad, empapado, diríamos, por el halo de certeza que desprende lo que es único, lo que no se parece a nada ni a nadie salvo a sí mismo, de la misma manera que un limón exprimido en una botella bucea expectante rodeado de ese *líquido elemento universal* que, digámoslo ya, no es el agua sino la Coca-Cola, y así, en Las Vegas lo vi claro, ciudad cuyo horario de apertura de establecimientos en domingo ya justificaría tanto su existencia como la existencia de un funcionario de ayuntamiento, un hombre posiblemente vulgar, normal, quizá hasta un poco cenizo, al que se le ocurrió un buen día lanzar la propuesta de abrir los establecimientos todos los días de la semana, noches incluidas, las concatenaciones son simples pero inescrutables, y esa ciega decisión de aquel funcionario terminaría involuntariamente dando lugar a mi compra de *La música del azar* y a nuestro Proyecto, y con él a todo lo que vino, a un pueblo marinero de una isla al sur de Cerdeña que se parecía mucho a otro de las Azores, con un bar en el que entramos a tomar algo, a ver pasar los barcos y ver rodar entre los coches los papeles llevados por el viento, a nada, porque aquellos días en Las Vegas ella se había encaprichado de un funcionario, no de aquel anónimo y posiblemente oscuro impulsor del horario comercial en domingo por la noche, sino de otro, uno del US Postal Service, «un tipo joven, de rostro vaquero y patillas pirata», había dicho ella la noche que me confesó su atracción por él, atracción que comenzó, según contó, por sus manos, cuando a través de la ventanilla Internacional le sellaba las postales con el dedo índice, ancho y robusto como la pezuña de un bisonte, y después la miraba con sonrisa sórdida, opaca, azarosa, todo eso lo supe una de aquellas noches de hotel con forma de pirámide, llamado Luxor: un sábado me dormí agotado de tanto calmante, ya que, a pesar de haber ocurrido el *desastre de Chiang Mai* 2 años antes, aún me resentía de la cadera y las largas caminatas por los casinos terminaban por producirme un dolor tenue pero constante que no me dejaba pegar ojo, pero aquella noche dormía profundamente, y fue la noche en la que ella desapareció, lo supe porque un vagón de la montaña rusa que circunvala la reproducción de Nueva York se desprendió en su punto más álgido a eso de las 3 de la madrugada, me despertaron las sirenas de ambulancias y bomberos, fui entonces a tocar su cuerpo con la mano y no lo encontré, esperé 3, quizá hasta 4 horas en penumbra, me di cuenta de que había ido a por su capricho con patillas y cara de vaquero, con la vista fija en el techo, intenté contar las micropirámides de gotelé, la imaginé observada en ese momento por las miles de cámaras de videovigilancia, su figura en las pantallas expulsada en haces más allá de la ciudad, a un basurero de imágenes azules y quemadas en el fin del desierto, en el fin de Internet, y apareció poco antes del amanecer, no encendió la luz, no se duchó, no hizo nada, ni siquiera se desvistió, se tumbó en la cama en silencio, hasta que a la mañana siguiente confesó sin yo preguntarle nada ni pedirle cuenta alguna, habló y habló horas seguidas, nunca la había visto tan charlatana, ni tan delgada, mientras yo tomaba un calmante tras otro y escuchaba sin decir nada, hasta que, una vez se hubo callado, los dos salimos a pasear, cada uno por su cuenta, ya era de noche, domingo, la decisión de separarnos estaba tomada, no tomada de forma explícita, porque ella y yo nunca podríamos hacer eso así, pero sí estaba todo de alguna manera ya dicho en un círculo que iba rodeando cada vez más la cuestión sin llegar a dibujarla totalmente, ese día ella regresó al hotel con un bikini que tenía dos grandes margaritas, una en cada pecho, y yo con un libro en portugués llamado *La música del azar,* de un tal Paul Auster, autor que ni conocía ni mucho menos había leído, y del que nunca más he vuelto a leer página alguna, lo dejé sobre mi mesilla de noche, no lo toqué, y a la mañana siguiente estaba sobre la mesilla de ella, no tenía ninguna página marcada porque ella odiaba señalar así las hojas, pero yo supe que había leído algo, había leído algo incluso antes de que yo lo hubiera abierto siquiera, antes de que yo hubiera dejado en sus primeras páginas el olor a Myolastan y a Nolotil del sudor de mis manos, a partir de ese momento fue un continuo ir y venir del libro de una mesilla a la otra, ella, que tanto había hablado aquellos días anteriores, que tanto había justificado su infidelidad, cayó en un mutismo total, sólo leía, poco, quizá un par de páginas al día, y se quedaba después mirando las pirámides de gotelé del techo en tanto fumaba un Marlboro, recuerdo muy bien la extraña e inédita belleza que adquirió su cuerpo entonces, cuando, tumbados en la cama, yo la miraba de perfil y salía humo de sus labios, mientras yo, durante esos silencios, continuaba leyendo sin saber que su capricho por el funcionario con cara de vaquero iba remitiendo bajo el narcótico efecto de algo superior, algo que superaba en muchos dígitos a aquel vaquero del US Postal Service y dedos como pezuñas de bisonte: el Proyecto, nuestro Proyecto, ese que nos tendría tiempo después en el vértice de un cono sin salida en un bar de Cerdeña que se parecía mucho a otro de las Azores, y los días pasaban en el Luxor de Las Vegas, y el libro era cada vez más peleado, más custodiado por cada uno de nosotros, y no nos dirigimos ni una palabra, nada, hasta el decimoquinto día, en el que ella, sin mirarme, sin girar la vista tan siquiera un milímetro respecto al hilo de humo que salía de sus labios para golpear las pirámides de gotelé, me dijo por primera vez, «¿Qué coño hacemos?», la misma frase talismán, propia de personas-interruptor, personas dominó, que me dijo 2 años después una tarde-noche en que nos quedamos sin saber qué hacer, dando vueltas al coche, mientras leíamos una y otra vez un letre-ro que decía «Penitenciaría de la República Italiana. No pasar», sin tener ni idea de qué hacer por primera vez en 2 años, por primera vez desde que se incrustó en nuestras cabezas la fastuosa idea del Proyecto, nuestro Proyecto, como nos gustaba llamarlo, paralizados en un paisaje que se proyectaba inhóspito hasta donde alcanzaba la vista, y es que la tarde en Las Vegas en que ella pronunció esa frase, esa misma y certera frase, «¿Qué coño hacemos?», se abría también ante nosotros un paisaje carcelario, mi-neral, la totalidad de Las Vegas era en aquel momento también un gran cartel que decía lo mismo pero al revés: «Penitenciaría del Estado de Nevada. Entren», o «Peni-tenciaría de la Música del Azar. Entren», porque a partir de ese momento aquel libro titulado *La música del azar,* que hasta entonces nos había pertenecido, iba a apoderar-se de nosotros de tal manera que seríamos ella y yo quie-nes le perteneciéramos a él, y, como ocurre con todos los compañeros de celda, iba a propiciar entre nosotros una rivalidad por intentar detentar su posesión, posesión no declarada pero sí manifiesta, rivalidad que se traducía en un continuo encerrarse en el baño para leerlo, en un des-pertarse a las tantas y abrir levemente un ojo y compro-bar si había luz en la mesilla de al lado, signo inequívoco de que el otro leía el libro, 2 compañeros de celda, con-denados todo aquel tiempo en Las Vegas a comer juntos, a dormir juntos, a oír la respiración ansiosa de quien a tu lado acomete la lectura y no te deja dormir, ni siquiera pensar, condenados a todo eso a lo que condena el con-cubinato forzoso en torno a un polo magnético, uno de esos objetos que dejan de existir porque se erigen en sím-bolo de algo mucho más fuerte que el propio objeto, y entonces, un día, nos tocó irnos de Las Vegas, y senta-dos en los asientos 17A y 17B del Boeing, no nos sorprendió que en la pista de despegue, y hasta en nuestros propios cuerpos, se reflejara toda la ciudad en el momento en que la aeronave se elevó, y regresamos a casa, y no volvimos a hablar del libro, únicamente vimos películas, muchas películas y teleseries, pero ambos sabíamos que aquel libro seguía ahí, lanzando partículas sobre nuestras cabezas, lo sabíamos, precisamente, por el silencio creado en torno a él, ni una alusión, ni un comentario de pasada, nada, como cuando aquella vez yo les pregunté a los neorrevolucionarios si en el *Mundo Obrero* salía la programación de TV y nunca más volví a cruzar palabra con ellos, ni un simple «pásame el mechero», y ni mucho menos un complejo «pásame el encendedor», sólo miradas que delataban lo ocurrido, en efecto, tampoco ella y yo hablamos a partir de entonces del libro ni de nuestra enajenante lectura en Las Vegas, ella siempre tenía frases talismán, frases ocurrentes y hasta geniales, y eso fue lo que me extrañó cuando, 2 años después, en aquel bar de aquella isla al sur de Cerdeña que se parecía mucho a otro de las Azores, mientras comíamos, mientras veíamos al viento arrastrar los papeles entre los coches, mientras saboreábamos nada, ya que podía decirse que nuestro Proyecto, al menos en su primera fase, había concluido habiéndose de esta manera erigido en el lugar más inhóspito de la Tierra, lo que me extrañó entonces, decía, es que no soltara ninguna de sus frases ocurrentes, ni una sentencia de las suyas, fue algo de lo que me di cuenta enseguida pero no dije nada, más bien lo aparté de mi cabeza en un intento de no ver lo que irremediablemente estaba ya sobre nosotros, después, de repente, vibró el teléfono en mi bolsillo y paseamos por el muelle hasta su extremo, hasta que ella tiró la funda rígida e hidrófuga de guitarra con todo nuestro Proyecto, con el recuerdo bien nítido aún en nuestras cabezas de aquel letrero que meses atrás nos había paralizado y que ponía «Penitenciaría de la República Italiana. No pasar», el día aquel en que habíamos dado vueltas en torno al coche, y ella se ajustó aún más la gabardina al revés sobre su cuerpo y los pezones se transparentaron, tiesos de frío bajo el bikini también frío, un bikini, como nosotros, fuera de contexto, fuera del cometido para el que había sido creado, y decidimos hacer noche allí, dormir en el coche, bajo el letrero «Penitenciaría de la República Italiana. No pasar», esperar a que el amanecer decidiera por nosotros: si nos adentrábamos en ese territorio o si dábamos la vuelta para pasar de nuevo por el río de color rojo y tomar otra de aquellas 4 pistas de tierra al azar, entonces abrimos un paquete de galletas y comimos también un par de melocotones que habíamos comprado por la mañana en aquel pueblo de costa que a esa hora estaría proyectando una película de Disney, no sé por qué nunca he visto una película de Disney, racionamos moderadamente el agua y ella se alarmó porque le quedaban pocas bragas, ella se ponía unas bragas nuevas cada mañana, bragas que por la noche tiraba a la basura sin cargo de conciencia, cada primer día de mes compraba 30 o 31 unidades, aquella noche se alarmó porque creía que traía 94 pero se había confundido de bolsa, le quedaban 11, lo que le obligaba a encontrar un lugar donde adquirirlas en el plazo de ese número de días, a mí lo que me preocupaba era el agua y el combustible, y mientras tomábamos las galletas sentados en los asientos de imitación de piel hablamos por primera vez en muchos días del Proyecto, sopesamos los pros y los contras de esa isla como lugar apropiado para acometerlo, después ella salió del coche y miró las estrellas, miles, e inopinadamente recordó las miles de pequeñas pirámides de gotelé que cubrían el techo de una habitación de un hotel de Las Vegas, y yo las miles de cámaras de videovigilancia que cubrían el techo de un casino de Las Vegas, así como cubrían el techo de las tiendas de Las Vegas, y el cielo falso de las calles de Las Vegas, y de los pasillos de Las Vegas, y pensé que en alguna de esas cámaras estaría ella, acostada con un vaquero de patillas gruesas y dedos como pezuñas de bisonte, en una cama sucia de motel, una ordinaria cama de funcionario del US Postal Service, exhibiendo todo tipo de posturas en la pantalla de un televisor, en el moteado cuántico de pantalla de videovigilancia, y entramos en el coche y antes de recostar los asientos miré el reloj, no faltaba tanto para que saliera el sol, nos quedamos dormidos esperando que al día siguiente todo continuara, pero a la vez que en cierto modo todo fuera distinto, lo suficientemente distinto, a veces ocurre que el sueño activa un mecanismo reparador que opera sobre el mundo, en una ocasión mi madre me contó una historia referente al acto de dormir, ella vivía en un pueblo de León, ya existía la Guerra Civil, debía de tener 4 o 5 años, un día fue con una amiga a jugar a un prado de un pequeño valle un poco alejado del pueblo, y tras correr por allí toda la tarde y pescar ranas, vencidas por el cansancio se habían quedado profundamente dormidas sobre un montón de hierba, cuando se despertaron ya era casi la hora de cenar, regresaron corriendo al pueblo, y entonces, nada más llegar a las primeras casas, un vecino salió y les dijo que la guerra había terminado, he pensado mucho en esta historia, en qué tuvo que ver el sueño, el acto de dormir de mi madre y de su amiga, su desactivación del mundo, con el fin de la contienda, en cómo ciertos lugares a los que migramos mientras dormimos actúan de agentes reparadores del mundo, objetos equivalentes al mundo, idempotentes al mundo, *objetos-mundo,* recordé la historia del hombre que regresa a Chernóbil y no reconoce su casa, de la misma manera que mi madre se despertó, regresó a la suya y ya no la reconoció porque desde que tenía uso de razón para ella el mundo y su casa habían sido sinónimo de guerra, y me dormí aquella noche en el Lancia con el cuerpo de ella al lado, con la esperanza de que a la mañana siguiente el hecho de haber estado desactivado del mundo hubiera cambiado el callejón sin aparente salida en que nos hallábamos, y recuerdo que lo último que me vino a la cabeza fue una imagen que jamás había visto ni imaginado, era extraña: un tipo se acercaba a una playa con una flor en la mano, la clavaba en la arena mojada, cerca de la orilla, y la regaba con agua dulce que traía en una botella de plástico, sólo eso, un pensamiento inédito, sin filiación alguna al menos en lo que a mí respecta, por lo que deduje que tendría que volver a aparecérseme al menos una vez más en mi vida, hay una ley no explicada, aunque cierta, según la cual todo lo que alguna vez ha existido lo ha hecho para de algún u otro modo volver a existir, repetirse, nada se da en solitario, todo ocurre por lo menos 2 veces, es la única manera de crear el ritmo, la onda periódica que da pie a una ley muy poderosa que es la ley del símil, de las semejanzas, supongo por eso que todas las visiones del mundo que puedan concebir los seres humanos podrían agruparse en sólo 2 tipos, 1) aquella forma de pensar que considera que los hechos son únicos e irrepetibles, que son un punto aislado en el espacio y el tiempo, y 2) la que considera que son necesariamente repetibles, una sucesión de puntos en el tiempo, y esa esperanza de repetición es lo que vi aquella noche antes de dormirme junto a su cuerpo encogido y tiritante de frío, sobre la tapicería de falsa piel del Lancia, el sujetador del bikini le salía entre el escote de la gabardina, un bikini que tenía estampadas dos margaritas, una en cada pecho, margaritas que por un momento se me hicieron dos huevos fritos, símbolo de lo dúctil, de lo materno, a veces veo dos huevos fritos en los ojos de la gente, o los veo simplemente brillando sobre un fondo negro como aquel famoso cuadro llamado *Cuadrado blanco sobre fondo negro*, repeticiones de una misma imagen que transformadamente se me aparece cuando menos lo espero porque, ya digo, todo lo que existe está condenado a repetirse, es ley, y así, de esta manera tan simple y contundente, una pieza llamada *La música del azar*, una pieza que había escrito un tipo un verano cualquiera en su casa de Brooklyn, estaba condenada a revelársenos repetidamente en Las Vegas, en Cerdeña, en una isla al sur de Cerdeña, e incluso, paradójicamente, antes de tan siquiera haberla leído y mucho menos conocido, en Chiang Mai, años antes, cuando el *desastre,* como nos gustaba llamarlo, donde había comenzado nuestro magno Proyecto, pero todo esto ya no lo pensé aquella noche en que me quedé dormido en el Lancia con la última visión de sus pechos saliendo de la gabardina, dos huevos fritos estampados, una casualidad, quizá, no sé, yo creo mucho en las casualidades, un escritor llamado Allen Ginsberg, en la Norteamérica de los años 40, escribió la siguiente frase a la edad de 17 años, «seré un genio de una u otra clase, probablemente en literatura», pero también dijo, «soy un chico perdido, errante, en busca de la matriz del amor».

Parte 2

MOTOR AUTOMÁTICO

1

«Lo recordaré siempre porque fue simple y sin circunstancias inútiles.» (*Casa tomada*, Julio Cortázar)

Espero no haber malgastado esa frase a estas alturas del libro.

2

Entonces nos despertamos.
Ella sonrió.
Salimos del coche, nos apoyamos ambos en la carrocería. Mientras comíamos lo que nos quedaba: medio paquete de galletas, 3 melocotones y agua, decidimos que el letrero que nos advertía de la existencia de una penitenciaría al final de la carretera era lo suficientemente disuasorio. No íbamos a continuar.
El sol, rasante, alargaba la sombra del coche y la fundía con las nuestras sobre una extensa capa de matorrales. Lo que yo vi allí proyectado, en la combinación de las sombras de nuestros cuerpos con la del coche, era claramente la cabeza de un gato. Comentamos qué estaría haciendo en ese momento nuestra gata.

Mientras ella, sentada en el capó, apuraba la última galleta entré, giré la llave del contacto; el indicador de combustible subió justo por encima de la zona de la reserva. Arranqué. Al sonido del escape varios pájaros de pequeño tamaño salieron de entre la maleza y volaron unos metros con la torpeza de un objeto lastrado antes de caer de nuevo. Calenté el motor con acelerones. Ella, aún fuera, se levantó la falda, se quitó las bragas y cogió otras de la bolsa. Tiró las usadas. Se quedaron prendidas al tapiz de matorrales.

3

Rodamos por carreteras que ya conocíamos y al cabo de 3 horas llegamos a la principal. No tardó en aparecer una Shell. Repostamos, tomamos algo en la cafetería, descafeinados con bollería y agua mineral de una marca muy rara. Sentados en la mesa, junto a la puerta, vimos pasar muchos camiones. Frigoríficos, madereros, areneros, algunos que ni sabíamos qué transportaban, y otros que transportaban cosas que jamás hubiéramos imaginado que pudieran transportarse, como por ejemplo, un edificio entero de ladrillos, de 3 pisos. Ella se preguntó si sus habitantes irían dentro.

Observamos que los camioneros vestían camiseta, y sólo cuando se bajaban de la cabina descubrías que sus peludas piernas únicamente estaban cubiertas con calzoncillos tipo slip. Nos reímos varias veces a su costa.

4

Está bastante claro que la modalidad más arraigada de chabolismo, no sólo permitido sino fomentado por las autoridades, son los campings. Jamás habíamos pisado uno salvo hacía años, cuando en un lugar al norte de Italia no habíamos encontrado hotel y sólo un camping fue la solución por un día. Juramos no volver a hacerlo.

Por eso me extrañó que ella me propusiera parar en uno al poco tiempo de continuar rodando. No esgrimió justificación alguna. Sólo dijo,

—Mira —señalando con el dedo el letrero.

E instintivamente di un volantazo. Me extrañó también que yo no pusiera ninguna pega.

5

El camping era la idea que más o menos todos tenemos de un camping, lo que viene a demostrar que el pensamiento y la naturaleza son la misma cosa. Zona de duchas, zona de árboles, zona de tiendas de campaña, zona de caravanas, una recepción y un pequeño supermercado.

Se ve mejor en un croquis que dibujé aquellos días:

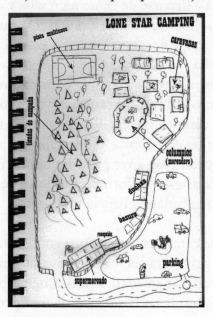

6

Alquilamos una caravana situada en el límite de la propiedad (ver croquis), color crudo y con una mesa comedor convertible en cama.

A nuestra derecha una familia con un hijo, que gritaba por cualquier asunto menor, a nuestra izquierda una pareja de jóvenes alternativos con rastas que daban el coñazo con un par de tambores africanos de imitación. Al frente, una caravana vacía, y a nuestra espalda, la valla que separaba el camping de una extensión de tierra cultivada.

Los días se sucedieron.

Ella iba a la playa por la mañana, muy temprano, y cuando empezaba a llenarse de gente regresaba y desayunábamos juntos; yo me acababa de levantar. Después me sentaba dentro a leer y ocasionalmente a escribir en la mesa plegable, y ella salía fuera a tomar el sol y ver las nubes; después se iba al supermercado a comprar lo que hiciera falta y, por miedo a futuras carestías, venía con un lote de bragas. Tras comer algo sencillo, ella dormía un rato y era yo quien, por no despertarla, me sentaba fuera a continuar escribiendo y también a ver pasar las nubes; últimamente no conseguía asignarles formas. Los lotes de bragas limpias se iban acumulando bajo la mesa-cama.

El damero de caravanas creaba una concentración impresionante de privacidades, cada caravana venía a ser una sustancia hecha de soledad químicamente pura. Es casi imposible penetrar en la soledad de una persona, y aún más en la de una caravana llena de personas. Tribus, píldoras de distintos colores.

A veces yo también me quedaba dormido con una copa de vino en la mano mientras ella roncaba dentro. Antes de ponerse el sol ella me avisaba y nos íbamos a bañar; ya casi no había gente, y la que quedaba eran meras siluetas, tibios trozos de carbón, productos de la deflagración del día.

Algunas veces cenábamos sobre la arena un par de bocadillos y bebíamos vino que ella metía en una cantimplora comprada en la tienda de souvenirs; otras, regresábamos a la caravana y hacíamos fuera una parrillada. Ella se acostaba temprano, yo me quedaba pasmado ante una pequeña tele a pilas hasta que terminaba la programación. Me gustaba, sobre todo, un programa que presentaba Rafaela Carrá; la diosa del teléfono parecía no haber envejecido.

Una de esas noches oí una conversación en la caravana contigua. El padre les decía a la mujer y al hijo que le habían contado que un escritor, el cual llevaba años intentando escribir una novela, estaba hospitalizado en estado muy grave porque durante los últimos 2 años había estado comiéndose su ordenador pieza a pieza. Las trituraba para espolvorearlas en las ensaladas, o hervía los trozos más grandes con los potajes de lentejas, y después las ingería. Según le contaron, el escritor lo había justificado diciendo que si para otros escritores todo el éxito está en la máquina, en el PC, si de allí dentro sacaban los otros su materia prima, si allí se hallaban todas las letras y el misterioso mecanismo de sus combinaciones, tal vez así se operaría en él el milagro de una perfecta combinación de palabras. Oí cómo la mujer y el hijo se reían del cabeza de familia, tomándolo por un crédulo.

Yo sí le creí.

7

Una de las cosas que más me atraía de sentarme por las tardes a leer y escribir fuera era no leer y no escribir: tener una intención inicial y después reorientarla, practicar esa desviación; acceder a la escala de los juegos.

Una vez había leído en un libro de Thomas Bernhard que un tipo se tumbaba en la cama y se quedaba con sus extremidades *orientadas al infinito*. Es algo en lo que pensé muchas veces estando allí sentado. Cerraba los ojos y reordenaba mis miembros bajo la suposición de que al moverlos en una continua rotación tipo radar encontraría la orientación del infinito; sabía que de pronto sentiría un tirón en la dirección de mis brazos y piernas cuando lo encontrase.

8

Una mañana ella tardó más de la cuenta en regresar de la playa. Me cansé de esperar y desplegué la pequeña mesa de plástico fuera. Me senté a un lado. No delante, ni detrás, sino justamente a un lado de la mesa, de manera que éramos: la puerta abierta de la caravana, la mesa, y yo; me pareció una excelente composición. Encendí un Lucky, saqué la cafetera, me volví a sentar.

Por puro juego, comencé a concentrarme sólo en los sonidos del camping. No cerré los ojos, pero me concentré. Del potaje que era aquella suma de interferencias de ruidos comenzaron a separarse capas horizontales de sonido, lonchas verticales de sonido, pesadas masas de sonido, burbujas sin peso de sonido, estrellas de sonido que brillaban 1 nanosegundo antes de desaparecer, distinguí también el sonido del crepitar de unas hojas, el sonido de un tenedor que cae sobre una mesa varias caravanas más allá, el de un pájaro que picotea el hueso de un melocotón, el de un bebé diciendo algo así como mamá, el del esfuerzo del tensado del cable que sostenía la bandera italiana junto a la recepción, el crujir de una bolsa de gusanitos por efecto del calor en una estantería del supermercado, y más que no recuerdo. Percibí el cosmos único y singular que constituía el camping; cualquier camping.

Se me ocurrió una idea.

Consistía en vagar por entre las tiendas, bungalows, caravanas, o el supermercado, con una cámara de fotos, y a personas escogidas al azar preguntarles por qué habían venido al camping, que me dijeran el lugar o rincón donde existía el sonido preferido para ellos, que me dibujaran en un papel el camino para llegar a ese lugar partiendo desde donde estábamos, y después proponerles que fuéramos a ese sitio, a la fuente del sonido elegido, y me permitieran hacerles en ese lugar una foto que llevaría por título, por ejemplo, «Foto del sonido de un árbol», o «Foto del sonido de mi ventana». Con el resultado haría un catálogo: en la página de la derecha, la foto, en la página de la izquierda, el dibujo de la ruta que hubiera dibujado a mano el amable voluntario, y debajo de ambas páginas la descripción del evento, los datos personales y el porqué de la elección de ese lugar y no otro. El resultado sería una especie de «mapamundi visual de sonidos de un camping».

Quieto en la silla, al lado de la mesa, le di vueltas al asunto. Realmente, pensé, un camping puede estar lleno de lugares maravillosos, desde la ligera asimetría de los cuadros de un mantel a un pino lleno de inscripciones a navaja. O el basurero, con su fauna y flora transformando continuamente el paisaje.

En realidad, el camping era el sitio ideal para acometer ese experimento: la máxima concentración de personas, cada una con sus correspondientes planetas y satélites, que se pueda encontrar por metro cuadrado.

Cogí la cámara, enchufé la batería para cargarla, y fui al súper a comprar folios en blanco y un par de lápices.

Nunca entiendo por qué la gente idea cosas y después no las hace, no lleva a cabo sus proyectos. Eso es un crimen.

Cuando ella llegó ya eran las 2 de la tarde. Se había entretenido en el súper porque no había bragas y el camión de reparto estaba a punto de llegar, así que decidió esperar por no hacer el mismo camino 2 veces.

Mientras hacíamos una tortilla —yo pelaba y batía y ella freía—, le conté mi idea de las fotos de sonidos; le pareció ideal. Aliñamos la ensalada.

9

Por orden cronológico:

1) Tal vez el Dios que vemos, el Dios que tiene la última palabra cada día es solamente un sub-Dios. Tal vez haya otro Dios por encima de ese sub-Dios que durante un rato divino está ocupado en otros asuntos pero que volverá más tarde, y que cuando venga cogerá por la oreja al sub-Dios y le dirá: Mira, mira a ese gordo. ¿Qué te ha hecho? ¿No ha sido lo bastante humilde? ¿No notaste que necesitaba atención? ¿No te diste cuenta de que sus días se sucedían como una larga pesadilla? (George Saunders, «El presidente de 200 kilos», *Guerracivilandia en ruinas*, Mondadori.)

2) Descabezado: Eliminación de toda copa, con el fin de rejuvenecer la planta al provocar la emisión de nuevas ramificaciones sobre las cuales, más adelante, se intervendrá siguiendo las reglas habituales. (Fausta Mainardi, *Guía ilustrada de la poda*, Vecchi.)

3) Podría hacerse un bonito programa concurso tipo *Gran Hermano* con esta idea: cada semana los concursantes vivirían en una isla donde las reglas vendrían impuestas por la teoría filosófica de algún autor. En la semana Spinoza habría que encontrar a Dios en todas las cosas (...) En la semana Nietzsche, los concursantes se dividirían en niños, camellos y leones, y tendrían que aprender a volar. En la semana Kierkegaard, aprenderían a solventar todos sus problemas mediante rezos. (Juan Bonilla, *Quimera*.)

4) Imaginemos un cajón de arena dividido por la mitad, con arena blanca en un lado y arena negra en el otro. Cogemos a un niño y hacemos que corra cientos de veces en el sentido de las agujas del reloj por el cajón hasta que la arena se mezcle y comience a ponerse gris. Después hacemos que corra en el sentido contrario a las agujas del reloj: el resultado no será la restauración del orden original, sino un mayor grado de grisura y un aumento de la entropía. (Robert Smithson, *Un recorrido por los monumentos de Passaic, Nueva Jersey*, Gustavo Gili.)

5) Hace treinta años, el conductor podía conservar cierto sentido de la orientación en el espacio. Ante el sencillo cruce de carreteras, una pequeña señal con una flecha confirmaba lo que era obvio. Uno sabía siempre dónde estaba. Cuando el cruce de carreteras se convierte en un trébol, uno ha de girar a la derecha para ir a la izquierda (...) Pero el conductor no tiene tiempo para sopesar paradójicas sutilezas de tan peligroso y sinuoso laberinto. Ella o él con-

fían en las señales que les guían, señales enormes en vastos espacios que se recorren a altas velocidades. (Robert Venturi, Steven Izenour, Denise Scott Brown, *Aprendiendo de Las Vegas*, Gustavo Gili.)

Al final de todas esas citas, el camping había consumido casi 1 mes de nuestras vidas, y nos fuimos. La última fue:
«Todos los derechos reservados. Prohibida la reproducción o alusión total o parcial de este camping, sea por medios mecánicos, químicos, fotomecánicos o electrónicos, así como por reproducciones en maqueta o a escala real sin la autorización del propietario. El camping no devuelve el agua y la electricidad gastadas a sus huéspedes, ni mantiene correspondencia con ellos. El camping no comparte necesariamente las opiniones ni forma de vida de sus clientes una vez se han ido.» (La Dirección)

Respecto al proyecto de las fotos de los sonidos, lo fui dejando.

10

En los siguientes días, sin alejarnos mucho de aquella zona, devolvimos el coche y alquilamos otro Lancia un poco más espacioso. Nunca llegué a recordar de qué modelo se trataba.
　　Cayeron varias tormentas, alguna nos cogió en la playa.

Fuimos haciendo turismo un poco a voleo, y alguna vez más tuvimos que dormir en el coche, pero siempre, insisto, sin alejarnos de la carretera principal. Los pueblos habitados tenían la mayoría de las casas a medio construir, con el ladrillo a la vista. Vivían así por esquivar impuestos de fin de obra.

Otras veces vimos pueblos abandonados, y justo al lado el mismo pueblo, exactamente igual, reconstruido. Pasabas 2 veces por delante de 2 carteles que te anunciaban la entrada a 2 pueblos idénticos. Tampoco entendimos esa duplicación.

Solíamos tomar helados de chocolate belga en las gasolineras y cachondearnos de la indumentaria de las familias playeras. Incluso una vez compramos en un kiosco una especie de lotería italiana, muy básica, de rasca y gana, con pocas combinaciones, por lo que era muy fácil tener suerte. Ella rascó con 1 euro las 3 casillas y salieron los 3 plátanos amarillos que indicaban que habíamos ganado la suma de 200 euros, que decidimos gastar en una cena el 1 de julio, día de su cumpleaños. Elegimos el mejor restaurante que salía en la guía. Llamamos para reservar una mesa en la terraza, situada en la misma acera. De pie, en un centro comercial, mientras ella confirmaba esa reserva por teléfono, vi pasar a 2 mancos.

11

Nuestro aspecto no debía de ser muy bueno, así que el camarero se aplicó toda la cena en maltratarnos con sutiles actitudes en el límite de lo inaceptable. La comida, exquisita.

Ella, tras el postre, cogió el bolso y dijo,
—Voy al lavabo.

Tardaba un poco. Me inquieté. No era yo quien tenía el dinero.

De pronto, la veo aparecer calle abajo, pilotando el coche, me hace una señal para que acuda, me acerco, abre la puerta y tira de mi camiseta para obligarme a entrar. Arranca a toda velocidad.

—Que se fastidien —dijo—, nos cobramos el maltrato.

Le eché una severa bronca; enseguida se me pasó.

Lo que une a las parejas no es el afecto mutuo que se den, ni los planes construidos a medias llevados a buen término, ni compartir una misma vivienda elegida y decorada a medias, ni parir hijos, ni nada de eso que sale en las novelas y películas. Lo que une a las parejas es el sentido del humor. Dos personas, por diferentes que sean, si tienen el mismo sentido del humor sobreviven como pareja.

Era extraño, pero lo que iba escribiendo sin pretensiones fue tomando forma de organismo vivo en mi libreta de espiral cuadriculada. Las cuadrículas eran caravanas y la espiral el tendido eléctrico que las unía y alimentaba.

12

Uno de los hoteles donde nos hospedamos, en un pueblo sin especial atractivo, era propiedad de un matrimonio mayor. Un hotelito producto de la reconversión apresurada de una antigua vivienda en negocio, con papeles pintados de colores chillones en las paredes haciendo formas imposibles. En el comedor aún había restos de lo que en su día había sido un salón-comedor familiar: libros, grandes clásicos de aventuras dispuestos en una vitrina originariamente mueble-bar, una cesta con los hilos de costura, un reproductor de vídeo cubierto con un tapete de ganchillo, y más cosas que no recuerdo.

Los dueños, un matrimonio que nos dio la bienvenida, tras vivir en Nápoles habían venido a retirarse a Cerdeña. Lo supimos porque él, nada más vernos, mostró un verdadero interés por nosotros, así que los 4 días que allí estuvimos llegamos no a intimar, pero sí a coger cierta confianza.

La habitación era pequeña pero estaba muy bien acabada, con detalles como ventana de doble cristal, 2 lavabos en vez de uno o la presencia de un crucifijo sobre la cama con un Jesucristo de cara cómica. Me gustó el diseño de los pomos de las puertas, realmente conseguidos. Parecían una pera.

En el comedor solíamos coincidir con los dueños, así que ya el primer día nos invitaron a sentarnos en su mesa. Éramos los únicos que cenábamos tarde, como ellos.

Al tercer día nos contaron un poco su vida, una vida nada fuera de lo particular, y nos enseñaron álbumes de fotos. En muchas salían ambos retratados. Escenas cotidianas de playa, comidas familiares, bailando en una boda, etc., pero, en todas, la cabeza de ella estaba recortada. Decapitada. Ante nuestra sorpresa, él nos aclaró que ésa no era su mujer actual, sino la anterior, muerta de un cáncer de cérvix en 1993.

—Al casarme con él —se apresuró a decir ella—, pensé que lo más noble era aplicar la tijera a las fotografías, y fue él mismo quien me la proporcionó yéndola a comprar a la papelería.

Juntaron sus manos y las apretaron, pensé en dos mapas arrugados que se entrelazan para romper rutas. Volví a mirar una fotografía de la difunta descabezada, bailaba un vals con el hombre que yo ahora tenía a mi lado. La decapitada lo agarraba por el hombro y, con la otra mano en alto, entrelazaba también los dedos de él. Lo hacía con tal fuerza que me produjo la misma sensación de alguien que a través de una foto deseara regresar a la vida.

Esa noche, ya en la cama, estuvimos comentándolo hasta muy tarde.

13

Hartos de comer pasta y oveja, decidimos usar el *Recetario para motor de coche* del norteamericano Steve Hunt, un tipo que, según la contraportada, tenía un chiringuito en Brooklyn llamado Steve's Restaurant, así que compramos en un súper unas pechugas de pollo y patatas para cocinarlas en el motor del Lancia mientras rodábamos. Lo adobamos todo en la habitación del hotel.

Lo que sobraban eran cunetas para hacer el picnic.

Yo apretaba el acelerador y ella a veces cantaba las canciones que el CD del coche reproducía constantemente. Vimos un prado, los kilómetros de cocción, 120, eran los adecuados para el pollo y las patatas según el *Recetario para motor de coche* de Steve Hunt, así que nos detuvimos y extrajimos la comida del motor, bien envuelta en papel aluminio. Picamos además unos tomates que llevábamos.

Ya con el estómago lleno, pensé que ella y yo éramos una cinta magnetofónica, alterada, manipulada, que algún día alguien encontraría tirada en una cuneta. No sé por qué pensé en una cuneta y no en una acera, un cajón o un pasillo. Pensé en una cuneta.

14

Pero el espacio dentro de otro espacio que a nosotros nos afectaba de verdad era otro.

El espacio oscuro contenido en una funda de guitarra a su vez contenida en un maletero también oscuro.

No volvimos a abrir el maletero.

Todas nuestras maletas las llevábamos en el asiento de atrás, lo que nos obligaba a no dejar mucho tiempo el coche solo, por miedo a que la visibilidad del equipaje atrajera a rateros.

Aunque quizá tanto celo por no desclausurar la oscuridad del maletero se debiera a pura inercia porque, en realidad, creo que ninguno de los dos tenía ya mucha fe en el Proyecto. A veces los proyectos se magnifican cuanto más intentas alejarlos, cuanto menos piensas en ellos: te distancias, pero la metáfora hace su trabajo.

15

Siempre sin alejarnos mucho de la región turística, nos detuvimos durante unos días en una ciudad de 70 mil habitantes según el censo de 2005. Volver a pisar aceras, encontrar tiendas abiertas, comprobar de nuevo el esplendor de gastar dinero, resultó más saludable de lo que inicialmente supusimos.

Cada vez que entrábamos en una tienda ella elevaba el acto de comprar a un sistema de códigos y signos realmente sofisticados. Envidié su manejo de los vestidos de verano entre las manos, colgados en serie, fríos por el aire acondicionado. Me estremeció pensar que esa frialdad era debida a que les faltaba un cuerpo.

Yo compré una camisa réplica de la que llevaba Steve McQueen en una película de pilotos de carreras.

La perfección de cualquier ciudad radica en su constitución en un cosmos total. Todo está ahí. Como en las Redes de Autopistas del Estado. Sí, puedes vivir en una ciudad sin salir jamás, con la sensación de que todos los ámbitos de la vida se crean, se reproducen y se extinguen en ella. Y si no, no importa, la ciudad se los inventa.

Por el contrario, el campo es un lugar abierto, no es un cosmos en sí mismo. Estás bien un rato, sí, pero siempre parece que le falta algo. Estuvimos hablándolo: quizá era ése uno de los motivos por los cuales ella y yo íbamos de un lado a otro en esa isla eminentemente rural, buscando algo. Cuando llegamos a la ciudad, pareció de repente que toda esa búsqueda se detenía.

En mitad de una calle comercial, encontramos un sumidero de alcantarillado lleno de cartuchos de escopeta.

Ella me contó una historia de cuando era pequeña referente a cartuchos y a escopetas.

16

A veces se me olvida contar algunas cosas importantes.

Ahora he recordado que un día muy caluroso, quizá el más caluroso de todo el verano, cuando estábamos en el camping, vi a un hombre de mediana edad sentado en una silla en una pequeña zona de tierra seca, junto a la alambrada, donde no había ni un gramo de sombra. Yo andaba por ahí con mi cámara, a la búsqueda. Al pasar a su lado me pidió agua. Lo reconocí inmediatamente porque lo veía pasar por delante de nuestra caravana varias veces al día haciendo footing.

Mientras bebía a morro, me fijé en que iba muy arropado; jerséis de lana, botas, una cazadora de vivac.

—¿No tiene calor? —le dije.

Me miró y en sus ojos noté tristeza, una acumulación de tristeza que los hacía grávidos, pesados, casi con forma de huevo. Me dijo entonces que no sudaba, y que quería sudar. Nunca había sudado en toda su vida, y que por eso corría y se mataba al sol.

—Quiero ser normal, amigo, quiero ser normal —dijo mientras me devolvía la botella—, pero no puedo, mis amigos me llaman el «hombre de plástico», el «hombre irreal», o simplemente, el «hombre nada». Esa irrealidad que soy la intento compensar con la comida, como mucho, engordo, me gustaría ocupar el mundo —se pasó la mano por la barriga—, que se note que existo, incluso a veces llego a olvidar que no tengo agua en mi cuerpo, y entonces soy feliz, pero tarde o temprano la realidad se impone.

Trató de levantarse. Casi se cae. Un leve mareo. No había manera de que sus delgadas piernas soportaran fácilmente toda aquella masa corporal.

Yo le dije que no comiera, que eso no era la solución, sino que fumara, que somos 70% agua y 30% humo, que es la combinación perfecta, ya que el tabaco provoca una sequedad que te hace beber agua constantemente. Lo de 50% agua y 50% grasa, le dije, está pasado, es un fracaso, agua y grasa son sustancias inmiscibles, amigo. ¡No coma, fume!, insistí.

—¿Y usted cree que si fumo volverá a mi cuerpo ese 70% de agua? —preguntó con un rostro al que por un segundo asomó un gramo de felicidad.

—Pues claro —contesté—, es ley.

—Gracias, lo intentaré —y me abrazó.

Permanecimos apretados unos segundos. A pesar de su redondez era un palo seco, la cosa más seca que jamás he tocado; casi crujía.

—Y ya que estamos —le dije—, ¿podría decirme usted qué sonido del camping le gusta más, y dibujar en un papel cómo llegar hasta él, y dejarse fotografiar en ese lugar?

Se quedó pensativo unos segundos, tantos que tuve que decirle,

—¿No quiere? Si es así, no importa.

—No, no, qué va —dijo apresuradamente subiéndose la goma del pantalón del chándal—, me encantaría, pero es que lo estoy pensando.

Continuó en *standby*, con los ojos como torcidos mirando al cielo, hasta que sin pensarlo más concluyó,

—Es que el sonido que más me gusta no está en un lugar en concreto; no se puede fotografiar.

—¿Ah, no? —respondí.

En ese momento se puso de rodillas en la tierra, pegó la oreja derecha al suelo, y en esa posición se desplazó medio metro, tanteando con la oreja en círculo. La goma del chándal volvió a bajarse hasta el arranque de los glúteos. Peinó así, a gatas, unos metros de tierra hasta llegar a la parte verde, donde las tiendas de campaña. En ocasiones se detenía, incorporaba el torso, tomaba aire, y me decía antes de pegar la oreja de nuevo al suelo,

—Parece que ya lo oigo.

Otras veces se quedaba quieto, y me hacía un gesto como de «¡silencio!», poniéndose un dedo en los labios. Yo me detenía y no movía ni un pie, hasta que él daba otra señal con el mismo dedo y continuábamos. En un momento dado se detuvo, su cara tomó una expresión de eureka, y dijo,

—¡Aquí es, aquí está!

Yo me quedé en silencio, esperando.

—El agua, la cañería de agua bajo tierra, es el sonido más bonito que existe —dijo finalmente.

Se incorporó, sus ojos volvieron a emocionarse, y continuó,

—Si yo tuviera una red de agua así en mi cuerpo..., sigámosla.

—Pero con ir a un grifo ya está, ya está ahí el sonido —le dije—, no hace falta buscar.

—No, no es lo mismo, los grifos y fuentes no me interesan, están fuera; lo que yo echo en falta son estos tubos dentro de mi cuerpo. Esa cosa que llaman el «sonido interior», supongo que sabe a lo que me refiero, otros le llaman alma. Coja un palo, haga el favor, y vaya haciendo un surco en la tierra por donde yo le diga.

Cogí una rama del suelo, él regresó a la posición de rastreador, y fui marcando en la tierra el supuesto itinerario del agua que pronto se convirtió en un laberinto sin origen ni centro.

—No puede ser —decía—, tiene que haber un destino en las cañerías, un origen, un centro de distribución con su sifón y con todo; no puede ser.

Pasaron las horas, ella me esperaba para cenar. Lo dejé solo, con la oreja pegada al suelo y un bolígrafo de propaganda de agua mineral Smeraldina en la mano izquierda, hacía con él un surco en la tierra cada vez más complejo.

17

Un día comenzó la monotonía a colarse por algún agujero del Lancia. Poco a poco fuimos dejando de hablar. No por nada, sino porque nada había que decirse, como si los dos fuéramos ya sólo uno, uno que se conoce tan bien a sí mismo que el silencio es el estado natural de su relación con las cosas, de tal manera que la mayoría del tiempo lo pasas desapercibido ante ti mismo. Coges el teléfono y no hay nadie al otro lado porque eres tú quien está al otro lado.

A veces escribía en mi libreta cuadriculada de espiral y me parecía que era ella quien lo hacía.

Un día se nos terminó el agua, era domingo y los colmados de los pueblos estaban cerrados; por lo menos hasta la noche no llegaríamos a un núcleo más o menos poblado. Ya por la tarde avistamos una gasolinera. Me amorré, literalmente, al grifo del lavabo, un monomando de primera generación. Eso me llevó a pensar que desde aproximadamente principios de los años 80 todos los grifos son monomando. No hay grifo a la izquierda ni a la derecha: se funde el agua consigo misma en un solo caño central a través de un solo mando central. El cambio coincide con el momento en que la sociedad ejecuta el paso de la modernidad a la posmodernidad y caen las ideologías, izquierda/derecha, ese estilo de vida según el cual todo se halla mezclado, conformado en un bloque o una esfera perfecta sin direcciones ni vectores privilegiados, más allá de la cual no hay nada, todo es vacío.

Las parejas suelen crear sus propios espacios más allá de los cuales pareciera que tampoco nada existe. Las parejas perfectas son parejas monomando.

18

Un día llegamos a un pequeño pueblo en una pequeña isla situada al sur de Cerdeña.

Mientras dábamos vueltas a la búsqueda de un lugar donde aparcar, vi que era muy parecido a los pueblos atlánticos portugueses. Le comenté a ella que aquel pequeño puerto era casi igual a otro que un escritor llamado Vila-Matas había situado en las islas Azores en un artículo de un diario. Entramos en un bar-pizzería que estaba en ese puerto a tomar algo, a ver llegar los barcos, a ver los papeles de periódico girar entre las piernas de los que pasaban, a nada, porque ya no hablábamos. En la puerta colgaba un neón con un barco como el de *Moby Dick* en una tormenta. Una muchacha de tez muy blanca nos dio la bienvenida.

Después, vibró el móvil en el bolsillo de mi pantalón.

19

Ella me dijo días más tarde,

—¿Qué pasaría si un día, un domingo, pongamos, estás en tu chalet, sales un momento a recoger la correspondencia, el viento cierra la puerta, y no tienes llave, y te ves allí, en pijama y descalzo, observando a través de una de las ventanas tu cafetera, la mesa del salón con la figura de porcelana en su centro, la foto de la gata en la estantería, los libros que dejaste abiertos en el suelo, junto a tu mesa, el Mac con el Messenger parpadeando en la pantalla, la taza de café en el fregadero, las latas de Coca-Cola desbordando el cubo de la basura, y piensas que por una vez ves cómo es exactamente tu propia vida pero sin ti? ¿Qué pasaría?

—Rompería el cristal —contesté.

—Bueno, sí, pero ¿y qué más?

Me quedé mudo unos segundos; al fin dije,

—Vale, no sé si tendría valor para esa clase de regreso a mí mismo.

Ese día ella compró un Kinder-Sorpresa, no comió el huevo, tan sólo lo rompió con el mismo ensimismamiento y cautela que un caco rompe un cristal, y me lo dio para que lo comiera yo, me lo metió en la boca, profesionalmente, como las madres de los simios cuando les dan plátanos a sus crías tras pelarlos. Ella se quedó con el camión de recortar y pegar que había dentro. Parecía que en aquella isla se le hubiera despertado un repentino interés por los camiones. A mí, por pensar en cintas magnetofónicas, por ejemplo, anoté:

«Hay un antes y un después en la historia de la humanidad: el momento en que irrumpe la cinta magnetofónica como bien de consumo: la posibilidad de cortar y pegar, alterar, fundir pistas.»

E inmediatamente después, de nuevo pensaba en nosotros como en una cinta magnetofónica tirada en una cuneta.

20

Un día me sentí cansado, y por primera vez condujo ella; me tumbé en el asiento de atrás. Apoyé la cabeza sobre su bolsa de bragas; el orden implícito en ese lote de prendas íntimas y blancas, perfectamente apiladas, su olor a materia industrialmente planchada, me daba paz. Un mundo mineral. Cerré los ojos.

Cuando un objeto se desplaza a una velocidad constante, y tú vas dentro de él, no sientes nada: a efectos prácticos es como si estuvieses parado en virtud del Principio de Relatividad de Galileo. Pero cuando acelera o se detiene, el cuerpo nota una fuerza, y entonces si vas dormido te despiertas.

Eso fue lo que me despertó, una frenada, una suave frenada, parecida al vaivén de un sueño. Abrí los ojos. De repente todo estaba en silencio.

—Hace tiempo que lo vengo viendo —dijo ella desde el asiento de delante; emitió esas palabras lentamente, como hablando para sí.

Abrí bien los ojos y, aún tumbado, a través de la ventanilla trasera vi un gran letrero amarillo en el que acerté a leer en letras negras,

PENITENCIARÍA DE LA REPÚBLICA ITALIANA. NO PASAR.

Me incorporé de un salto. Ella permaneció unos instantes aturdida. No se lo explicaba.

—No sé, me perdí —decía—, no sé cómo hemos llegado de nuevo hasta aquí, no reconocí la carretera.

No di muestras de acritud, tampoco tenía demasiada importancia, pero admito que la situación me incomodó. Había dormido, y mi desactivación del mundo no había funcionado en este caso como agente reparador. Las bragas que ella había tirado hacía 1 mes y medio aún estaban prendidas en los matorrales, picoteadas por pequeños animales.

Soy de la opinión de que cuando la vida dibuja una línea que al fin se revela curva, exactamente curva, es decir, cuando regresa exactamente al punto del que partió, es que en ese punto existían dos posibilidades y elegiste la incorrecta, la que provoca que la contingencia se haya esfumado de tu vida para caer en un abstracto bucle determinista, en un atractor estable; hechizos de estabilidad que hay que romper. Por este motivo le dije que deberíamos coger, ahora sí, esa carretera de la penitenciaría.

No tuve que convencerla.

21

La carretera que se abría ante nosotros no difería en nada de otras similares que habíamos visto meses atrás. Interpreté que allí siempre soplaba el viento al ver que los matorrales crecían oblicuamente. Conducía yo.

Tras media hora escasa vimos a lo lejos una construcción de dimensiones indeterminadas y forma cuadrangular. Sobresalía su tejado por encima de unos altos muros de piedra rematados con torretas de vigilancia en cada vértice que la rodeaban. Todo el conjunto se hallaba precedido por una serie de alambradas de espinos en espiral.

Casi era mediodía.

Mientras nos acercábamos fueron apareciendo a ambos lados de la carretera lo que parecían haber sido nidos de ametralladoras, sobre los cuales siempre había gaviotas mirando al sureste.

Llegamos a un punto en el que, en contra de lo que habíamos supuesto, la carretera no pasaba de largo ante la penitenciaría sino que moría ahí, terminaba justamente en el primero de los 3 portalones de alambradas.

No hubiéramos traspasado ni la primera puerta si no fuera porque a lo lejos, en el último portalón, había un letrero colocado simétricamente entre dos torretas de vigilancia, que ponía con letras grafiteras,

SING-SING

AGROTURISMO

Avanzamos. El motor en primera. Entre valla y valla de alambre crecían hierbas muy altas, cada vuelta de la espiral de alambre medía por lo menos 2 personas de altura. Traspasamos el último portalón, que se recortaba en el muro de piedra, y entramos a un patio que sin duda había sido en su día el de recreo de los presos, una especie de claustro, reconvertido hoy en un jardín de unos 75x75 m². De un ubicuo hilo musical, a bajo volumen, salía la banda sonora de *Desayuno con diamantes* en una versión sobresaturada de violines. El jardín estaba diseñado con caminitos de grava y setos bien cuidados que separaban las diferentes zonas de césped. Los árboles, todos de una misma raza que no identifiqué, se hallaban diseminados, ocultando una pequeña fuente en el centro. Con el coche rodeamos el jardín en todo su perímetro. Las cuatro fachadas interiores caían verticales, en ellas se disponían matricialmente multitud de pequeñas ventanas sin rejas, perfectamente ordenadas. Bajo un árbol dos pequeños perros copulaban.

Tras dar una vuelta entera al jardín, siempre con el motor en primera, vimos una puerta de madera bajo unos soportales, y a su lado un pequeño letrero, de aspecto muy nuevo, que en tipografía *Andale-Mono* anunciaba la recepción. Apagué el contacto.

Un hombre tardó varios segundos en levantar la vista de algo que ocultaba tras el mostrador cuando entramos. Se quitó las gafas de leer, nos miró y dijo,
　　—Bienvenidos —sin énfasis.

El precio nos pareció razonable.
Nos condujo a nuestra habitación.

22

Una vez vista en su totalidad, la construcción tenía, en efecto, base cuadrada. El citado jardín interior estaba delimitado por las 4 alas que constituían la construcción en sí. Dentro de cada una de esas alas se extendía un pasillo central que se sucedía a derecha e izquierda en celdas, una detrás de otra, así hasta 75 m de longitud y 3 pisos de altura. Más que un pasillo central era una calle central, pero cubierta [pensé en un centro comercial], en la que mirabas hacia arriba y veías los 3 pisos de celdas a los que se accedía por escaleras y corredores metálicos. Debía de haber más de 1.000 habitaciones.

La nuestra estaba en el tercer piso, con una pequeña ventana que daba al jardín interior, más allá del cual se veía también parte del horizonte. Televisión, cama de matrimonio, ducha, lavabo, aire acondicionado y todo lo que se puede esperar de un agroturismo de 3 estrellas. La puerta aún era la de la celda original, metálica, con una trampilla a la altura de los ojos. El suelo, las paredes y las lámparas presentaban un aspecto pulcro, de quirófano. La cama y las mesillas, también metálicas, estaban atornilladas al suelo y las paredes. Nada más dejar el equipaje fui al lavabo y me eché agua en la cara. Me miré al espejo. Me vi cansado. No notaba el cansancio, pero, como si estuviera actuando, mi rostro era de cansancio. La toalla de manos, blanca, con la que me sequé, no tenía membrete ni logotipo alguno.

23

Esa misma noche tomamos antes de la cena un vermouth, sentados en unas mesas que había en el jardín del claustro.

Él mismo nos lo sirvió con amabilidad distante, en absoluto muy diferente a otras actitudes que habíamos visto en los hoteleros de esa isla.

—Me recuerda a Kusturica, el director de cine, pero en viejo y con el pelo gris —me dijo ella mientras agitaba los cubitos de hielo del vaso cónico, y continuó—, es bastante atractivo, ¿no?

Comprendí que era una comparación acertada.

Paseamos la mirada por la matriz de ventanitas cuadradas que nos rodeaban; habíamos dejado la luz de la habitación encendida. Aún no se había puesto el sol pero la oscuridad hacía tiempo que había llegado a las celdas.

Le comenté que antes de ser agroturismo y antes de ser cárcel, tenía toda la pinta de haber sido un monasterio. Ella asintió. Parecía que de repente coincidíamos.

Dejamos las bebidas a medias y nos levantamos para ir a cenar. A mí jamás se me hubiese ocurrido, pero ella, que de vez en cuando compraba una maceta para poner en la terraza, y que en sus sueños a veces aún se le aparecían hortensias en anuncios de televisión, al pasar por delante de los setos perfectamente cortados deslizó su mano por las hojas. Se detuvo en seco. Se inclinó sobre la masa verde, comenzó a tocarla con fruición, se volvió y me dijo,

—¡Joder, son de plástico!

Se acercó a un árbol, a otro seto, palpó el césped, las piedras,

—¡Todo el jardín es de plástico! —insistió.

Entonces yo también pasé mi mano por la vegetación y, en efecto, había allí 75x75 m^2 de falsa vegetación. Probablemente no le habrían sacado brillo en años, acumulaban tanto polvo que esa pátina le confería un aspecto real.

Mejor dicho: ya era real.

Camino del comedor, al pasar por la recepción vacía, ella cogió varios folletos y trípticos de actividades y puntos turísticos de la zona; nunca los miraba, pero acumulaba montañas en el coche. Yo le comenté algo acerca de si también la comida sería de plástico. Ella me dio con el codo.

Mesas muy largas ocupaban todo aquel gran espacio, acompañadas de bancos también corridos. En el extremo de una de las mesas, vimos un pequeño mantel con 2 cubiertos y 2 platos enfrentados. Unos 10 metros más allá, en la misma mesa, y sobre otro mantel también biplaza, cenaba ya él, solo. Sorbía una sopa que despedía un fuerte olor a cordero sin castrar. Dedujimos que éramos los únicos clientes.

Por eliminación, nos sentamos en aquel primer y único mantel. Él se levantó sin decir nada, se metió en las cocinas atravesando una puerta de aluminio de doble bisagra que quedó volteando casi el mismo tiempo que tardó en salir con una fuente de verduras a la plancha y una jarra de vino tinto. Se movía lentamente. Dejó todo sobre nuestro mantel y regresó a su plato.

El resto de la cena fueron secuencias similares pero con espaguetis a la boloñesa, un fortísimo cordero hervido y fruta fresca. Ella y yo nos mirábamos por momentos, riéndonos en silencio, o haciéndonos muecas cuando uno se percataba de las lámparas tipo explotación ganadera que colgaban del techo, o de la superficie de la mesa, llena de nombres, corazones, mensajes y dibujos grabados a navaja hasta donde alcanzaba la vista; vestigios de los antiguos presos.

24

Los primeros días los empleamos en diversas ocupaciones: limpiar el coche, tomar el sol en el terrado, beber vermouth, y yo en escribir cuando me cansaba de zanganear. Ella comenzó a replicarme por cualquier cosa; de repente todo lo que antes era un detalle inapreciable, ahora constituía una fuente de contrariedades, cosa que ella interpretó como signo inequívoco de cansancio por su parte.

Fue la tercera noche, al entrar en el comedor para cenar, cuando vimos un plato más, justo al lado de los nuestros; nos preguntamos quién sería el nuevo huésped. Al cabo de unos minutos apareció él, se sentó delante de ese plato, frente a mí y al lado de ella.

Nos dijo hola con una mueca más amable de lo normal.

Devolvimos el saludo. Mantuvimos silencio hasta entrado el segundo plato, cuando él sacó un cigarrillo, rebuscó por sus bolsillos como buscando un mechero que no encontraba, y al cabo de unos segundos, ella, espontáneamente, me dijo,

—Pásame el encendedor.

Y se lo pasé. Y ella se lo dio a él. Y él lo manoseó durante unos instantes. Y tomó fuego mirando directamente la llama. Y se lo pasó de nuevo a ella, y cuando iba a guardarlo en su bolsillo, le dije,

—Pásame el encendedor.

Y ella me lo pasó y encendí un cigarrillo, y antes de que pudiera metérmelo en el bolsillo, ella me dijo,

—Eh, pásame el encendedor.

Y se lo pasé y ella sacó un Marlboro de su bolso y lo encendió, e hizo ademán de guardar el mechero dentro de la cajetilla, pero él le hizo una señal para que se lo volviera a pasar ya que su cigarro estaba mal encendido. Y ella se lo pasó, y él reencendió su cigarrillo, y se lo devolvió, y ella hizo de nuevo ademán de guardarlo dentro de la cajetilla, y yo le dije,

—Eh, pásame el encendedor.

Y ella me lo pasó y me lo guardé en el bolsillo de la camisa. Entonces él, mirándola a ella y sólo a ella a los ojos, dijo,

—Gracias —y rompió a reír.

A partir de ese momento comenzamos a hablar. Al principio de asuntos banales: de dónde era cada cual, a qué nos dedicábamos, y así supimos que era un coleccionista e investigador de textos antiguos; no especificó de qué época. Fue así como también supimos que había comprado la antigua prisión hacía 5 años, y que el agroturismo era una excusa para mantenerse lo suficientemente aislado del mundo como para dedicarse a su pasión; su argumento fue el siguiente:

—Esto de los agroturismos aquí está muy subvencionado, y como, disuadidos por el cartel de la penitenciaría, no vienen clientes, me embolso ese dinero que me da el Estado y me dedico a lo que yo quiero.

Lógica aplastante, pensé.

En un momento dado nos presentamos todos y supimos que él y yo teníamos el mismo nombre, Agustín, coincidencia que nos hizo reír otro buen rato.

Nos sorprendió la vivacidad de su conversación y su capacidad de seducción. Sobre cada libro hilaba historias y anécdotas que lo llevaban de un lugar a otro. Le escuchábamos atentamente, yo sólo decía, «¿Más vino?», y llenaba las 3 copas. Ella, ni palabra. Cuando la sobremesa hubo avanzado, se empeñó en enseñarnos dónde vivía y dónde trabajaba.

Nos condujo tras él hasta una puerta situada al fondo del comedor y entramos en algo que tenía aspecto de vivienda,

—Aquí es donde vivía el director de la prisión —dijo exactamente.

Eran varias salas en las que se pasaba de una a otra directamente, sin pasillo, habilitadas con lo imprescindible para vivir; podría decirse que la decoración era un concepto inexistente. Vi sobre la chimenea una hilera de miniaturas de goma tóxica compuesta por Capitán América, Los 4 Fantásticos, y otros Marvel que no recuerdo. Nos enseñó aquello apresuradamente, como si todo fuera un mero trámite para llegar al lugar que producía brillo en sus ojos cada vez que lo nombraba: el estudio.

Salimos de la vivienda por una puerta trasera y fuimos a dar a una especie de huerto rectangular en mal estado, rodeado de muros de piedra, que no habíamos visto hasta entonces. Una fila de luces de verbena colgando de dos hilos que iban de muro a muro del huerto alumbraban débilmente en colores un camino de hierbajos. Al final, una caseta de ladrillo. En todo el trayecto no dijo ni palabra, ni siquiera cuando al intentar abrir la puerta de la caseta ésta se atascó y tuvo que darle un golpe. Entonces, haciendo una especie de reverencia, dijo, «Pasad, pasad», y se quedó en el umbral. Ella entró primero; él la miró muy detenidamente.

Lo que nos encontramos fueron cuatro paredes forradas literalmente de estanterías con libros de lo que parecían ser todas las épocas, y una mesa de cristal y patas metálicas en un rincón, sobre la que había un ordenador portátil en marcha. En esa mesa, aseguró, se pasaba días enteros consultando textos, archivando separatas, buscando indicios de libros supuestamente extraviados y de gran valor. Por allí desperdigados vi objetos de aspecto también antiguo, figuritas feísimas, relojes a medio componer, estilográficas con la punta reseca, más superhéroes Marvel, cosas así.

No recuerdo mucho más sobre aquella noche salvo que lo pasamos bastante bien sentados en sus sillones de cuero en torno a unas copas de licor de mirto.

En los siguientes 4 días no lo vimos.

25

Cuando nos levantábamos teníamos el desayuno sobre el mantel, en la misma mesa de siempre, con una nota, «estoy ocupado», y esto se repetía a la hora de la comida y la cena. Sólo oíamos el sonido de una música que parecía venir de su estudio. Canciones napolitanas a todo volumen. Canciones clásicas que conocíamos por la tele y las películas, y de las que *Oh sole mio!* podría ser una significativa representante.

Empleábamos el tiempo haciendo excursiones en coche por la zona. Descubrimos que el mar se hallaba a 2 km hacia el sur. Una tarde, sentados en la playa, distinguimos a lo lejos una forma, una especie de isla en la que sobresalían torretas. También llegamos a una playa de gran longitud que en vez de arena estaba compuesta en su totalidad por granos de arroz; cuarzo blanco pulido con las mismas dimensiones y forma elipsoidal que un grano de arroz. Era tremendo tirarse allí, en aquella paella, como a la espera de ser cocinado.

26

Al quinto día reapareció a la hora de comer. Estaba muy contento, decía que había hecho grandes progresos en sus investigaciones y que eso había que celebrarlo. No comentó nada en concreto pero por lo que entrevimos era algo importante, algo que, afirmó, lo tenía enfrascado desde hacía casi 2 meses, cuando, debido a causas que no aclaró, sus investigaciones habían dado un vuelco. En esa ocasión recalcó varias veces que lo que tenía entre manos sería la indagación más importante de su vida.

Esa noche nos retiramos pronto. El sol y las caminatas nos tenían rotos. Ella se acostó, pero yo subí a la azotea, hacía una noche preciosa de luna casi llena. A un lado se veía el jardín de plástico de la entrada, estático, no se movía ni una hoja, y del otro lado emergía el resplandor de la luz de su estudio, imposible de ver de manera directa; y su música. Fumé un cigarrillo, contemplé a lo lejos la isla que habíamos descubierto desde la playa, con sus torretas, sin duda militares, salpicadas de luces. Después bajé las escaleras metálicas, caminé por el corredor también metálico que pasaba por delante de las puertas de las celdas, algunas cerradas, casi todas entreabiertas, y nada más llegar a la nuestra me acosté. Pensé en ese momento en el cuadrado de luz de la ventana, en ese resplandor de los faros que guía a los extraviados, en el clic de interruptor de luz que separa el norte de la pérdida, y en que probablemente no hubiera en muchos kilómetros a la redonda nadie para verla. Ella respiraba a mi derecha. Apagué la luz.

27

Pasaron varios días en que tampoco lo vimos, pero ahora ya ni se molestaba en prepararnos la comida, a través de notas escritas con mala caligrafía nos decía que, directamente, entráramos en las cocinas e hiciéramos allí lo que quisiéramos.

Comenzamos a pasar bastante tiempo en esa cocina. Cuando uno viaja, nunca tiene acceso a ese lugar tan común de las casas. Da seguridad.

Fogones típicamente industriales, encimeras de acero, despensas herméticas por todas partes, como una biblioteca pero de alimentos.

Como si ese espacio reavivara una esencia juguetona de infancia, la primera vez que entramos nos besamos y escenificamos el cliché de provocar ella su persecución por entre los pasillos que dibujaban las encimeras para al final dejarse coger y hacer yo con ella lo que quisiera. Era una tontería, pero por primera vez en mucho tiempo la vi reír.

En un lateral había una puerta también de acero muy gruesa que daba a la habitación-congelador. La abrimos. Nos cubrió un humo blanco de hielo. Entrevimos varios cuerpos de ovejas en canal colgados de un gancho. «¡Joder!», dijo ella. A mí no me impresionó. Había también unas cabezas de cerdo seccionadas de una manera bella y extraña, perpendicularmente al hocico, que dejaba ver la rocambolesca estructura de las fosas nasales, como de fractal; dejé que se descongelaran un poco y les saqué una foto. Después ella hizo la comida. Yo tiré las cabezas al terreno de atrás, que casi no rodaron.

28

Una mañana estábamos preparando el desayuno en la cocina. La oveja ya estaba casi hervida cuando él apareció.
Abrió la puerta de doble hoja de un solo golpe y dijo,
    —¿Hay algo de comida para mí?
    Desaliñado, la barba cana de varios días lo enve-
jecía.
    Desayunamos los 3 allí, de pie junto a unas ollas
de aluminio tamaño colegio. Estuvimos charlando un
buen rato, se mostraba efusivo ante cualquier comentario;
decía estar muy contento. «Grandes progresos», afirmaba
sin parar.
    Apuró el café, devoró el bocadillo de oveja hervida
y se marchó.

29

Una mañana me despertó el sol. Nos habíamos olvidado
de cerrar las contraventanas. Ella dormía profundamente,
a mí me había sentado mal la cena y no había conciliado
el sueño hasta muy entrada la madrugada; me sentía pesado. Me levanté.
    No recuerdo la hora con exactitud pero serían
aproximadamente las 6. Me lavé la cara y la boca emplean-
do especial atención a la lengua y a un principio de caries,
la toalla estaba muy sucia, decidí ir a coger otra limpia a
alguna de las habitaciones contiguas.
    En la más próxima, no había toalla alguna, ni en
la siguiente, ni en la siguiente. Hasta la octava no la encontré. Por simple curiosidad continué caminando por el
corredor.

El suelo de rejilla a través del que veía el vacío me mareaba un poco. Al otro lado, me acompañaban los corredores de la «acera» de enfrente. Si te asomabas, ahí estaban los tres pisos de altura, y abajo, la especie de calle distribuyéndolos a derecha y a izquierda. Fui abriendo celdas, en todas la misma puerta metálica con una trampilla a la altura de los ojos. Dentro, también todas eran la misma; por algún motivo que desconozco, esa repetición me excitó. Bajé las escaleras hasta el segundo piso e hice lo mismo: abrir puertas, entrar, observar unos segundos, pensar en el hombre que algún día estuvo allí matando el tiempo, e irme. Y así hasta que bajé al pasillo central y subí por las escaleras metálicas del otro lado, que daban a las celdas situadas frente a la nuestra. En cierto modo, pensé, observar todas estas celdas es como aquel juego que sale en los periódicos de buscar las 7 diferencias en 2 dibujos aparentemente iguales. Continué abriendo y cerrando puertas. Sólo hallé una diferencia. En una de las celdas del segundo piso encontré sobre la mesilla de noche una máquina de escribir, abrí un cajón y vi una pila de hojas sin usar de dimensión DIN-A4. Instintivamente cogí ambas cosas. Era justo lo que necesitaba para pasar a limpio mis notas. Era imposible que él notara la diferencia; jamás le había visto acercarse a esas habitaciones. Salí y vi que en nuestra habitación, casi justo enfrente, ella ya se había levantado. Salía del baño, desnuda, y pensé que no me arrepentía de haberla elegido.

Regresé. En una mano la máquina de escribir, en la otra los folios, y la toalla blanca que había ido a buscar, echada al hombro.

Los días siguientes me encerré a teclear de la mañana a la noche las notas dispersas que había ido anotando en mi libreta de espiral. Ella me subía la comida.

30

Aunque las normas del agroturismo especificaban la exigencia de pagar por semanas, hacía tiempo que eso no ocurría. Habíamos perdido la cuenta exacta del tiempo que llevábamos allí. Ayudados de un almanaque que tenía en la recepción contamos 18 días. Hice las cuentas, ella me esperó abajo, fui a nuestro cuarto y cogí el dinero.

Igual que días atrás, para llegar a su estudio había que atravesar su casa. Al pasar por el salón ella se sentó un momento, miró alrededor, cerró los ojos y dijo con un suspiro,

—Me gustaría estar ya en casa —mientras yo manoseaba las figuritas Marvel de goma tóxica que había sobre la chimenea.

Salimos por la puerta que él nos había enseñado, atravesamos el huerto hacia la caseta bajo las oscilantes bombillas de feria, y golpeamos su puerta. Cesó la música; tras unos segundos abrió. El contraluz no nos permitió ver muy bien su cara. Ella disparó,

—Hola, venimos a pagarte...

Él la cortó en seco:

—Ah, vale, me vendrá bien el dinero, pasad.

Todo estaba más revuelto que de costumbre; llamaba la atención el olor a cuadra.

Avanzamos esquivando sillas, libros y cachivaches, iluminados por diferentes haces de flexos que se repartían por la habitación. Ambos debimos de verlo al mismo tiempo porque nos detuvimos en seco. En el suelo, al lado de su mesa de trabajo, yacía una funda de guitarra Gibson Les Paul, negra, y en su interior algo que identificamos como todo lo necesario para el Proyecto, nuestro Proyecto.

Dijo sin mirarnos,

—Ah, sí, es en lo que estoy trabajando.

Alzó la vista buscando nuestros ojos y sentenció,

—Es un proyecto, un proyecto colosal que me ha hecho olvidar hasta el estudio de mis libros.

No pude articular palabra; tras un par de segundos ella reaccionó:

—¿De dónde lo has sacado?

—Lo encontré en la playa —contestó—, lo trajo el mar en esa funda de guitarra. Pero no os puedo contar nada más, es un secreto, ya os digo, algo colosal.

Sentí una especie de mareo, una presa de sangre en mi cabeza pidiendo que se abrieran las compuertas, no sé, creí que me iba a desmayar, y en esa turbación surgió la pregunta, la pregunta que hice por pura intuición pero sin saber bien de qué clase de intuición se trataba, ni siquiera fue una corazonada, fue algo que vino de un lugar más lejano y profundo que las corazonadas:

—¿Cómo te llamas?

Me miró alzando una ceja de sorpresa y contestó,

—Agustín, ya lo sabes.

—No —insistí—, tu nombre completo.

—Agustín Fernández Mallo, ¿por qué? —respondió.

Cuando algo te supera en muchos dígitos, te vuelves dócil, sencillamente te dejas llevar. No tuvimos valor para decir nada. Nos fuimos casi al momento. Se nos olvidó pagar.

31

Durante toda la noche estuvimos despiertos, comentando que era imposible que él supiera mi nombre; el día de llegada no nos había pedido documento alguno ni nos había hecho firmar en el registro. Sin duda lo había leído en las notas que había dentro de la funda de guitarra. No podía ser de otra forma. Pero eso sólo era una justificación apresurada producto de los nervios, ya al cabo de unos minutos admitimos que dentro de aquella funda de guitarra no había nada que revelara mi nombre.

Ella entró en una especie de estado de pánico, modulado por mi presencia, pero al fin y al cabo pánico. Yo, en un aturdimiento.

Le dije que no podíamos permitir que nos robara el Proyecto; lo consideraba impensable. Ella quería irse, irse en ese mismo momento, aun a costa de olvidar el Proyecto. Propuso, por darle gusto a mi insistencia, que, en un momento dado que él no estuviera en su estudio, podíamos entrar, quitárselo y largarnos, pero yo no lo vi claro. Una mezcla de rabia y curiosidad me llevaba a querer quedarme, a investigar hasta qué punto sabía, a comprobar hasta dónde podía llegar él en la comprensión y ensamblaje de aquellas piezas dispersas que permanecían en la funda de la guitarra. No podíamos irnos.

Antes de acostarnos la convencí para quedarnos unos días más.

32

Decidimos no volver a salir de la habitación salvo para ir a por comida. La subíamos con toda la celeridad que nos era posible. Yo tecleaba y el trallazo de cada pulsación se mezclaba con el rumor de las canciones napolitanas. A ella a veces se le hacía insoportable.

En una ocasión nos lo cruzamos. Salíamos de la cocina y él entraba con un aspecto más cercano a un aparcacoches que a un erudito bibliófilo.

—Vaya, cuánto tiempo. ¿Qué hacéis todo el día allí arriba?

—Estamos trabajando —me salió sin pensar.

—Ja, yo sí que trabajo, yo sí que trabajo. Venid un día a casa y tomamos algo, por la noche, que es cuando descanso.

—Vale, vale. Ya nos veremos.

33

No sé cómo se le ocurrió ir allí porque ella nunca daba muchas explicaciones, pero un día me dejó solo. Teníamos la puerta de la celda abierta y no me enteré de que se iba. Ella muchas veces salía al corredor y se sentaba en el suelo de rejilla, en el borde, con los pies colgando al vacío, fumaba y miraba la sucesión de puertas de celdas que tenía enfrente. Decía que le relajaba el eco del repiqueteo de mis teclas, que era como si en vez de ser una máquina de escritura fuese una máquina de borrado, como si a cada golpe se borrara un fragmento de todo lo que deseaba olvidar.

Enfrascado en mis notas, no me di cuenta de que se había ido.

Oí unos pasos correr por las escaleras metálicas, primer piso, segundo piso, tercer piso, y después el inconfundible sonido de una carrera. Temblando, atravesó la puerta, se sentó en la cama, le hice beber agua, y aún jadeante me contó que había ido a la cocina y que entonces tuvo el impulso de meterse en la casa de él. Estuvo curioseando a sabiendas de que no vendría ya que se oía música en el estudio. Tras observar las fotos dispersas por las cómodas, y los libros de la biblioteca, que curiosamente eran todos novelas baratas, de género policíaco, abrió un armario ropero y descubrió, perfectamente apiladas, todas sus bragas sucias, todas las bragas que día a día había ido tirando al cubo de la basura, una pila de bragas sucias muy bien dobladas, y fue entonces cuando salió corriendo.

No es que el hecho de que investigara en nuestra basura cambiara mucho las cosas para mí, pero para ella fue definitivo.

—Yo me voy —dijo—, si vienes conmigo, bien, y si no, también.

Yo no podía irme. No podía dejarlo todo así, abandonar el Proyecto.

34

Decidimos que ella se llevara el coche. De cualquier manera era una decisión obligada porque no había otra forma de salir de allí. Quedamos en que yo cuando quisiera irme le pediría a él que me llevase al pueblo más cercano y allí ya me movería en bus o como fuera hasta el aeropuerto.

La fecha exacta no la recuerdo. Era una mañana de principios de septiembre, la acompañé hasta la última alambrada en espiral de espinos. Nos besamos. Me quedé observando el humo del escape hasta que desapareció.

35

Dejé que pasaran unos días, pero lo tenía decidido: le expondría a las claras qué era aquello que él tenía entre sus manos, cuánto nos había costado idearlo, pulirlo, diseñarlo, le mostraría mi decisión irrevocable de que nos fuera devuelto.

Así, a la siguiente semana de que ella se fuera, me dirigí una tarde a su estudio. Toqué con los nudillos. El volumen de la música disminuyó y abrió para acto seguido decir,

—Vaya, estás aquí, al no ver el coche pensé que os habíais ido sin pagar.

Me invitó a pasar.

Sentados el uno frente al otro, permaneció en total silencio mientras le conté todo, cómo había llegado la maleta de la Gibson a su poder, incluso entré en los detalles de aquel bar que se parecía mucho a otro de las Azores, del muelle por el que paseamos, de cómo habíamos tirado la funda de guitarra al mar, y hasta le hablé de la muerte de la gata, le expuse todo y le expresé mi exigencia de que todo nos fuera devuelto.

Cuando hube terminado, se levantó, se sirvió un licor de mirto, que me ofreció y rehusé, y aún de pie me dijo,

—Eso es imposible, usted no es el dueño de esa funda de guitarra ni de su contenido ni de ese proyecto. Para empezar, eso de que se llama usted como yo, Agustín Fernández Mallo, tendrá que demostrármelo. Usted es un loco o un caradura.

Me palpé el bolsillo de atrás del pantalón, buscando la cartera; me di cuenta de que no la tenía. Me estremecí al recordar que se había quedado en el coche, en la guantera, no tenía manera de dar fe de mi identidad. En ese momento me di cuenta también de que en esa guantera estaba mi teléfono, no podía llamar a nadie que corroborara mi versión.

—Lo ve —dijo con contundencia—. ¿A quién quiere engañar? Agustín Fernández Mallo soy yo, esto es de risa. Lo que contiene esa maleta de guitarra es mío.

Me levanté, me aproximé a su mesa. Él me siguió, allí estaban todas nuestras cosas referentes al Proyecto, las toqué, las manoseé hasta donde él me dejó. Fingí calmarme para en cuanto tuviera oportunidad cogerlo todo y salir corriendo, o por lo menos coger varios componentes sin los cuales sabía que era totalmente inviable la materialización del Proyecto. Entonces me mostré interesado, y debo admitir que sentía curiosidad por saber qué estaba haciendo con todo aquello. Poco a poco lo fui ganando, hasta que me dijo,

—Mira, esto es.

Puso en mi mano un fajo de folios que extrajo de un cajón. Serían unos 100, escritos en procesador de textos, los apreté entre mis manos, no podía creer que aquel tipo hubiera pensado que el Proyecto, nuestro Proyecto, consistía en realizar un texto, un simple texto, una tontería que cualquier escritor de tres al cuarto podría haber hecho. Decididamente aquel tipo era un patán, un burro que no se merecía tener entre sus manos aquella funda de guitarra con todas las claves de semejante Proyecto dentro. Mientras él se servía otro licor, comencé a leer por encima la primera página:

Parte 1
MOTOR AUTOMÁTICO DE BÚSQUEDA

Hay una historia real, además de muy significativa: un hombre regresa a la ciudad abandonada de Prípiat, en Chernóbil, tras haber huido 5 años atrás con el resto de la población, cuando ocurriera la explosión de la Central

Nuclear, recorre las calles absolutamente vacías, los edificios en pie y en perfecto estado le van recordando la vida en esa ciudad, no en vano fue uno de los obreros que contribuyó, en la década de los 70, a su construcción, llega a su calle, busca las ventanas de su piso en el conjunto de bloques de edificios, observa las fachadas detenidamente un par de segundos, 7 segundos, 15 segundos, 1 minuto, y dice dirigiéndose a la cámara, No estoy seguro, no estoy seguro de que aquí estuviera mi casa, vuelve a detener la mirada en el bosque de ventanas e insiste, sin ya mirar a cámara, No lo sé, no lo sé, quizá sea ése, o aquel de allí, no lo sé, y este hombre ni llora ni muestra afectación alguna, ni siquiera perplejidad, ésta es una historia importante en lo que se refiere a la existencia de parecidos entre cosas, yo podría haberle seguido la pista a este hombre, haber investigado su pasado, sus condiciones de vida actuales, sus fiestas patronales y dramas domésticos, la cantidad de *milisieverts* que recibió su organismo años atrás en forma de radiación gamma, alfa y beta,

me detuve, pasé varias páginas al azar y continué leyendo,

vista, la misma obsesión que, luego lo supimos, había nacido en Las Vegas aquellas noches de silencio mineral en que leíamos un libro llamado *La música del azar* de un tal Paul Auster, y después fumábamos Lucky Strike y oíamos cómo miles de camareros preparaban cócteles a miles de personas vigiladas por techos con miles de videocámaras, sí, quiero decir que mientras veíamos todas aquellas películas y teleseries en casa, mientras comíamos aquellas pizzas y bebíamos aquel frío vino blanco ninguno sabía cosa alguna de las intenciones del otro, del Proyecto colosal que estaba gestando el otro, destinado a modificar nuestras vidas, y de todo eso hablamos aquel día en aquel bar de una isla al sur de Cerdeña que se parecía a otro de las Azores, Qué raro, había dicho ella, que todo eso, que todo esto, quepa en la maleta de una guitarra Gibson Les Paul, que algo tan colosal pueda ser reducido a unos pocos centímetros cúbicos, a una

y fui directamente al final, sin dar crédito a lo que veían mis ojos,

pero todo esto ya no lo pensé aquella noche en que me quedé dormido en el Lancia con la última visión de sus pechos saliendo de la gabardina, dos huevos fritos estampados, una casualidad, quizá, no sé, yo creo mucho en las casualidades, un escritor llamado Allen Ginsberg, en la Norteamérica de los años 40, escribió la siguiente frase a la edad de 17 años, «seré un genio de una u otra clase, probablemente en literatura», pero también dijo, «soy un chico perdido, errante, en busca de la matriz del amor».

en ese momento él me quitó de un golpe los papeles de las manos y dijo,

—Ya es suficiente. Y, por cierto, a ver cuándo me paga. Espero que ese día me haga saber su verdadero nombre.

Metió todo en la funda de la guitarra, la cerró, le dio una patada y fue a parar debajo de un mueble, cogió el texto en una mano y se metió en el pequeño lavabo que tenía en un lateral. Mientras oía el sonido de la parábola descrita por su orín al impactar contra el agua, tiré del cable del enchufe de su PC portátil, lo agarré con las dos manos y eché a correr; en el intento tiré al suelo una pequeña impresora a la que el PC estaba conectado, por no detenerme a desengancharla la agarré también y me largué a toda prisa.

Ni me siguió, ni gritó. No dijo nada.

36

Me encerré, ahora sí, a escribir sin parar, supongo que como medida de defensa. No podía pensar, no quería pensar. Continuaba oyendo el sonido de sus canciones napolitanas, y no entendía cómo él podía haber escrito todo aquello, cómo podía saber, no ya esos detalles, sino el conjunto de mi vida, porque desde luego, dentro de la funda de guitarra no podía haber hallado toda esa información tecleada que trataba de mi vida desde hacía muchos años hasta poco más de un mes, antes de llegar al agroturismo. Lo consideré imposible. Para colmo, cuando encendí su PC en busca de alguna pista, comprobé que estaba vacío de carpetas personales, no había allí ni un solo archivo, ni de texto, ni de imagen, ni de sonido, ni de nada, ni siquiera programas, ni siquiera tenía instalado procesador de textos alguno, nada, era un cerebro vacío, como ya el mío, pensé, sin identidad, como preparado para que nunca más fuera reescrita o construida la vida. Solamente, en lo que parecía constituir una especie de broma macabra, encontré una sucesión de carpetas vacías, las unas dentro de las otras, que se llamaban sucesivamente Sing-Sing1, Sing-Sing2, Sing-Sing3, Sing-Sing4..., prolongándose hasta una cifra que superaba las 200, y que a efectos prácticos me pareció la más exacta representación de la infinita soledad del interior de una cárcel también infinita con un solo hombre dentro. Abriendo y abriendo encontré en la última carpeta, allí oculto, un rudimentario programa de tratamiento de imágenes. Pero eso de nada me valía. Ahora entendía por qué ni se molestó en perseguirme cuando me llevé ese trasto.

Por las noches comencé a sufrir pesadillas, y por la mañana a veces incluso me despertaba convencido de que no tenía identidad, o de que era yo el impostor, que como si de un telefilm barato se tratara, todo lo había soñado, que desde mi nacimiento había estado soñando la vida de él, de Agustín. Poco a poco, cuando pensaba en él comencé sin darme cuenta a llamarlo así, Agustín, y a mí a designarme con un simple «yo». Otras veces, cuando me calmaba, pensaba que quizá él era un brujo, un vidente, algo que rebasaba toda genialidad conocida, y que a través de los objetos que había dentro de la funda de guitarra, objetos que habíamos parido ella y yo, con sólo tocarlos y a través de una especie de desconocida descarga energética podía venir a él todo nuestro pasado, verlo, tenerlo claramente ante sus narices como quien ve una película, y finalmente poseerlo. Hipótesis que a ningún sitio me llevaba. Viendo la cama y las mesas de mi habitación, atornilladas a paredes y suelo, llegué a especular que aquello era un camarote y todo el agroturismo un trozo de trasatlántico varado en un mar ahora seco, donde habían existido peces, algas, mareas, puertos, bares donde los marineros se dejan mensajes prendidos con chinchetas a un gran corcho tirado ahora por ahí, en mitad de ese páramo, en lo que en su día habría sido el fondo del mar, y que los papeles y las letras de aquellos mensajes serían ya el polvo y moléculas del aire que yo respiraba, de los objetos que tocaba, de las hortalizas que comía, y esto me produjo una profunda inquietud que nunca llegó a desaparecer.

Decidí buscar un método de cerrar la habitación por dentro. Como todo estaba atornillado a suelos y paredes, no había muebles que arrastrar e interponer ante la puerta, así que arranqué 15 teclas de la máquina, cada tecla con su correspondiente palanca, y las encastré entre la puerta y el marco emulando los puntos de seguridad de las puertas blindadas domésticas. Si él se empeñaba podría abrirla igualmente, pero no me cogería desprevenido. Tardé en elegir las letras que iba a arrancar, en cierto modo era como arrancar parte del ADN que me permitiría escribir, sobrevivir. Al final me decidí por las teclas de puntuaciones, barras y acentos, y cuando se me acabaron tuve que sacrificar la X y la W.

Hallé cierta tranquilidad, pero pasados unos días dejé de escribir, me atasqué, no pude más, tomé conciencia de mi verdadera situación: estaba en una celda, sin medio de transporte alguno, con la personalidad usurpada, y me abandoné a un estado de indolencia. Me pasaba el día viendo la tele y bebiendo agua. El ser humano aguanta sin comer aproximadamente tres meses, pero sin beber no más de tres o cuatro días. La proximidad del mar le daba al agua un componente salino que emulaba en la medida de lo posible a los sueros de supervivencia. También sabía que una persona se muere antes por no dormir que por no comer, que no dormir termina por volverte loco, así que cerraba los ojos cuando llegaba la noche en un intento de olvidar, pero no conseguía conciliar el sueño más de una hora seguida. Me levantaba, me lavaba la cara, y la suciedad acumulada en la toalla blanca me hacía pensar que ahora sí que ésta poseía un membrete o logotipo, el de la infamia a la cual yo estaba sometido. Me miraba al espejo y veía a un gemelo envejecido.

Tomado por una especie de Síndrome de Estocolmo, pasaba todo el día ante el receptor de televisión, agotando la programación, de carta de ajuste en carta de ajuste, y eso me hacía recordar en ocasiones mi época de estudiante, esa época que ahora él, Agustín, tenía consignada en aquellas hojas infames, la época en la que había comenzado a escribir, cuando bajaba a las 9 de la noche a por tabaco y regresaba a casa sintiéndome Dios ante la máquina mientras tenía la tele sin volumen todo el día encendida, tele sin volumen que, en aquel entonces, e igual que en el agroturismo, cumplía una función de paisaje, de ventanilla de tren por la que miras y no miras, ese entretenimiento por el que van pasando las horas del viaje hasta que inesperadamente llega a su fin. Esperaba que, de esta manera, este viaje también terminara. Pasaban los días y todo seguía en el mismo punto.

Se me ocurrió retomar una práctica que años atrás me había entretenido: hacerle fotos a la tele. En otra época lo hacía con intereses exclusivamente artísticos, pero ahora mis intenciones eran otras: fijar en papel todo lo que pudiera parecerse a esa cárcel, a esa ignominiosa situación, dar fe de mi historia allí a base de fotografías extraídas del único lugar en el que en aquellos días existía vida, la pantalla de la tele, con la intención de que si algo me pasase alguien pudiera encontrarlo. Comencé haciendo fotos a películas, reality shows, concursos, telediarios, informativos, dibujos animados, a todo, pero la historia de cómo habíamos llegado hasta allí y todo lo referente al viaje se apoderó de mí, y me encontré haciendo fotos con intenciones que se sumaban a la inicial: contar en la medida de lo posible mi vida a fin de reconquistarme, de reconstruir mi personalidad. Las descargaba directamente de la tarjeta de mi cámara al PC robado, y a veces las modificaba con trazos, dibujos, collages y cuantas fantasías que pensaba que debieran acompañar a la fidedigna reconstrucción de los hechos, las imprimía en la pequeña impresora, y después las ponía en el carro de la máquina de escribir para adjuntarles algún breve comentario.

Con los días terminé perdiendo el objetivo del plan y hacía lo que se me pasaba por la cabeza, formas lúdicas, sublimaciones de mi estado que me ayudaran a sobrevivir como si estuviera de vacaciones o en un largo fin de semana; en una infancia.

Hice muchas, más de 500, seguro. Como ejemplo, adjunto casi una por cada día:

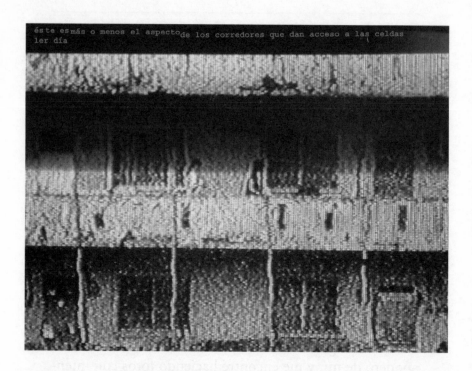

éste es más o menos el aspecto de los corredores que dan acceso a las celdas
1er día

trabajando en este mismo foto-documento:
éste es el aspecto de la celda
3er día

teníamos un Proyecto
ahora subconjuntos
teorías en el techo
5° día

él

ella

yo

ella, yo, él en medio
un hombre regresa y no reconoce su casa
6° día

cruzo un desierto
y su secreta desolación sin nombre,
el corazón tiene la sequedad, piedra,
de los que estalla en la noche
con su materia o su nada,

hay una luz remota, sin embargo,
sé que no estoy solo
(de J A Valente. Cito de memoria)

vista del patio desde la celda 13 día

ésta es la situación: un pájaro y un cazo de agua hirviendo están en una
jaula. si el pájaro se acerca demasiado, se muere. ésa es la situación.
    .día 14, he bajado a buscar comida.me adelgazan los ojos.

día15

he llegado a intentar
imaginar cómo nos veía
el Proyecto desde el
maletero

Me di cuenta de que en esa última foto yo ya estaba adherido, colado, en ese otro mundo inverso. Y es que, claramente, mi vida estaba siendo televisada. Me pregunté cuántos televidentes me estarían viendo. Minutos más tarde me atormentó descubrirme pensando en tales disparates.

37

Una mañana, la número 20, me desperté. La tele, como siempre, encendida. Daban una reposición de la segunda época de *Luz de Luna,* así que me pasmé unos instantes, la cámara de fotos sobre la silla, el vaso de agua a su lado, la toalla ilustrada colgada en el lavabo, y por el rabillo del ojo vi que había un papel en el suelo, junto al hueco de la puerta. Al principio no reaccioné. Me quedé inmóvil, como sabiéndome blanco de una criatura hecha papel, colada en mi espacio. Debía de llevar ahí, en el suelo, horas. Me levanté despacio, con miedo a tan siquiera tocarla. La observé mucho tiempo entre mis pies descalzos. Al fin me agaché y la tomé entre mis manos:

> Agustín (o quien coño sea usted),
> he tirado al mar el contenido de la funda.
> La funda la he enterrado en el camino de la playa.
> Sigo trabajando en MI Proyecto.
> Por mí puede usted hacer lo que le dé la gana.
> > Fdo: Agustín Fernández Mallo

Me senté en la cama. Releí aquellas palabras varias veces. Muchas veces. Dejé la nota sobre la rejilla de aireación del televisor. En una inconsciente simulación peripatética, comencé a dar vueltas por la habitación, pero al rato me vi de nuevo sacando fotos, poniéndoles comentarios a pie de página, rumiando sin dirección mientras no cesaban las canciones napolitanas en su estudio. Pienso que en cierto modo no quería asumir que con aquella nota todo se había acabado, que nuestro Proyecto, sencillamente, ya no existía, o sí, pero en el fondo del mar, y que con él, tampoco yo existía. Pocos minutos después, mientras intentaba hacer una foto más a la tele, apareció un fogonazo imprevisto que llenó todo el visor. Alcé la vista por encima de la cámara. La nota, fruto del calor que despedía la tele, era una llama que en unos segundos quedó reducida a carbón.

Entonces decidí que debía salir, tenía que comprobar la veracidad de aquella nota.

Sin linterna ni velas, esperé a una noche de luna llena.

38

Desencastré las teclas de la máquina de escribir del marco de la puerta, y descalzo bajé las escaleras. No había ruido alguno, pasé por delante de la recepción, salí al jardín, crucé las 3 puertas de espinos y tomé el arranque del camino de tierra que llevaba a la playa. Guiado por las torretas iluminadas de la isla que habíamos divisado el primer día, caminé 2 kilómetros, y en la última curva antes del inicio de las dunas de arroz, a mano derecha, vi un bulto rectangular en la tierra con signos de haber sido recientemente removido.

Comencé a escarbar compulsivamente con las manos y los pies, llagados de la caminata, y medio metro más abajo encontré la funda, la abrí, estaba vacía.

Podría habérmela llevado, pero de nada me servía ya. En un acto de intenciones auténticamente exorcizantes, de puro duelo, la volví a meter en su hueco, la tapé, después arranqué unas flores silvestres que había por allí, para darles solidez las anudé con retama flexible a un palo que encontré, y clavé el ramo en la cabecera de la tumba.

Quizá fuera ése el acto más inocente y extraño que había hecho en mi vida.

Entonces algo cambió.

39

Él se instaló definitivamente en su estudio; la música sonaba día y noche.

Al principio entraba únicamente en la cocina industrial a buscar pequeños utensilios que me faltaban para subir a mi celda, un abrelatas, cerillas y cosas así. Con los días no pude evitar empujar la puerta de su vivienda y sentarme en sus sillones a leer algún libro, a extenuar su biblioteca, a domarla en mi beneficio, y un día, mientras paladeaba una ginebra rescatada de lo profundo de su botellero, sentí que la marcha atrás era imposible. Entendí que debía cambiar de táctica —si es que hasta entonces había tenido alguna—: expulsar del agroturismo a Agustín y tomar yo las riendas. Si él era yo, si conocía todo mi pasado, si incluso lo tenía ya escrito en primera persona, entonces, en justa correspondencia, él era el cliente, el hospedado, incluso el intruso, y yo, sin pasado ya, tenía toda la legitimidad para reinventarme como el nuevo dueño de la hospedería.

De ahí a la toma total de la casa sólo hubo un paso tan fácil como abotonarse un último botón cuando llega el invierno.

Fue así como llegué a cerrarla por la noche con llave, a disfrutar de sus sábanas, a vestirme con su ropa, a emborracharme con sus licores, a jugar con Los 4 Fantásticos. Ahora que tenía una casa podría haber usado mi nuevo teléfono, podría haber llamado para pedir ayuda, pero comprendí que no tenía sentido alguno; ayuda para qué, si todo eso ya era mío, ayuda de qué si no había delito alguno que denunciar. Debería ser yo quien tuviera que mantener a Agustín, el intruso, alejado del teléfono.

Por las mañanas elegía entre un extenso vestuario, estaba chupado, sólo tenía que abrir los armarios y alargar el brazo. La magia realmente existe. Al anochecer me gustaba salir a un pequeño balcón en el primer piso a fumar el último Lucky vestido con un pijama de raso que encontré sin estrenar en un cajón. En esos momentos no podía dejar de poner gestos innovadores, autosuficientes, esquivos, distantes, como los de él, de hombre sólido que no desvía la vista ante contrariedad alguna; no podía evitar imaginarme a mí mismo a vista de pájaro, con el pelo sucio, repeinado al agua, detalles que añadían verosimilitud a la usurpación, e incluso la generaban. En esos momentos, mientras apuraba el cigarrillo, aprovechaba para calibrar el jardín que se extendía a mis pies, estático y extático en su calidad plastificada, más real que la realidad misma, hiperreal; lo que en ese momento yo mismo era. Incluso me imaginé, en breve, sentado en una de las antiguas torretas de vigilancia de la muralla principal. Antes de acostarme siempre abría el armario en el que él había guardado las bragas sucias, una bocanada de su perfume me excitaba, las miraba un rato, apiladas en columna, en dos torres idénticas.

40

Ahora que podía verlo desde arriba, desde el balcón de la parte trasera, de su estudio manaban haces o púas de luz por multitud de grietas y ranuras. Era asombrosa esa forma de estrella o erizo de mar dibujada en la noche. Imaginaba su mano derecha ante las teclas de un ordenador, sopesando el plagio, y me divertía pensar en su estudio como en un gran digestor de antigüedades y de nuestro Proyecto, ingredientes filosóficamente opuestos que inevitablemente acabarían con él. Incluso, cuando en las noches de viento de octubre o de mala digestión me levantaba al baño, allí estaban sus canciones napolitanas como un órgano más adherido a su estrella que, sabía, pronto se apagaría para convertirse finalmente en su agujero negro.

No tardaron en llegar las noches en que, estando yo en el primer piso, le oía entrar por la ventana de la pequeña cocina que estaba en la planta baja. Al día siguiente, al levantarme siempre echaba en falta comida de lata y encontraba restos de café con leche, de galletas, o en un plato el amarillo de un huevo frito. Yo, huyendo del paralelismo, surtía mi desayuno de sutilezas que iba encontrando en la despensa, pero siempre terminaba metiendo la manga del pijama de raso en la mermelada, o dejaba escapar por el mentón un hilillo de té, y pensaba que quizá hoy nos cruzaríamos en algún momento del día, y que su silueta sería cada vez más pastosa, y que entonces no encontraría inconveniente moral alguno a mi usurpación. Antes de levantarme de la mesa dejaba escapar algún eructo —que no importunaba a las moscas agrupadas en torno a la mantequilla, ni rizaba las motas de polvo atravesadas por el haz luminoso de la ventana, ni, todo hay que decirlo, provocaba en mí sensación alguna de pérdida—, y tras fregar la loza y cruzar con una equis el calendario de pared, redactaba en el libro de registro de la recepción el esquema pormenorizado de las ventanas de las celdas que debía abrir, y en qué secuencia, para mantener la hacienda ventilada. En el carpetazo final a ese libro hallaba la rúbrica que daba legitimidad a todo lo que acometiese a lo largo del día.

41

Entonces, con el crédito de haber accedido a una segunda vida, y quizá como folclórico rito que trae recuerdos de la primera, dieron inicio mis visitas a la tumba, lo que equivalía a decir al recuerdo del Proyecto. Solía salir al amanecer tomando el sendero que conducía directamente a la playa, acompañado por la luz de la luna si la había y por las luces titilantes de la isla que se veía en el horizonte. Iba recogiendo lo que veía, variaciones de lilas y amarillos de manzanillas que combinaba con intensos verdes; discretos ramos que yo creía dignos epitafios, y que clavaba en la tierra, a la cabecera de la tumba.

En un principio no ocurrió nada, pero a los pocos días mi ramo había desaparecido y en su lugar había otro también silvestre que yo me encargué de hacer desaparecer para clavar de nuevo otro. Esto ocurrió 3 o 4 veces.

Una mañana, yendo yo de regreso, nos cruzamos. Por sus constantes paradas y flexiones supe que él también arrancaba lo que veía. Fue uno de esos encuentros cargados de temor nervioso hasta que una vez pasado lamentas no haber exprimido del todo el azar de tus cartas. Y es que por su constante forma de repeinarse, por sus intermitentes miradas indirectas, supe que no las tenía todas consigo, que me podía haber permitido algún lujo, un insulto, una patada, un escupitajo en la cara. Ni nos rozamos. Un pequeño ramo le temblaba en la mano.

A partir de entonces él comenzó a ir por las noches, a lo que yo contesté por las tardes, y él a su vez al amanecer, y así en una continua rotación que me hizo perder un poco el sentido de los días. Esta situación se prolongó por espacio de una semana con ramos cada vez menos vistosos, surtidos de malas hierbas. Concluyó el día en que dejamos sin flores el camino. Pensé en una lengua de muerte lamiendo el reposo de la tumba; me sentí mal. A mi último manojo de mirto y cardos él ya no contestó. O sí lo hizo, pero elevando de allí en adelante el volumen de la música en su estudio.

42

Comencé a ver cosas cambiadas de sitio en mi antigua celda, a la que ya sólo iba muy de tarde en tarde, y me dediqué a observar sus movimientos desde un prado cercano. En efecto, Agustín alguna noche se colaba allí y se instalaba entre mis cosas, quizá sobara la máquina, o el PC, puede que se riera de mis DIN-A4 mecanoescritos. Es posible que hasta se pusiera mi ropa, o lo que es peor, bebiera los posos de las latas de Coca-Cola que en mi encierro había ido acumulando hasta agotar las existencias de la despensa frigorífica. Con los días comprobé que el único cambio operado en la celda era que la silla de mi antiguo escritorio estaba orientada hacia la ventana que miraba al sur, donde se hallaba el mar. Y comencé yo también a frecuentarla. Esperaba a verle salir de la celda para entrar yo. Con el cojín aún caliente y aún con la forma de su culo, me sentaba y miraba, pero no veía nada salvo una extensión que se perdía, y el mar, con sus olas bajas y su isla del ejército. Un día dejé la silla descolocada, así que él supo que yo también la frecuentaba. Cambió de horario y yo

cambié con él. Después vinieron las notas en el carro de la
máquina. Notas incomprensibles que hablaban del Proyecto, frases al borde de lo ininteligible, con las que, claramente, pretendía volverme loco. Notas que, por no hacerle el juego, yo jamás toqué. Podían permanecer allí días
como se renovaban dos veces en una tarde. A partir de entonces me encargué de que no entrara más ni en la celda
ni en la casa apuntalando las ventanas con tablones de encofrado que encontré en el garaje. Finalmente reforcé las
puertas. Sólo yo tenía las llaves.

43

Poco a poco comenzaron a llegarme señales de su inequívoca derrota: el volumen cada vez más alto, las toses que oía
desde mi cama sin preocuparme su paso bajo mi ventana, el
hedor en torno al estudio, los esqueletos bien apañados de
conejos y pájaros asados en las inmediaciones de su puerta.
    Pero pasaban los días y no se operaba cambio algu-
no. Entraba y salía de su estudio como si nada, como si
aquello no fuera con él, como si supiera que ya era otro y
que nada allí le pertenecía. Pero no se iba, y las inequívocas señales de su derrota no tardaron en convertirse en
inequívocas señales de resistencia, lo que equivalía a decir
de mi fracaso. Todo signo de cambio en mi beneficio era
rápidamente reabsorbido por un invisible mecanismo que
devolvía las cosas a su anterior estado. El agroturismo continuó sin recibir visita alguna, y cada vez se parecía más a
una especie de animal, sin conciencia de destino, un destino que Agustín manejaba ya a su antojo.

En ocasiones, poco después de acostarme, oía ruidos en la
planta baja, movimientos de tablas, de puntas desclaván-

dose, incluso pasos en la cocina. Saltaba de la cama, corría escaleras abajo y nada había. Entonces me quedaba toda la noche haciendo guardia, atento a los ruidos de dentro y de fuera de la casa, que recorría de arriba abajo ya muchas veces hasta el amanecer. Esto me obligaba a dormir durante el día, con un ojo medio abierto, muy atento a unos pasos y respiraciones que nunca llegaban. Las pocas veces que conseguía conciliar el sueño tenía pesadillas, me despertaba sobrecogido y oía, ahora sí, los inconfundibles golpes de martillo de Agustín sobre las tablas de alguna ventana, y entonces bajaba corriendo, abría de un portazo, pero de nuevo allí nadie estaba. Solamente, a veces, detectaba su cuerpo a lo lejos tumbado al sol entre matorrales como un lagarto, fuera de su estudio, tan extraño a todo lo que le rodeaba como un maniquí que saliera de su escaparate y se sentara en la acera a ver los coches pasar.

44

Creo que ahora sí que puedo emplearla sin miedo a malgastarla: «Lo recordaré siempre porque fue simple y sin circunstancias inútiles».

Ocurrió un amanecer.

Desayuné en la cocina después de una noche de guardia consumida en idas y venidas a la caza de ruidos. Recogía la mesa cuando, con la cafetera aún en alto, y sin detenerme siquiera a meditar dos veces la idea, me dije que la solución era fácil, estaba al alcance de la mano; en realidad, siempre había estado ahí, sólo había que alargar el brazo.

Fue así como aquella mañana llegué a abrir la puerta del estudio de Agustín. El decibélico volumen de la música hizo que no se enterara. Tampoco se enteró de mis pasos sobre su espalda, un bulto maloliente que trabajaba sobre el teclado de un portátil, ni de que yo me detuve unos segundos, como prolongando el anticipo de un coronamiento. En torno a su silla, por el suelo, se hallaban desperdigadas todas las cosas referentes al Proyecto, aquellas que supuestamente él había tirado al mar. No lamenté el conjunto de libros inservibles, cachivaches, montones de basura y heces que estaba a punto de heredar. Puse la mano sobre su hombro y apreté. Apreté con más fuerza e hice rotar la silla. Sólo cuando nuestros ojos se encontraron pareció reparar en mí. Le hundí el cuchillo en el pecho y me salpicó un primer borbotón. No me detuve hasta que se me hizo insoportable la calidez de su sangre en mi pijama. Arrojé el cuerpo al suelo. Salpicó en abundancia. Lo arrastré por los pies hasta la puerta, sus greñas de fregona dejaron un surco rojo. Tiré aún más para bajar las escaleras, el cráneo botó en cada escalón, pensé en un balón deshinchado. Tiré su cuerpo entre unos juncos que crecían fuera, pegados a la tapia lateral del huerto.

Regresé a la casa. El estado de nerviosismo no tardó en convertirse en tranquilidad, una extraña felicidad ausente de euforia. Por primera vez había cometido un acto primitivo, un acto no publicitario. Por una vez me había dejado llevar por el fascismo de lo natural. En ese momento sentí que en el mundo de la publicidad se abría una grieta que dejaba entrar a la muerte, y me sentí bien. Tomé entre mis manos una última Coca-Cola de 2 litros que encontré en la despensa, tras unas latas de judías caducadas, le exprimí 3 limones. Me senté en el sillón de cuero de Agustín, y directamente de la botella, agarrándola con la dos manos, paladeé muy lentamente aquella bebida que, como ahora yo, no se parecía a nadie ni a nada conocido, salvo a sí mismo.

Parte 3

MOTOR
(Fragmentos encontrados)

Voy mucho a la playa.
Hoy he recordado una película llamada The
Warriors, en la que tras una noche de
escaramuzas en una Nueva York industrial y
vacía, todas las bandas llegan a la playa de
Coney Island. Allí unas simples olas de no
más de un palmo les indican a los guerreros
que la muerte no tiene trascendencia alguna.
Voy mucho a la playa. La arena tiene forma
de granos de arroz. Enfrente veo una pequeña
isla que tiene unas torretas. Por la noche
se encienden. Por el día también. He pasado
al lado del cadáver de Agustín. Se movía,
pero no por sí mismo, sino por agentes
motrices externos, quizá el viento.

La fascinación que las playas ejercen sobre
los hombres atraviesa directamente un Tiempo
que tiene forma de cubo de Rubik. Parece ser
que todas las batallas trascendentes se
libraron en una playa. No por la playa en sí,
sino porque la costa es un límite, el último
límite antes de emprender un naufragio.

La pequeña cocina de la casa de Agustín es muy acogedora. Caliento agua en un cazo que tiene flores dibujadas. En la ebullición, la piel del agua se convierte en otra geografía, un mapa que va mudando.

Hay que imaginar la sensación de viaje al centro de la Tierra que experimentó la primera persona que pagó con tarjeta de crédito.
Todo ese mar detrás de las neveras.

Lo que se nos aparece de repente, como por ejemplo una imagen, un recuerdo o una persona de carne y hueso, no es que antes no estuviera ahí, es que estaba apagado: en alguna parte del mundo un interruptor estaba en posición OFF. Ese interruptor es a veces un simple parpadeo; en otras ocasiones, un complejo proceso que mueve montañas de basura. He visto que las luces de las torretas de la isla que hay enfrente parpadean. Signo inequívoco de que los militares esperan un ataque de algo o de alguien.

Hoy he pensado que hay dos tipos de objetos.
Aquellos que están condenados a perder su
contenido, por ejemplo, una lata de Coca-
Cola, y aquellos otros en los que una
pérdida de esa clase supone un accidente,
por ejemplo, el disco duro de un ordenador.
En los primeros sus códigos de barras
tienden a estar tristes. En los segundos,
depende del temperamento intrínseco al
sistema. Creo que todo este edificio ha
perdido su contenido. El cadáver de Agustín,
no sé. Miré bien su boca. Concluí que los
dientes son su código de barras.

Hoy, mientras estaba en el estudio escuchando
a todo volumen un CD de viejas canciones
napolitanas, he decidido recordar qué tengo
en los cajones inferiores de mi biblioteca.
En uno hallé una colección escasa pero
selecta de LP. No recordaba haberla reunido
jamás. Muchos discos estaban perfectamente
partidos por la mitad, y a cada uno le había
pegado la mitad de otro. Es decir, que a cada
giro de 180° esos discos se transformaban en
otro totalmente distinto. Como si cambiaran
de personalidad. Lo pude comprobar porque
había allí mismo un tocadiscos, que tampoco
recordaba haber comprado. El primer disco
que tomé al azar, mitad Adriano Celentano,
mitad el álbum blanco de los Beatles, me

produjo una sensación muy discreta. El mitad
Bony M y mitad Discursos Integrales del Duce
me impactó.

Otros eran la unión de 4 discos, 4 partes
perfectamente simétricas. El efecto final era
mucho más interesante, a cada giro de 90° se
inauguraba algo nuevo; y en las décimas de
segundo transcurridas en las transiciones
entre dos fragmentos cualesquiera se
extendía un paisaje de microrruidos sin dejar
totalmente de ser música. Otros discos eran
la reunión de 8 trozos, tipo pizza. Y así
hasta que en un LP no pude distinguir ya los
cortes que tenía, podría ser la unión de más
de 100 discos. Ése lo puse muchas veces, una
y otra vez. Parecía un ruido pero no era
ruidoso. Vagamente me recordó al sonido que
emiten los casinos cuando están cerrados,
detenidos, pero un casino jamás se detiene.

En esta costa, no muy lejos, hay un edificio
supuestamente fascista, todos los isleños lo
conocemos. Un fallido parque temático, el
último que levantó Walt Disney antes de
morir, diseñado personalmente en
colaboración con Salvador Dalí. Fue quemado
por las Brigadas Rojas al año siguiente de
su inauguración. Espero que mi agroturismo
no corra la misma suerte.

El cadáver de un tipo: lo que más extrañó
a los investigadores
    fue hallar una Barbie en miniatura en
su estómago que llevaba un
    vestido de Jackie Kennedy. Por lo
demás, desvió la investigación el hecho de
que los dientes del fallecido fueran
rectangulares y de leche. Lo ha dicho un
documental en la tele.

A veces, sentado en la playa de arroz, sopla
el viento y unos folios se me van de las
manos. De las manos al mar. Hablan de un
tipo que viajó a Cerdeña con una mujer. Los
veo volar, estamparse contra una pequeña ola
y pienso: «Déjalos ir, sólo son la 1/10 parte
de un árbol enano, escuálido y para colmo
sin raza».

La Coca-Cola que abrí ayer tiene ya un
dulzor adhesivo.

Hoy me asomé a la ventana que da al jardín;
había luz artificial.
Constaté que un enchufe es más rápido que
una palabra.

Hoy he notado algo extraño en el patio
interior de la entrada. En la tierra hay un
bulto. Quiero decir que la tierra estaba
abultada. La protuberancia es bastante
grande, de unos 2 metros de largo y 1 palmo
de altura. Como la tierra es de plástico, no
se abre, sólo se tensa. Le han aparecido
unas minúsculas grietas, como cuando
presionas hacia atrás el brazo de un muñeco
de goma de Los 4 Fantásticos, que no se
rompe, pero cambia en esa zona de color.

Hay cosas que no tienen piel, por ejemplo, la
                pastilla de jabón:
        se va gastando y
            enseña siempre
                su interior. Pero
                no es lo normal.
En el lavabo he encontrado casi cien
pastillas de jabón sin usar, apiladas con la
forma de esta construcción que fue
agroturismo, antes cárcel, antes monasterio,
y antes quizá sólo una idea, un proyecto.

Encontré esto entre las notas de Agustín:
"podemos suponer que el día

en que las operaciones de cirugía estética
superen en número
a las de apendicitis,
el planeta Tierra ascenderá
a objeto fashion en sí mismo.
En Las Vegas hay techos que tienen
miles de cámaras de videovigilancia,
pero son falsas, no vigilan nada."

(Los matorrales y el Tiempo están haciendo
con su cadáver una cirugía muy curiosa.)

El bulto que hay en el suelo del jardín
interior de la entrada se ha estabilizado,
pero han aparecido otros dos de
características similares en más puntos del
jardín. Esta noche salí a tomar el aire, me
senté en la silla que hay junto a la antigua
recepción. Superpuesto al sonido del mar oí
una sucesión de crujidos que, al levantarme,
me llevaron hasta esos bultos. Pero no vi
nada inusual. Por otra parte, he visto un
pequeño cuarto al lado del jardín, una puerta
en la que no había reparado, allí encontré
tijeras de podar, rastrillos, carretilla,
abono, etc., muchos utensilios con los que
mantener a raya un jardín, no lo entendí bien
ya que éste es de plástico.

Hago páginas web a mano. Papel,
tijeras y pegamento en barra.
Después las trituro y con los
restos vuelvo a empezar.

Ahora hago páginas web en tres dimensiones,
también a mano. Cojo objetos que encuentro
en la sala y los amontono de cualquier
manera junto a la chimenea. Cuando la
cantidad me convence, doy una patada al
conjunto, que arde en la chimenea. Mientras
contemplo las llamas no he visto ni una sola
vez emerger a mis ojos una lágrima.

Los bultos del jardín de la entrada ya no
son bultos, han roto el plástico que simula
césped y el plástico que simula tierra. Ha
aparecido una especie de raíces filamentosas,
blancas como gelatina. Teniendo en cuenta
que los árboles y arbustos del jardín son de
plástico, no sé de qué árbol pueden ser esas
raíces que han roto el suelo. El árbol
biológico más cercano está a 1 km más o
menos en dirección al interior.

Hay que hacer esto: subirse a las torres de
vigilancia del muro principal. Desde allí, con
cuidado de no resbalar llegar a horcajadas
hasta el arco principal. Extraer alicates,
destornillador y martillo del bolsillo trasero
del pantalón. Desclavar el letrero que dice,
Sing-Sing, Agroturismo. Darse cuenta de que se
desprende con sólo darle un golpe. Lanzarlo
con fuerza, aplicando un movimiento
horizontal. Rebota en el suelo varias veces,
como las piedras en los estanques, hasta que
un mal movimiento lo eleva y, vertical, se
clava en la tierra, blanda y seca. Cimbrea
unos segundos antes de detenerse.
Vengo de hacerlo. Ocurrió así exactamente.

"Residuo": del latín "re-sedeo": lo que no
deja avanzar, lo que detiene cierta
maquinaria intrínseca a la vida. He pensado
si Agustín es o no un residuo.

En el patio trasero el fuerte viento ha
tirado las bombillas de feria que lo
iluminaban.
En mi estudio hay una línea ancha en el
suelo, de color rojo sangre, que se dibuja
sobre la madera como una suerte de
caligrafía china que no entiendo, como hecha
con una fregona.

Hoy he pensado en mi cabeza como quien
piensa en un cubo de fregar vacío.

Estoy en una celda, tiene signos de haber
estado habitada hasta hace poco tiempo.
He encendido la tele, la cara de una mujer
ocupa la pantalla, dice que si Manhattan
tuviera la
misma densidad de población que Cerdeña, sólo
tendría 25 habitantes.
Veo que parpadean las luces de las torretas
de la isla cercana.
Escribo "Delete".

He hecho un descubrimiento: la tele de la sala
de estar de Agustín funciona. He hecho un
segundo descubrimiento: no capta ningún canal.
He hecho un tercer descubrimiento: se apoya en
un reproductor de vídeo VHS. He hecho un
cuarto descubrimiento: en esta casa no hay
vídeos que reproducir.
Mi cabeza: de nuevo un cubo de fregar vacío.

Hoy he tenido un pensamiento luminoso: si
una máquina pariera, el bebé no

    tendría cordón
      umbilical. Pero
        todo cordón
          umbilical termina en una
            lata de Coca-Cola vacía. Eso es.

Hoy he visto que el árbol más cercano no
está a 1 km en dirección al interior, sino a
3 km en dirección a la costa.
Las raíces del jardín siguen creciendo, más
en horizontal que en vertical, pero,
lógicamente, en los dos sentidos. Nunca se
me había ocurrido olerlas. Hoy pegué la
nariz, el olor era desagradable, mucho, pero
no lo pude asociar a nada que conociera;
quizá, lejanamente, a plástico quemado, pero
también a zapato usado.

Experimento: alguien se sienta en una de las
almenas del muro de la entrada, una especie
de nido de ametralladoras. La franja
horizontal practicada en la pared circular
de la almena sólo deja ver sus ojos.
A él le permite ver el horizonte entero. Yo
soy el que está en la almena. El cadáver de
Agustín, el que está fuera.

La mayoría de las personas vivimos toda la
vida basándonos en el esplendor de un solo
día; los días que vienen después son los
extrarradios fashion, la propagación
edulcorada de aquella jornada. Ya sé cuál
fue la jornada de esplendor de Agustín. Me
da miedo escribirla, incluso pensarla.

El Resplandor: todo objeto, si te fijas bien,
es un animal que
en silencio se ríe de nosotros. La versión
más ascética de ese silencio es su código de
barras, que es el ingrediente que la
alquimia buscaba en los objetos. Eso he
pensado hoy cuando encontré una pequeña
braga sucia de mujer metida entre dos
páginas de un grueso libro de la biblioteca
de Agustín.
Los días pasan como segundos. Pero cada
segundo dura mucho tiempo.

Estoy solo en la celda que tiene tele.
Llueve un poco. La tele chispea, en la
pantalla un arquitecto que dice llamarse
Rem Koolhaas afirma haber visto desde una
avioneta un gigantesco y humeante vertedero
en Nigeria, y dice: "El vertedero es la

forma más baja de organización espacial.
Pura acumulación, es informe, su
localización y perímetros son inciertos, es
fundamentalmente imprevisible".
Totalmente de acuerdo.
¿Qué ocurre cuando ese vertedero es un
cuerpo? (pensar más tarde en esto)

Las raíces del jardín del patio principal
ya alcanzan el medio metro. Me he
preguntado si de verdad son raíces y no
las estribaciones de una criatura que bajo
tierra está mudando la piel. Cada vez que
veo una piel, fruto de una muda, pienso en
unas bragas sucias, también pienso en el
cadáver de Agustín. Hace por lo menos una
semana que no voy a verlo.

He pensado que la población mundial lee
mucho más de lo que reflejan las
estadísticas: los textos de los envases de
los productos manufacturados.
Por eso he pensado en los contenedores de
basura como en verdaderas bibliotecas. Hoy
he pasado junto al cadáver de Agustín.
Decididamente, el tiempo está haciendo en
él una cirugía curiosa, el tiempo es un
artista que experimenta siempre sin
fracaso.

Se ha estropeado el aparato de TV de
la celda. No es que no vea nada, sino que
se mezclan en uno todos los programas, se
superponen en la pantalla.
De repente he imaginado la siguiente prueba
como método de comprobación de la confianza
que puedo tener en un televisor. Se trata de
colocar varios televisores en posición
horizontal, con la pantalla cara arriba,
mirando hacia el cielo, y encendidos todos
en el mismo canal para que emitan la misma
cantidad de luz y calor. Cascar unos huevos
y echar uno sobre cada una de las
pantallas, como si fueran sartenes. Poner
en marcha un cronómetro y medir el tiempo
que tarda cada pantalla de televisor en
freír su huevo.
El mar va ganándole terreno a la playa. Hoy
he decidido recordar los libros que tengo en
la biblioteca. Fui abriendo uno por uno. En
seis horas sólo alcancé a revisar la décima
parte.

No se duerme bien aquí. El mar, a lo
lejos, ruge con especial intensidad. Me
levanto. Vacío el culo de la botella de
tinto que ha quedado de la cena, observo
Los 4 Fantásticos de goma tóxica sobre la

chimenea, estáticos, me pregunto cómo es
posible que haya cosas en el mundo que nunca
cambien de posición.

He hecho un quinto descubrimiento: en
esta casa sí que hay cintas de vídeo.
Las encontré escondidas tras un lote de
bragas usadas que Agustín guardaba en su
armario; no paro de encontrarme bragas
usadas. Nada más meter la primera cinta
en el reproductor he visto algo raro:
son grabaciones en las que salimos una
mujer y yo. Bueno, no soy exactamente
yo, es un tipo que se parece mucho a mí.
Parece que viven en una celda de este
agroturismo. Lo extraño es que están
grabadas desde el suelo, como si lo que
separase esa celda de la del piso
inmediatamente inferior fuera de un
material transparente. No hay sonido.
Grabaciones nocturnas y diurnas.
Hablando, escribiendo, duchándose.
Durmiendo no, porque la cama se
interpone entre la cámara y los cuerpos,
así que tampoco se sabe si en esa cama
tuvieron relaciones sexuales. Algo
igualmente extraño es que la cámara se
mueve cuando ellos se mueven, como pegada a
sus pies. No hay sonido.

Voy a la línea de costa. Miro un buen rato
las torretas de la isla cercana, que
siempre tiene unas luces encendidas. Me
tumbo boca abajo con los bazos en cruz,
como queriendo abrazar la totalidad de
granos de cuarzo. En esa posición, escarbo
con la cabeza el suelo de arroz, intento
comprobar si también es transparente el
suelo de ese trozo de tierra. Si también
alguien me está grabando desde un lugar
más abajo.

Las raíces del jardín me llegan a la altura
del pecho. Desde aquellos 3 primeros bultos
el número ha ido creciendo, ahora tengo
incluso que esquivar lo que cada uno ha
engendrado. Camino entre esa nueva
naturaleza que ha reventado el suelo de
plástico. Los bultos también han empezado a
manifestarse fuera de la construcción, y las
raíces suben por los muros. Creo que en ese
ascenso han elevado también el cadáver de
Agustín, que yacía entre unos matorrales. Lo
vi el otro día de lejos, me acerqué, las
raíces, en su ascenso, han terminado por
destrozar la perfecta cirugía que el Tiempo
estaba operando en su cuerpo. O la están
perfeccionando. No sé.

Creo que esto es así: el motivo por el que
a los humanos nos atrae sentarnos cada día
en torno a una mesa y comer es porque la
materia prima, cuando la compramos en el
mercado, la recibimos muerta. Cocinarla,
servirla y paladearla equivale a resucitarla
en el plato. Hay ahí una conciencia de tiempo
marcada por una muerte y una resurrección.
Yo como solo. Sé que estoy vivo porque me
huelen las axilas. También sé que estoy vivo
por comparación: veo cada día el cadáver de
Agustín, que claramente es la muerte. Pero
todo eso no impide que cuando me siento a
la mesa el plato de comida me parezca una
circunferencia más viva que yo.

Revisando los papeles que dejó escritos
Agustín, papeles que hablan de un viaje a
Cerdeña con una mujer y de un colosal
Proyecto, he hecho un sexto hallazgo, más
bien una deducción: Agustín
Fernández Mallo nunca ha existido, sin
embargo muchos le han rendido culto.
Puede que incluso bajo el pseudónimo
Agustín Fernández Mallo se esconda un
colectivo de autores frustrados, o puede
que grandes obras de la literatura sean
confeccionadas para, sencillamente,
homenajearlo. Pero ¿homenajear a quién?
¿A una persona en concreto? ¿A ese
colectivo secreto? ¿O ni a una cosa ni a
otra sino a un arquetipo universal,

del cual Agustín Fernández Mallo es un
ficticio representante? He llegado
a saber que muchos famosos libros son
meras piezas confeccionadas "a la manera
de" Agustín. En mi biblioteca hallé
bastantes, pongo ejemplos:

Esto:

He contado mi historia en la televisión y a
través de un programa de radio. Además, se
la he contado a mis amigos. Se la conté a
una anciana viuda que tiene un voluminoso
álbum de fotografías y que me invitó a su
casa. Algunas personas me dicen que ésta es
una invención fantástica. Yo les pregunto:
entonces, ¿qué hice durante mis diez días
en el mar?
Es un Agustín Fernández Mallo visto por
Gabriel García Márquez (Relato de un
náufrago, 1970).

Esto:

15 de octubre de 1914.
Noche tranquila. Ahora me masturbo
aproximadamente una vez cada semana y media.
Trabajo poco con las manos, pero por eso
tanto más con el espíritu; me acuesto a las
9 de la noche y me levanto a las 6 de la
mañana. Con el actual comandante no hablo
prácticamente nunca.
Es un Agustín Fernández Mallo visto por
Ludwig Wittgenstein (Diarios secretos).

Esto:

La soledad no se encuentra, se hace. La
soledad se hace sola. Yo la hice. Porque
decidí que era allí donde debía estar
sola, donde estaría sola para escribir
libros. Sucedió así. Estaba sola en
casa. Me encerré en ella.
Es un Agustín Fernández Mallo visto por
Marguerite Duras (Escribir, 1993).

Esto:

Estaba tendido en la arena con la
oxidada rueda de bicicleta. De vez en
cuando cubría algunos rayos con la arena
para neutralizar la geometría radial. La
llanta le llamaba la atención. La cabina,
oculta detrás de la duna, ya no
parecía parte de su mundo. El cielo
permanecía inmutable, el aire tibio
tocaba los jirones de hojas de test que
afloraban en la arena. Continuó
examinando la rueda. Nada ocurrió.
Es un Agustín Fernández Mallo visto por
J. G. Ballard (La exhibición de
atrocidades, 1969).

Esto:

Ahora, por tanto, estoy en la casa, la
cual me plantea interrogantes que no oso
esperar resolver. Ya he hablado de la
singularidad del material con que está
hecha, y que sin duda alguna no proviene de
lo que veo en la ciénaga. Eso es lo que veo,
pero nada sé de lo que se halla bajo la

superficie de la ciénaga; sin duda hay allí
ríos subterráneos, lagos, acaso montañas,
acaso minas, acaso bosques. Esta casa, creo
yo, no ha sido construida; para construirla
hubieran hecho falta hombres, tiempos no
breves, depósitos de materiales: todo ello
es incompatible con la ciénaga.
Es un Agustín Fernández Mallo visto por
Giorgio Manganelli (La ciénaga
definitiva, 1991).

La lista de textos filiables que he
detectado es muy larga. Aquí me detengo.

Hoy, paseando por el bosque de raíces del
jardín —que me llegan ya casi al rostro—,
he entendido algo que considero importante:
estas raíces son las de un árbol que sólo
puede encontrarse en la otra parte del
mundo, no sé si en las antípodas, pero sí
en un lugar muy lejano. Sin duda sus raíces
han atravesado la Tierra para emerger en
este jardín.
El mar cada día ruge con más fuerza. No
puedo pegar ojo.

Las raíces devoran lo que encuentran a su
paso, han atravesado también el suelo de
la casa, suben por las paredes, rompen los

muebles, han llegado hasta las celdas de
más arriba, se cuelan por los agujeros de
las rejillas metálicas que conforman los
pasillos, están creando una masa sólida,
de momento el conjunto no tiene forma
definida, no puedo utilizar lo que queda
de cocina porque tengo miedo a que la
llama del gas prenda en las raíces y
provoque un incendio de grandes
dimensiones, el otro día, ayudado de un
machete que pillé en el cuarto de
herramientas de jardín, practiqué un
agujero esférico en las raíces que habían
tomado la cocina, al menos puedo ya comer
en una mesa y hacer fuego, ahora las
paredes de esa cocina son redondas, como
una burbuja de madera, he tenido tiempo
para practicar otro espacio, también
redondo, en la sala, no muy grande pero
decente, he visto de nuevo los vídeos
filmados desde abajo, salgo yo todo el rato
en una de las celdas, bueno, alguien que
se parece a mí pero que no soy yo, con la
mujer joven, está bastante buena, pero no
podría precisar cuán buena está ya que
desde esa perspectiva no se la ve bien,
lleva un bikini, lo sé porque cuando se
agacha para coger algo del suelo se lo
veo, tiene dos margaritas estampadas en
cada pecho, a veces acerca tanto la cara
al suelo que parece que las margaritas
vayan a romper el objetivo de la cámara,
las plantas de sus pies son curiosas, casi
no tienen líneas, o puede que sea un
efecto del aplastamiento al pisar, ahora
estoy practicando otro agujero para poder
salir de la casa, porque en estos últimos

días, dedicado a hacer los otros agujeros, las raíces han comido el espacio de la entrada y no puedo salir, en los vídeos también salgo yo, solo, bueno, alguien que se parece a mí pero que no soy yo, pasea de un lado a otro mientras la mujer duerme sentada en un sillón, es de noche, las lámparas están encendidas, en otra de las cintas no hay nadie en la celda, así durante horas, una completa nada, hasta que entra Agustín, siempre maloliente, pareciera que puedo olerlo a través de la pantalla, con sus greñas de Kusturica devaluado, no sé bien qué hace, no hace nada, se sienta en una silla y mira a través de la ventana, un rectángulo, una ventana, esto se repite durante toda la cinta y durante varios días, me he fijado en que la fecha de grabación es de dentro de 5 años, sale en la parte inferior de la pantalla, sin duda un error en el ajuste horario de la videocámara, pero él está más viejo, y eso me desconcierta, en ese vídeo las raíces aún existen, se ven perfectamente a través de la ventana de la celda, parece que Agustín ha tenido la misma idea que yo y las ha retirado a machetazos para tener vistas, también veo que ha excavado la celda, cuyas paredes son de raíces, se ve perfectamente esa masa oscura y fibrosa de la madera en las esquinas de la pantalla, este vídeo está vacío (porque todo vídeo futuro es necesariamente un vídeo vacío, de eso no me cabe duda).

El otro día me acerqué a la playa. Hacía sol.

Al llegar vi a lo lejos, donde termina la arena, un bulto negro, un objeto, varado.

Era una pequeña Zodiac.

Miré el horizonte, vi la isla lejana. Sus torretas, sus luces encendidas a pesar de ser de día.

Arranqué el motor al tercer intento.

A medida que me aproximaba a la isla, más gruesas eran las olas.

No tardé en darme cuenta de que aquello que se veía no era una isla, sino una plataforma petrolífera.

Inopinadamente, el extremo de una escalera de cuerda me pasó rozando la cara.

Alguien me la había tirado desde arriba. Allí, con un gesto de brazo, ese alguien me indicó que subiera.

¿Y QUÉ ES LO ÚLTIMO QUE ESCRIBIÓ?

PUES NO LO RECUERDO, ¿Y USTED?

SE TRATABA DE UN HOMBRE QUE UNA NOCHE SE ACUESTA...

...y se da cuenta de que el tic-tac del segundero de su reloj de pulsera se oye más fuerte de lo normal.

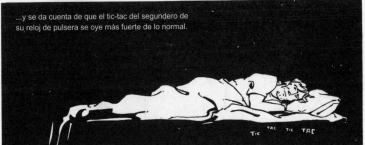

TIC TAC TIC TAC

Cuando al día siguiente se despierta, el sonido del reloj es el normal.

La noche siguiente, las pulsaciones del segundero aún se oyen más fuertes que la noche anterior.

Por la mañana, el tic-tac vuelve a ser normal.

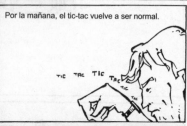

Y así durante muchas noches; el sonido del tic-tac cada vez es más fuerte, alcanza decibelios muy molestos.

Se pregunta cuándo finalizará esa tortura, cuándo el reloj regresará a su estado natural.

Decide tirar el reloj a la basura.

MUY LEJOS DE DONDE VIVE ESE HOMBRE...

En una región desértica, hay una cárcel. Consiste en celdas amplias, de 20x20 metros, estrictamente cuadradas, hechas con paredes de grueso hormigón que miden otros 20 metros de altura.

La peculiaridad es que no tienen tejado, están a cielo abierto.

Por cada celda hay un preso, y están diseminadas en un llano, separadas unos 50 metros unas de otras.

Dentro de la celda, el preso que nos interesa no tiene nada.

Duerme en el suelo, hace sus necesidades en la tierra.

La comida se la lanzan por encima del muro.

Como su cadena es perpetua, se decidió que no tenía sentido hacer una puerta: las celdas se construyen con los presos dentro.

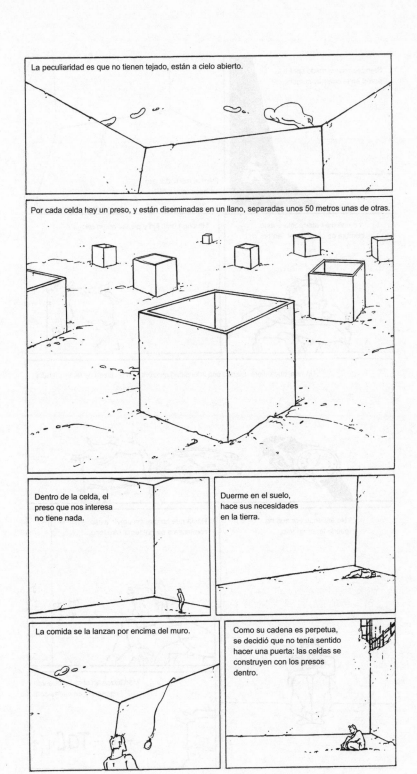

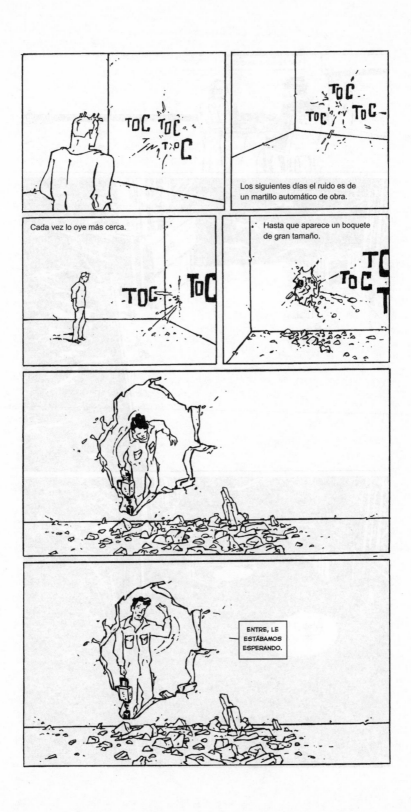

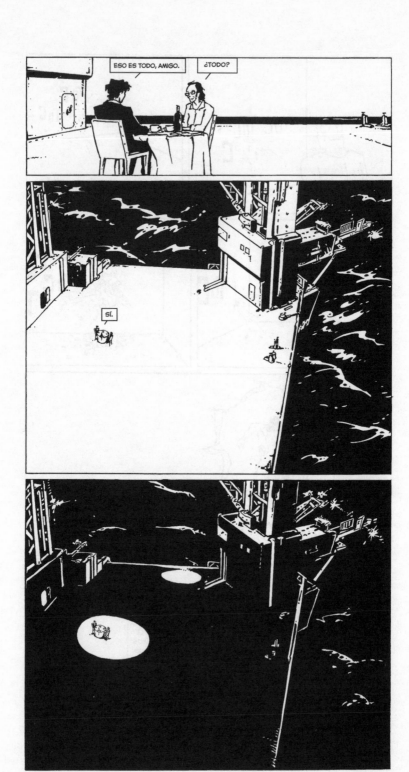

Retrovisor
(nota final)

por Julio Ortega

Desde que en 2006 apareció en el espacio literario de esta lengua Nocilla dream, *la primera versión del Proyecto Nocilla, seguida por su reversión,* Nocilla experience *(2008) y por su final inversión,* Nocilla lab *(2009), la constelación narrativa española ya no es la misma. No porque este Proyecto de una escritura en construcción refute otras opciones sino porque su radicalismo, independencia y novedad abren un espacio extraño por poco entrevisto; en lugar de una exploración de las raíces, la memoria o el pasado, Agustín Fernández Mallo se propuso un proyecto más futurista que español: la construcción de un espacio de actualidad desbordada, allí donde la escritura no se debe a la melancolía de la nacionalidad sino a la proyección de una lengua en devenir. Siendo la novela, por definición, un género sin cánones, desplegado como una figura siempre en proceso, sus grandes momentos de ruptura han sido aquellos en que el lenguaje español es puesto en entredicho; cada ruptura en el sistema ha planteado una crítica radical de la lengua como representación del mundo, siendo éste una creación resignada de aquélla. Desde el* Quijote, *ésa es la gran lección narrativa nuestra. La notable diferencia del Proyecto Nocilla anuncia un corte en el proceso: estas novelas nacen de la poesía posmoderna, se alimentan de la tecnología como comunicación operativa, su referente es la cultura pop y, extraordinariamente, no requieren ya definirse polémicamente contra otras tendencias narrativas. De allí su plena ocupación del margen de futuro que excede al presente; su impecable objetividad de aparato operativo o instrumento de resituar la lectura; y, sobre todo, de allí su libertad, ese ejercicio de abrir espacios tan alucinantes como veraces, que ocupan el campo de la visión con limpidez y asombro, descubriéndonos nuestra propia independencia de lectores dejados a su suerte. No es usual, en español, un proyecto de ruptura que no emprenda batallas de desamor ganadas; y, más bien, nos despeje el espacio de la lectura como el lugar de mayor transparencia, enigma y creatividad. Cada quien, por eso, define ante el Proyecto su propia orilla de futuro: tanto los personajes como los textos en proceso nos hacen lugar en ese nomadismo sin navegador o mapa; todo se debe al otro proyecto, a la otra novela en construcción, a la otra lectura, más novelesca, aquella que dibujamos y nos define.*

¿Cómo definir el asombro gratuito de la primera lectura de Nocilla dream? *Cada lector lo ha hecho con entusiasmo por su propia lectura, como es natural, y por vía comparativa la ha dotado de un linaje tan ilustre como actual. La suma del Proyecto nos permite verla hoy (y el término es inexhausto) como una primera lectura reiterada: siempre es otro objeto, con otra ruta de acceso. Quizá porque se debe a la mirada, reflejada en los espejos, como si el breve mundo situado fuese registrado desde un espejo retrovisor de un coche «ya casi hecho chatarra». El reciclaje es parte del ciclo: más que sueño (tautológico) la vida es pesadilla (sin claves), y lo residual (el género narrativo como la tecnología misma) arde en la visión con la pura presencia de las materias que ensayarán un nuevo instrumento de ver. Del sujeto, por ello, sólo nos quedan sus fotografías: rostros sin historia como los zapatos que penden de un árbol, otra poderosa imagen de la geometría como basurero, y de los signos como alfabeto en construcción. El desierto norteamericano (rizomático), los espacios posthidegerianos (no moradas sino impersonales), el mercado ubicuo son la presencia posthumana donde el arte de lo ilusorio documenta su nuevo realismo.*

Nocilla dream, *después de todo, anuncia que el sueño de un objeto de la identidad doméstica tiene la función inversa a la magdalena proustiana: en lugar de desencadenar la memoria, propicia la recomposición del presente. Después de todo, no es un objeto sino una cifra: No-sí-ya. Esto es, refuta al lenguaje, afirma el registro documental, y afinca en el presente.*

En Nocilla experience *se trata del cuerpo: de la biológica, esa exploración no sólo de lo mirado sino de la vista misma, del sujeto implicado. Si Borges remitía a los mapas inverosímiles, Cortázar y su* Rayuela *remiten ahora al cotejo de la búsqueda (*Rayuela *busca a la Novela con el pretexto de buscar a la Maga) con el cálculo del juego, donde el azar es contenido dentro otro azar. El proyecto «transpoético» tiene en este laboratorio su demostración fehaciente y, a la vez, conceptual. Deriva o deviene en una teoría de la novela del siglo XXI: su Epílogo devuelve lo narrativo como una película de la frontera, sin truculencia ni moral, sólo como espectáculo, o sea, duración y coloquio; la novela, se diría, se cuenta un cuento para despedirse haciendo adiós con el sombrero. Y en* Nocilla lab *todo recomienza: la narración es postapocalíptica, y se desarrolla como un ensayo narrativo, ligeramente testimonial, donde los sujetos calificados como «casos clínicos» han puesto a prueba su propio relato. En* El mono gramático *de Octavio Paz el narrador ha leído una página reveladora que, al día siguiente, no encuentra en el libro. La experiencia, me parece, es común: todos hemos leído una página que no existe. Esa página en blanco es la que funde al animal y la gramática, pero en este* lab *se trata de otra lógica: la del algoritmo, hecho de pausas, silencios, olvidos y otras páginas en blanco donde en lugar de ver una epifanía mallarmeleana del lenguaje absoluto, el narrador (convertido en el grado cero de la lectura) ve su ausencia como el drama de la representación. El narrador está, así, condenado a documentar su propio relato en el laboratorio de la escritura. Pero la novela siempre recomienza: al final, como historieta dibujada en la que el autor se encuentra con Enrique Vila-Matas, con quien comparte el propósito de desaparecer. Para desaparecer, felizmente, no ha hecho sino reaparecer.*

Como en Rayuela, *el proyecto narrativo se debe al recomienzo: cuando la novela empieza la historia ha terminado, y la exploración (¡ya no en París, finalmente, sino en una isla de Repsol!) promete no acabar.*

JULIO ORTEGA

Aclaraciones y créditos

Nocilla dream

Origen de las citas usadas, por orden de aparición:

—B. Jack Copeland & Diane Proudfoot, «Un Alan Turing desconocido», *Scientific American,* ISSN 1135-5662
—F. G. Heath, «Los orígenes de código binario», *Scientific American,* ISSN 1135-5662
—Luis Arroyo, *Realidad virtual,* ed. Espasa, ISBN 84239-9761-8
—Jérome Segal, «La geometría de la información», *Scientific American,* ISSN 1135-5662
—Richard P. Feynman, *¿Está usted de broma, Sr. Feynman?,* Alianza Editorial, ISBN 84-206-9547-5
—Thomas Bernhard, *Corrección,* Alianza Editorial, ISBN 84-206-9547-5
—Jacob D. Bekenstein, «La información en el universo informático», *Scientific American,* ISSN 1135-5662
—Anthony Acampora, «Láser en el kilómetro final», *Scientific American,* ISSN 1135-5662
—Daniel Arijon, *Gramática del lenguaje audiovisual,* Escuela de Cine y Vídeo, ISBN 84-86435-48-X
—François Cheng, *El libro del Zen de Zhuangzi,* ed. Siruela, ISBN 84-7844-769-5
—Mark Dery, *Velocidad de escape,* ed. Siruela, ISBN 847844-396-7
—Jeff Rothenberg, «¿Son perdurables los documentos digitales?», *Scientific American,* ISSN 1135-5662

—Félix de Azúa, diario *El País,* 10-08-2004
—P. R. Zimmermann, «Criptografía para Internet», *Scientific American,* ISSN 1135-5662
—*Artforum*, Revista de Arte, diciembre de 1966, Nueva York
—Martin Cooper, «Antenas adaptables», *Scientific American,* ISSN 1135-5662
—Greil Marcus, *Rastros de carmín,* ed. Anagrama, ISBN 84-339-1365-4
—Eddie Prévost, «Cometer todos los errores adecuados», revista *Zehar*, nº 53, Arteleku, ISSN 1133-844 X
—Ignacio Aparicio, *Las construcciones de la arquitectura*, ed. Espasa, ISBN 84-239-9761-8
—Silvestra Mariniello, *El cine y el fin del arte*, ed. Cátedra, ISBN 84-376-1069-9

También se han manejado diferentes artículos de *The New York Times.*

El resto de referencias, ya sean de origen papel o páginas web, aparecen completas y con suficiente claridad a lo largo del texto.

Algunas historias y personajes han sido directamente extraídos de esa «ficción colectiva» a la que comúnmente llamamos «realidad». El resto, de aquella otra «ficción personal» a la que solemos denominar «imaginación». Así, el lector habrá encontrado biografías reales y públicas desviadas del original, y biografías ficticias que han ido a converger al cauce de otras reales, componiéndose de esta manera una «docuficción».

Nocilla dream, cuyo arranque surge de la conjunción de la lectura del artículo «El árbol generoso» (de Charlie LeDuff, *The New York Times,* 10-06-2004), con el fortuito hallazgo, en un sobre de un azucarillo de un restaurante chino, del verso de Yeats, «Todo ha cambiado, cambió por completo / una belleza terrible ha nacido», y la también fortuita reaudición ese mismo día de la canción

«¡Nocilla, qué merendilla!» de Siniestro Total (DRO, Discos Radiactivos Organizados, 1982), fue escrito entre los días 11 de junio y 10 de septiembre de 2004 en las ciudades de Chiang-Mai, Bangkok y Palma de Mallorca.

Nocilla dream fue editado en octubre de 2006 por la editorial Candaya, y contó con un prólogo de Juan Bonilla.

Nocilla experience

Las obras, *Torre para Suicidas* y el *Museo de la Ruina,* son originales del artista Isidoro Valcárcel Medina. Están extraídas de la revista de arquitectura, *Fisuras,* nº 8, Madrid, 2000.

Con posterioridad a 2005 se introdujo la historia de Henry J. Darger, basada en el artículo «Niñas a la carrera», de Ana Serrano Pareja, publicado en *Quimera*, nº 276, Barcelona, noviembre de 2006.

La referencia al *morphing* está inspirada en el texto, *Monstruos, fantasmas y alienígenas: poéticas de la representación en la cibersociedad,* de José Ramón Alcalá, Fundación Telefónica, Madrid, 2004.

Los insertos de la novela *Rayuela,* de Julio Cortázar, están extraídos de la edición de Ediciones Alfaguara, Madrid, 1984.

Los Preceptos del Samurái están extraídos del largometraje, *Ghost dog,* dirigido por Jim Jarmusch, 1999.

Las diferentes definiciones topológicas de las *bolas* están tomadas del texto técnico, *Análisis matemático* (Tom M. Apostol, editorial Reverté, Barcelona, 1976-2002), modificadas en sus comentarios.

El resto de referencias aparecen de forma explícita en el texto.

Nocilla experience fue escrito en Palma de Mallorca entre los meses de diciembre de 2004 y marzo de 2005, y publicado por la editorial Alfaguara en marzo de 2008.

Nocilla lab

Nocilla lab fue escrito a lo largo del verano de 2005, y publicado por la editorial Alfaguara en octubre de 2009

Entre el año 2006 y el 2009 el autor elaboró una poética filmada, *Proyecto Nocilla, la película*, que puede ser vista o descargada en el blog, El Hombre Que Salió de La Tarta.

Proyecto Nocilla está dedicado a Aina Lorente Solivellas.

Alfaguara es un sello editorial del Grupo Santillana

www.alfaguara.com

Argentina
www.alfaguara.com/ar
Av. Leandro N. Alem, 720
C 1001 AAP Buenos Aires
Tel. (54 11) 41 19 50 00
Fax (54 11) 41 19 50 21

Bolivia
www.alfaguara.com/bo
Calacoto, calle 13 n° 8078
La Paz
Tel. (591 2) 279 22 78
Fax (591 2) 277 10 56

Chile
www.alfaguara.com/cl
Dr. Aníbal Ariztía, 1444
Providencia
Santiago de Chile
Tel. (56 2) 384 30 00
Fax (56 2) 384 30 60

Colombia
www.alfaguara.com/co
Carrera 11A, n° 98-50, oficina 501
Bogotá DC
Tel. (571) 705 77 77

Costa Rica
www.alfaguara.com/cas
La Uruca
Del Edificio de Aviación Civil 200 metros
Oeste
San José de Costa Rica
Tel. (506) 22 20 42 42 y 25 20 05 05
Fax (506) 22 20 13 20

Ecuador
www.alfaguara.com/ec
Avda. Eloy Alfaro, N 33-347 y Avda. 6 de
Diciembre
Quito
Tel. (593 2) 244 66 56
Fax (593 2) 244 87 91

El Salvador
www.alfaguara.com/can
Siemens, 51
Zona Industrial Santa Elena
Antiguo Cuscatlán - La Libertad
Tel. (503) 2 505 89 y 2 289 89 20
Fax (503) 2 278 60 66

España
www.alfaguara.com/es
Avenida de los Artesanos, 6
28760 Tres Cantos, Madrid
Tel. (34 91) 744 90 60
Fax (34 91) 744 92 24

Estados Unidos
www.alfaguara.com/us
2023 N.W. 84th Avenue
Miami, FL 33122
Tel. (1 305) 591 95 22 y 591 22 32
Fax (1 305) 591 91 45

Guatemala
www.alfaguara.com/can
26 avenida 2-20
Zona n° 14
Guatemala CA
Tel. (502) 24 29 43 00
Fax (502) 24 29 43 03

Honduras
www.alfaguara.com/can
Colonia Tepeyac Contigua a Banco Cuscatlán
Frente Iglesia Adventista del Séptimo Día,
Casa 1626
Boulevard Juan Pablo Segundo
Tegucigalpa, M. D. C.
Tel. (504) 239 98 84

México
www.alfaguara.com/mx
Avda. Río Mixcoac, 274
Colonia Acacias, C.P. 03240
Benito Juárez, México D.F.
Tel. (52 5) 554 20 75 30
Fax (52 5) 556 01 10 67

Panamá
www.alfaguara.com/cas
Vía Transísmica, Urb. Industrial Orillac,
Calle segunda, local 9
Ciudad de Panamá
Tel. (507) 261 29 95

Paraguay
www.alfaguara.com/py
Avda. Venezuela, 276,
entre Mariscal López y España
Asunción
Tel./fax (595 21) 213 294 y 214 983

Perú
www.alfaguara.com/pe
Avda. Primavera 2160
Santiago de Surco
Lima 33
Tel. (51 1) 313 40 00
Fax (51 1) 313 40 01

Puerto Rico
www.alfaguara.com/mx
Avda. Roosevelt, 1506
Guaynabo 00968
Tel. (1 787) 781 98 00
Fax (1 787) 783 12 62

República Dominicana
www.alfaguara.com/do
Juan Sánchez Ramírez, 9
Gazcue
Santo Domingo R.D.
Tel. (1809) 682 13 82
Fax (1809) 689 10 22

Uruguay
www.alfaguara.com/uy
Juan Manuel Blanes 1132
11200 Montevideo
Tel. (598 2) 410 73 42
Fax (598 2) 410 86 83

Venezuela
www.alfaguara.com/ve
Avda. Rómulo Gallegos
Edificio Zulia, 1°
Boleita Norte
Caracas
Tel. (58 212) 235 30 33
Fax (58 212) 239 10 51